CYBERCULTURE

PIERRE LÉVY

CYBERCULTURE

Rapport au Conseil de l'Europe
dans le cadre du projet « Nouvelles technologies :
coopération culturelle et communication »

Council of Europe Publishing
Editions du Conseil de l'Europe

Ouvrage proposé par
Charles Goldfinger

© Éditions Odile Jacob/Éditions du Conseil de l'Europe, novembre 1997
Internet : http://www.odilejacob.fr
ISBN : 978-2-7381-0512-7

À mes parents, Lilia et Henri.

DÉLUGES

Penser la cyberculture, tel est l'enjeu de ce livre. On me considère généralement comme un optimiste. On a raison. Mais mon optimisme ne promet pas qu'Internet résoudra magiquement tous les problèmes culturels et sociaux de la planète. Il consiste simplement à reconnaître deux faits. Premièrement, que la croissance du cyberespace est le résultat d'un mouvement international de jeunes gens avides d'expérimenter collectivement d'autres formes de communication que celles qui sont proposées par les médias classiques. Deuxièmement, que s'ouvre aujourd'hui un nouvel espace de communication dont il ne tient qu'à nous d'exploiter les potentialités les plus positives sur les plans économique, politique, culturel et humain.

Ceux qui dénoncent la cyberculture aujourd'hui ressemblent étrangement à ceux qui méprisaient le rock dans les années cinquante ou soixante. Le rock était anglo-américain et il est devenu une industrie. Cela ne l'a pas empêché de porter les aspirations d'une part énorme de la jeunesse du monde, ni beaucoup d'entre nous de prendre un immense plaisir à écouter ou à jouer ensemble cette musique. La pop music des années soixante-dix a donné une conscience à une ou deux générations et elle a contribué à arrêter la guerre du Vietnam. Certes, ni le rock ni la pop n'ont résolu le problème de la misère ou de la faim dans le monde. Était-ce une raison pour « être contre » ?

Au cours d'une de ces tables rondes qui se multiplient sur les « impacts » des nouveaux réseaux de communication, j'ai eu l'occasion d'entendre un cinéaste devenu fonctionnaire européen dénoncer la « barbarie » incarnée par les jeux vidéo, les mondes virtuels et les forums électroniques. Je lui ai fait remarquer qu'il s'agissait là d'un étrange discours de la part d'un représentant du septième art. À sa naissance, le cinéma n'a-t-il pas été vilipendé comme moyen d'abrutissement mécanique des masses par presque tous les intellectuels bien-pensants et les porte-parole officiels de la culture ? Or, aujourd'hui, le cinéma est reconnu comme un art à part entière et il est investi de toutes les légitimités culturelles imaginables. Hélas, il semble que le passé ne soit pas capable de nous instruire. Le même phénomène qu'avec le cinéma se reproduit avec les pratiques sociales et artistiques qui se fondent sur les techniques contemporaines. Elles sont dénoncées comme « étrangères » (américaines), inhumaines, abrutissantes, déréalisantes, etc.

Je ne veux nullement laisser croire que tout ce que l'on fait avec les réseaux numériques soit « bon ». Ce serait aussi absurde que de prétendre que tous les films sont excellents. Je demande simplement que l'on soit ouvert, bienveillant, accueillant à la nouveauté. Que l'on essaie de la comprendre. Car la véritable question n'est évidemment pas d'être pour ou contre mais de reconnaître les changements qualitatifs de l'écologie des signes, l'environnement inédit qui résulte de l'extension des nouveaux réseaux de communication pour la vie sociale et culturelle. Ainsi seulement, on pourra développer ces nouvelles technologies dans une perspective humaniste.

Mais parler d'humanisme n'est-il pas le propre des rêveurs ? La cause semble entendue, les journaux et la télévision ont tranché : cyberespace est entré dans l'ère commerciale, « Les marchands montent à l'assaut d'Internet », titre *Le Monde diplomatique*. Il ne s'agit plus là que d'une affaire de gros sous. Le temps des activistes et des utopistes est révolu. Tentez d'expliquer le développement de nouvelles formes de communication transversales, interactives et coopératives : on vous répondra en parlant des bénéfices fabuleux de Bill Gates, P-DG de Microsoft. Les services en ligne seront payants, réservés aux plus riches. La croissance du cyberespace n'aura pour effet que de creuser encore le fossé entre les nantis et les exclus, entre les pays du Nord et les régions pauvres où la majorité des habitants n'ont même pas le téléphone. Faire un effort pour apprécier la cyberculture vous met automatiquement dans le camp d'IBM, du capitalisme financier international, du gouvernement américain, fait de vous un apôtre du néolibéralisme sauvage et dur aux pauvres, un fourrier de la mondialisation sous le masque de l'humanisme !

Il me faut donc ici énoncer quelques arguments de bon sens. Le fait que le cinéma ou la musique soient aussi des industries et qu'on en fasse commerce n'empêche pas d'en jouir, ni d'en parler dans une perspective culturelle ou esthétique. Le téléphone a rapporté et continue à rapporter des fortunes aux compagnies de télécommunication. Cela n'enlève rien au fait que les réseaux téléphoniques autorisent une communication planétaire et interactive. Que seulement un quart de l'humanité ait accès au téléphone ne constitue pas un argument « contre » le téléphone. On ne voit donc pas pourquoi l'exploitation économique d'Internet ou le fait que tout le monde n'y ait pas encore accès constitueraient en eux-mêmes une condamnation de la cyberculture ou interdiraient de l'envisager autrement que sur un mode critique. Il est exact que les services payants sont de plus en plus nombreux. Tout laisse croire que ce développement va se poursuivre et s'accélérer dans les années à venir. Néanmoins, il faut aussi remarquer que les services gratuits connaissent une prolifération encore plus rapide. Ces services gratuits proviennent des universités, des organismes publics, des associations à but non lucratif, des individus, de groupes d'intérêts divers et des entreprises elles-mêmes. Il n'y a pas lieu d'opposer le commerce d'un côté et la dynamique libertaire et communautaire qui a présidé à la croissance d'Internet d'un autre côté. Les deux sont complémentaires, n'en déplaise aux manichéens.

La question de l'exclusion est évidemment cruciale. Elle sera abordée au dernier chapitre de ce livre. Je voudrais simplement souligner dans cette introduction qu'elle ne doit pas nous interdire d'envisager les implications culturelles de la cyberculture dans toutes ses dimensions. Ce ne sont d'ailleurs pas les pauvres qui sont « contre Internet », ce sont ceux dont les positions de pouvoir, les privilèges (notamment culturels) et les monopoles sont menacés par l'émergence de cette nouvelle configuration de communication.

Dans un entretien au cours des années cinquante, Albert Einstein déclara que trois bombes majeures avaient explosé au XXe siècle : la bombe démographique, la bombe atomique et celle des télécommunications. Ce qu'Einstein appelait la bombe des télécommunications, mon ami Roy Ascott (un des pionniers et l'un des principaux théoriciens de l'art en réseau) l'a nommé « le deuxième déluge », celui des informations. Les télécommunications entraînent ce nouveau déluge à cause du caractère exponentiel, explosif et chaotique de leur croissance. La quantité brute des données disponibles se multiplie et s'accélère. La densité des liens entre les informations augmente vertigineusement dans les banques informatiques, les hypertextes et les réseaux. Les contacts transversaux entre les individus prolifèrent anarchiquement. Voici le débordement chaotique des informations, le flot des données, les eaux tumultueuses et les tourbillons de la communication, la cacophonie et le psittacisme assourdissant des médias, la guerre des images, les propagandes et contre-propagandes, la confusion des esprits.

La bombe démographique, elle aussi, représente une sorte de déluge, une crue démographique inouïe. Un peu plus d'un milliard et demi d'hommes vivaient sur terre en 1900, on en comptera autour de six milliards en l'an 2000. Les hommes inondent la Terre. Une croissance globale aussi rapide et massive n'a aucun précédent historique.

Face à l'irrépressible flot humain, deux solutions s'opposent. Ou bien celle de la guerre, de l'extermination du déluge atomique, quelle que soit sa forme, avec le mépris des personnes qu'elle implique. Alors la vie humaine est en perte de valeur. L'humain est ravalé au rang du bétail ou de la fourmi, affamé, terrorisé, exploité, déporté, massacré.

Ou bien l'exaltation de la personne, l'humain considéré comme la principale valeur, ressource merveilleuse et sans prix. Pour mettre la valeur en valeur, nous nous affairons à tisser inlassablement des *relations* entre les âges, entre les sexes, entre les nations et les cultures, malgré les difficultés et les conflits. La seconde solution, symbolisée par les télécommunications, implique la reconnaissance de l'autre, l'accueil mutuel, l'entraide, la coopération, l'association, la négociation, par-delà les divergences de vues et d'intérêts. Les télécommunications étendent réellement d'un bout du monde à l'autre les possibilités de contact amical, de transactions contractuelles, de transmissions de savoir, d'échanges de connaissances, de découverte pacifique des différences.

Le fin maillage des humains de tous les horizons en un seul et immense tissu ouvert et interactif engendre une situation absolument inédite, porteuse d'espoirs, puisqu'elle est une réponse positive à la croissance démographique, mais créatrice aussi de nouveaux problèmes. Je voudrais en aborder quelques-uns dans ce livre, et spécialement ceux qui ont trait à la culture : l'art, l'éducation ou la cité à la merci de la communication interactive généralisée. À l'aube du déluge informationnel, peut-être une médita-

tion sur le déluge biblique nous aidera-t-elle à mieux
appréhender les temps nouveaux ? Où est Noé ? Que mettre
dans l'arche ?

Du milieu du chaos, Noé construit un petit tout bien
ordonné. Du déferlement des données, il protège une sélection. Quand tout part à vau-l'eau, il est saisi du souci de
transmettre. Malgré le sauve-qui-peut général, il recueille
en vue de l'avenir.

« Le Seigneur ferma la porte sur Noé » (Gen. 7-16).
L'arche est close. Elle symbolise la totalité reconstituée.
Quand l'univers est déchaîné, le microcosme organisé
reflète l'ordre d'un macrocosme à venir. Mais le multiple ne
se laisse plus méconnaître. Le déluge informationnel ne
décroîtra jamais. L'arche ne reposera pas sur le mont Ara-
rat. Le deuxième déluge n'aura pas de fin. Il n'y a plus de
fond solide sous l'océan des informations. Il nous faut
l'accepter comme notre condition nouvelle. À nos enfants
apprenons à nager, à flotter, à naviguer peut-être.

Lorsque Noé, c'est-à-dire chacun de nous, regarde à
travers le hublot de son arche, il voit d'autres arches, à
perte de vue, sur l'océan houleux de la communication
numérique. Et chacune de ces arches contient une sélection différente. Chacune veut sauver la diversité. Chacune
veut transmettre. Ces arches dériveront indéfiniment à la
surface des eaux.

Une des principales hypothèses de ce livre est que la
cyberculture exprime la montée d'un nouvel universel, différent des formes culturelles qui l'ont précédé en ce qu'il se
construit sur l'indétermination d'un quelconque sens global. Il faut la replacer en effet dans la perspective des précédentes mutations de la communication.

Dans les sociétés orales, les messages discursifs sont
toujours reçus dans le contexte même où ils sont produits.
Mais, avec l'arrivée de l'écriture, les textes se détachent du
contexte vivant d'où ils sont issus. On peut lire un message
écrit cinq siècles auparavant ou rédigé à cinq mille kilo-

mètres de là, ce qui pose souvent des problèmes de réception et d'interprétation. Pour surmonter ces difficultés, certains types de messages sont alors spécialement conçus pour garder le même sens quel que soit le contexte (le lieu, l'époque) de réception : ce sont les messages « universels » (science, religions du livre, droits de l'homme, etc.). Cette universalité, acquise grâce à l'écriture statique, ne se construit donc qu'au prix d'une certaine clôture ou fixité du sens : c'est un universel « totalisant ». Mon hypothèse est que la cyberculture reconduit la coprésence des messages à leur contexte qui avait cours dans les sociétés orales, mais à une autre échelle, sur une tout autre orbite. La nouvelle universalité ne dépend plus de l'autosuffisance des textes, d'une fixité et d'une indépendance des significations. Elle se construit et s'étend par l'interconnexion des messages entre eux, par leur branchement permanent sur des communautés virtuelles en devenir qui leur instillent des sens variés en renouvellement permanent.

L'arche du premier déluge était unique, étanche, fermée, totalisante. Les arches du deuxième déluge dansent de conserve. Elles échangent des signaux. Elles s'entrefécondent. Elles abritent de petites totalités, mais sans prétention à l'universel. Le déluge seul est universel. Mais il est intotalisable. Il faut imaginer Noé modeste.

« Ils furent effacés. Il ne resta que Noé et ceux qui étaient avec lui dans l'arche » (Gen. 7-23). L'opération de sauvetage de Noé semble complémentaire, presque complice, d'une extermination. La totalité à prétention universelle noie ce qu'elle n'a pas retenu. C'est ainsi que se fondent les civilisations, que s'instaure l'universel impérial. En Chine, l'empereur jaune a fait détruire presque tous les textes précédant son règne. Quel César, quel conquérant barbare ordonna de laisser brûler la bibliothèque d'Alexandrie pour en finir avec le capharnaüm hellénistique ? L'inquisition espagnole allumait des autodafés d'où partaient en fumée le Coran, le Talmud et tant de pages inspirées ou méditées. Horribles bûchers hitlériens, feux de livres sur les places d'Europe où se consumaient l'intelligence et la culture ! Peut-être la première de toutes ces tentatives d'effacement fut-elle celle du plus ancien empire, en Mésopotamie, là d'où nous viennent l'écriture et le récit du déluge, bien avant la Bible. Sargon d'Agadé, roi des quatre pays, premier empereur de l'histoire, n'a-t-il pas fait jeter dans l'Euphrate des milliers de tablettes d'argile, gravées de légendes immémoriales, de préceptes de sagesse, de manuels de médecine ou de magie, sécrétées par des générations de scribes ? Encore lisibles un moment sous l'eau vive, les signes s'effacent. Chahutées par les tourbillons, polies par le courant, les tablettes, lentement, se ramollissent, redeviennent de lisses galets d'argile qui bientôt se fondent à la boue du fleuve et partent rejoindre le limon des inondations. Des voix se sont tues à jamais. Elles ne susciteront plus d'échos ni de réponses.

Mais le nouveau déluge n'efface pas les marques de l'esprit. Il les charrie toutes ensemble. Fluide, virtuelle, simultanément rassemblée et dispersée, cette bibliothèque de Babel est impossible à brûler. Les voix innombrables qui résonnent dans le cyberespace continueront de se faire entendre et de se répondre. Les eaux de ce déluge n'effaceront pas les signes gravés : ce sont des flots de signes.

Oui, la technoscience a produit le feu nucléaire comme les réseaux interactifs. Mais le téléphone ou Internet ne font « que » communiquer. L'une comme les autres ont construit, pour la première fois, en ce siècle de fer et de folie, *l'unité concrète du genre humain*. Menace de mort à l'échelle de l'espèce pour la bombe atomique, dialogue planétaire pour les télécommunications.

Ni le salut ni la perdition ne résident dans la technique. Toujours ambivalentes, les techniques projettent dans le monde matériel nos émotions, nos intentions, nos projets. Les instruments que nous avons construits nous offrent des pouvoirs mais, collectivement responsables, nous tenons le choix entre nos mains.

*
* *

Ce rapport commandé par le Conseil de l'Europe traite des implications culturelles du développement des technologies de l'information et de la communication à support numérique. Sont exclus du champ direct de l'étude les enjeux économiques et industriels, les problèmes liés à l'emploi et les questions juridiques. L'accent est mis sur l'attitude générale face au progrès des nouvelles technologies, sur la virtualisation en cours de l'information et de la communication et sur la mutation globale de civilisation qui en résulte. Sont particulièrement abordées les nouvelles formes artistiques, les transformations du rapport au savoir, les enjeux concernant l'éducation et la formation, la ville et la démocratie, le maintien de la diversité des langues et des cultures, les problèmes de l'exclusion et de l'inégalité.

Comme j'emploie souvent les termes « cyberespace » et « cyberculture », il semble utile d'en donner dès maintenant une brève définition. Le cyberespace (qu'on appellera aussi le « réseau ») est le nouveau milieu de communication qui émerge de l'interconnexion mondiale des ordinateurs. Le terme désigne non seulement l'infrastructure matérielle de la communication numérique, mais également l'océanique univers d'informations qu'il abrite ainsi que les êtres humains qui y naviguent et l'alimentent. Quant au néologisme cyberculture, il désigne ici l'ensemble des techniques (matérielles et intellectuelles), des pratiques, des attitudes, des modes de pensée et des valeurs qui se développent conjointement à la croissance du cyberespace.

La première partie, où je commence par poser le problème de l'impact social et culturel de toute nouvelle technologie, donne une description synthétique des grands concepts techniques qui expriment et portent la cyberculture. En la lisant, le lecteur gardera à l'esprit que ces techniques créent des conditions nouvelles et proposent des occasions inouïes pour le développement des personnes et des sociétés mais qu'elles ne déterminent automatiquement ni l'obscurité ni la lumière pour le devenir humain. Je me suis efforcé de donner *les définitions les plus claires possibles*, car, bien que ce domaine soit maintenant de mieux en mieux connu du grand public, il ne l'est souvent que par bribes et sans la précision et la clarté indispensables à la compréhension des grands enjeux de société. Sont donc présentés de manière accessible à des non-spécialistes la numérisation de l'information, les hypertextes et hypermédias, les simulations informatiques, les réalités virtuelles, les grandes fonctions des réseaux interactifs et particulièrement celles d'Internet.

La deuxième partie traite plus spécifiquement des implications culturelles du développement du cyberespace. Elle brosse *le portrait de la cyberculture* : la nouvelle forme d'universalité qu'elle invente, le mouvement social qui lui a donné naissance, ses genres artistiques et musicaux, les bouleversements qu'elle suscite dans le rapport au savoir, les nécessaires réformes de l'éducation qu'elle appelle, son apport à l'urbanisme et à la pensée de la ville, les questions qu'elle pose à la philosophie politique.

La troisième partie, enfin, explore *le négatif de la cyberculture*, à travers les conflits et les critiques qu'elle ne manque pas de provoquer. J'y traite des oppositions d'intérêts et des luttes de pouvoirs qui se nouent autour du cyberespace, des dénonciations souvent très virulentes dont le virtuel fait l'objet, des graves questions de l'exclusion et du maintien de la diversité culturelle face aux impérialismes politiques, économiques ou médiatiques.

PREMIÈRE PARTIE

DÉFINITIONS

CHAPITRE PREMIER

LES TECHNOLOGIES ONT-ELLES UN IMPACT ?

La métaphore de l'impact est inadéquate

Dans les textes d'annonce des colloques, les résumés des études officielles ou les articles de la grande presse concernant le développement du multimédia, il est souvent question des « impacts » des nouvelles technologies de l'information sur la société ou la culture. La technologie serait comparable à quelque projectile (caillou, obus, missile ?) et la culture ou la société à une cible vivante... Cette métaphore balistique est critiquable à plus d'un titre. Il ne s'agit pas tant d'évaluer la pertinence stylistique d'une figure de rhétorique que de mettre au jour le schéma de lecture des phénomènes – à mon sens inadéquat – que révèle la métaphore de l'impact[1].

Les techniques viennent-elles d'une autre planète, le monde des machines, froid, sans émotion, étranger à toute signification et à toute valeur humaine, comme une certaine tradition de pensée tend à le suggérer[2]? Il me semble au contraire que non seulement les techniques sont imaginées, fabriquées et réinterprétées à l'usage par des

---

1. Voir Mark Johnson, George Lakoff, *Les Métaphores dans la vie quotidienne*, Paris, Minuit, 1985.

2. C'est, par exemple, la thèse, à peine caricaturée ici, de Gilbert Hottois dans *Le Signe et la Technique*, Paris, Aubier-Montaigne, 1984.

hommes, mais que c'est même l'utilisation intensive des outils qui constitue l'humanité en tant que telle (conjointement avec le langage et les institutions sociales complexes). C'est le même homme qui parle, enterre ses morts et taille le silex. Se propageant jusqu'à nous, le feu de Prométhée cuit les aliments, durcit l'argile, fond les métaux, alimente la machine à vapeur, court dans les câbles à haute tension, brûle dans les centrales nucléaires, explose dans les armes et les engins de destruction. Par l'architecture qui l'abrite, le rassemble et l'inscrit sur la Terre ; par la roue et la navigation qui ont ouvert ses horizons ; par l'écriture, le téléphone et le cinéma qui l'infiltrent de signes ; par le texte et le textile qui, tramant la variété des matières, des couleurs et des sens, déroulent à l'infini les surfaces ondulées, luxueusement repliées, de ses intrigues, de ses étoffes et de ses voiles, le monde humain est d'emblée technique.

La technologie est-elle un acteur autonome, séparé de la société et de la culture, qui seraient les entités passives percutées par un agent extérieur ? Je soutiens au contraire que la technique est un angle d'analyse des systèmes sociotechniques globaux, un point de vue qui met l'accent sur la partie matérielle et artificielle des phénomènes humains, et non une entité réelle, qui existerait indépendamment du reste, aurait des effets distincts et agirait par elle-même. Les affaires humaines comprennent de manière indissociable des interactions entre :
    – des personnes vivantes et pensantes,
    – des entités matérielles naturelles et artificielles,
    – des idées et des représentations.
Il est impossible de séparer l'humain de son environnement matériel, ni des signes et images par lesquels il donne sens à la vie et au monde. De même, on ne peut séparer le monde matériel – et encore moins sa part artificielle – des idées par lesquelles les objets techniques sont conçus et utilisés, ni des humains qui les inventent, les produisent et s'en servent. Ajoutons enfin que les images, les mots, les

constructions de langage nichent dans les esprits humains, fournissent moyens et raisons de vivre aux hommes et à leurs institutions, sont portés en retour par des groupes organisés et outillés comme par des circuits de communication et des mémoires artificielles[1].

Même si nous supposons qu'il existe effectivement trois entités : technique, culture et société, plutôt que mettre l'accent sur l'impact des technologies on pourrait tout aussi bien prétendre que les technologies sont des produits d'une société et d'une culture. Mais la distinction tranchée entre culture (la dynamique des représentations), société (les gens, leurs liens, leurs échanges, leurs rapports de force) et technique (les artefacts efficaces) ne peut être que conceptuelle. Aucun acteur, aucune « cause » véritablement indépendante n'y correspond. On prend des biais intellectuels pour des acteurs parce qu'il y a des groupes bien réels qui s'organisent autour de ces découpages verbaux (ministères, disciplines scientifiques, départements d'université, laboratoires de recherche) ou parce que certaines forces ont intérêt à faire croire que tel problème est « purement technique », ou « purement culturel » ou encore « purement économique ». Les rapports véritables ne se nouent donc pas entre « la » technologie (qui serait de l'ordre de la cause) et « la » culture (qui subirait des effets), mais entre une multitude d'acteurs humains qui inventent, produisent, utilisent et interprètent diversement *des* techniques[2].

---

1. Comment des formes institutionnelles et des techniques matérielles portent-elles des idées... et *vice versa*? C'est là une des lignes de recherche principales de l'entreprise « médiologique » initiée par Régis Debray. Voir, par exemple, son *Cours de médiologie générale*, Paris, Gallimard, 1991, *Transmettre*, Paris, Odile Jacob, 1997, et la belle revue *Les Cahiers de médiologie*.

2. Nous avons longuement développé ce point dans notre ouvrage *Les Technologies de l'intelligence*, Paris, Seuil, 1993. Voir également les travaux de la nouvelle anthropologie des sciences et des techniques, par exemple Bruno Latour, *La Science en action*, Paris, La Découverte, 1989.

« La technique » ou « des techniques » ?

En effet, *les* techniques sont porteuses de projets, de
schèmes imaginaires, d'implications sociales et culturelles
fort variés. Leur présence et leur usage en tel lieu à telle
époque cristallisent des rapports de force chaque fois différents entre êtres humains. Les machines à vapeur asser-
virent les ouvriers des usines textiles du xixe siècle tandis
que les ordinateurs personnels augmentèrent la capacité
d'agir et de communiquer des individus pendant les années
quatre-vingt de ce siècle. C'est dire qu'on ne peut parler des
effets socioculturels ou du sens de la technique en général,
comme tendent à le faire les disciples de Heidegger [1], voire
la tradition issue de l'école de Francfort [2]. Est-il légitime,
par exemple, de mettre sur le même plan le nucléaire et
l'électronique ? L'un contraint plutôt à des organisations
centralisées, contrôlées par des spécialistes, impose des
normes de sûreté et de sécurité fort strictes, engage des
choix sur le très long terme, etc. En revanche, l'électronique, beaucoup plus versatile, convient aussi bien à des
organisations pyramidales qu'à la plus large distribution
du pouvoir, obéit à des cycles techno-économiques beaucoup plus courts, etc. [3].
    Derrière les techniques agissent et réagissent des idées,
des projets sociaux, des utopies, des intérêts économiques,

---

1. Voir le fameux article de Heidegger, « Le sens de la technique »,
qui a engendré une nombreuse descendance intellectuelle parmi les philosophes et les sociologues de la technique en particulier et les penseurs
critiques du monde contemporain en général.
    2. La technique est-elle toujours du côté de la « raison instru-
mentale » ?
    3. Le parallèle entre l'électronique et le nucléaire est notamment
développé par Derrick De Kerckove dans *The Skin of Culture*, Toronto, Som-
merville Press, 1995.

des stratégies de pouvoir, l'éventail entier des jeux de l'homme en société. Toute affectation d'un sens univoque à la technique ne peut donc être que douteuse. L'ambivalence ou la multiplicité des significations et des projets enveloppant les techniques sont particulièrement évidentes dans le cas du numérique. Le développement des cyber-technologies est encouragé par des États à la poursuite de la puissance en général et de la suprématie militaire en particulier. C'est aussi un enjeu majeur de la compétition économique mondiale entre les firmes géantes de l'électronique et du logiciel, entre les grands ensembles géopolitiques. Mais il répond également aux finalités de concepteurs et d'utilisateurs qui cherchent à augmenter l'autonomie des individus et à démultiplier leurs facultés cognitives. Il incarne, enfin, l'idéal de scientifiques, d'artistes, de managers ou d'activistes du réseau qui veulent améliorer la collaboration entre les personnes, qui explorent et font vivre différentes formes d'intelligence collective et distribuée. Ces projets hétérogènes entrent parfois en conflit les uns avec les autres mais, plus souvent encore, j'y reviendrai, ils s'alimentent et se renforcent mutuellement.

La difficulté d'une analyse concrète des implications sociales et culturelles de l'informatique ou du multimédia est multipliée par l'absence radicale de stabilité dans ce domaine. À part les principes logiques qui fondent le fonctionnement des ordinateurs, qu'y a-t-il de commun entre, d'un côté, les monstres informatiques des années cinquante, réservés aux calculs scientifiques et statistiques, occupant des étages entiers, très chers, dépourvus d'écrans et de claviers et, de l'autre, les machines personnelles des années quatre-vingt, que peuvent acheter et manipuler facilement des personnes sans aucune formation scientifique ou technique pour écrire, dessiner, faire de la musique et planifier des budgets ? Il s'agit d'ordinateurs dans les deux cas, mais les implications cognitives, cultu-

relles, économiques et sociales sont évidemment très différentes. Or le numérique se trouve encore au début de sa
trajectoire. L'interconnexion mondiale des ordinateurs
(l'extension du cyberespace) se poursuit à un rythme accé-
léré. On se bat autour des prochains standards de communication multimodale. Tactiles, auditives, autorisant la
visualisation tridimensionnelle interactive, les nouvelles
interfaces avec l'univers des données numériques se bana-
lisent. Pour assister la navigation dans l'information, les
laboratoires rivalisent de créativité dans la conception de
cartes dynamiques des flux de données et la mise au point
d'agents logiciels intelligents, ou *knowbots*. Autant de phénomènes qui transforment les significations culturelles et
sociales des cybertechnologies à la fin des années quatre-
vingt-dix.

Étant donné l'ampleur et le rythme des transformations passées, il est encore impossible de prévoir les
mutations qui affecteront l'univers du numérique après
l'an 2000. Quand les capacités de mémoire et de transmission augmentent, lorsqu'on invente de nouvelles interfaces
avec le corps et le système cognitif humain (la « réalité virtuelle », par exemple), quand on traduit le contenu des
anciens médias dans le cyberespace (le téléphone, la télévision, les journaux, les livres, etc.), quand le numérique
fait communiquer et met en boucle rétroactive des processus physiques, biologiques, psychiques, économiques ou
industriels auparavant étanches, chaque fois ses implications culturelles et sociales doivent être réévaluées.

La technologie est-elle déterminante
ou conditionnante ?

Les techniques *déterminent*-elles la société ou la
culture ? Si nous acceptons la fiction d'une relation, elle est

beaucoup plus complexe qu'un rapport de détermination. L'émergence du cyberespace accompagne, traduit et favorise une évolution générale de la civilisation. Une technique est produite dans une culture, et une société se trouve conditionnée par ses techniques. Je dis bien *conditionnée* et non pas *déterminée*. La différence est capitale. L'invention de l'étrier a autorisé la mise au point d'une nouvelle forme de cavalerie lourde, à partir de laquelle se sont édifiés l'imaginaire de la chevalerie et les structures politique et sociale de la féodalité. Pourtant, l'étrier, en tant que dispositif matériel, n'est pas la « cause » de la féodalité européenne. Il n'y a pas de « cause » identifiable d'un état de fait social ou culturel, mais un ensemble infiniment complexe et partiellement *indéterminé* de processus en interaction qui s'auto-entretiennent ou s'inhibent. On peut dire en revanche que, sans l'étrier, on voit mal comment des chevaliers en armure auraient pu tenir sur leurs destriers et charger lance en avant... L'étrier conditionne effectivement la chevalerie et, indirectement, toute la féodalité, mais il ne les détermine pas. Que la technique conditionne, cela signifie qu'elle ouvre certaines possibilités, que certaines options culturelles ou sociales ne pourraient être sérieusement envisagées sans leur présence. Mais plusieurs possibilités sont ouvertes, et toutes ne seront pas saisies. Les mêmes techniques peuvent s'intégrer à des ensembles culturels fort différents. L'agriculture irriguée à grande échelle a peut-être favorisé le « despotisme oriental » en Mésopotamie, en Égypte ou en Chine, mais, d'une part, ces trois civilisations sont fort différentes et, d'autre part, l'agriculture irriguée s'est parfois bien accommodée de formes sociopolitiques coopératives (dans le Maghreb médiéval, par exemple). Confisquée par l'État en Chine, activité industrielle échappant aux pouvoirs politiques en Europe, l'imprimerie n'eut pas les mêmes conséquences en Orient et en Occident. La presse de Gutenberg n'a pas déterminé la crise de la Réforme, le développement de la science moderne européenne ni la montée des idéaux des lumières et la force croissante de l'opinion publique au xviiie siècle, elle les a seulement conditionnés. Elle s'est contentée de fournir une part indispensable de l'environnement global où ces formes culturelles ont surgi. Si, pour une philosophie mécaniste intransigeante, un effet est déterminé par ses causes et pourrait s'en déduire, le simple bon sens suggère que les phénomènes culturels et sociaux n'obéissent pas à ce schéma. La multiplicité des facteurs et des agents interdit le moindre calcul d'effets déterministes. De plus, tous les facteurs « objectifs » ne sont jamais que des conditions à interpréter de la part de personnes et de collectifs capables d'invention radicale.

Une technique n'est ni bonne, ni mauvaise (cela dépend des contextes, des usages et des points de vue), ni neutre (puisqu'elle est conditionnante ou contraignante, puisqu'elle ouvre ici et ferme ailleurs l'éventail des possibles). Il ne s'agit pas d'évaluer ses « impacts » mais de repérer les irréversibilités où tel de ses usages nous engagerait, les occasions qu'elle nous permettrait de saisir, de formuler les projets qui exploiteraient les virtualités dont elle est porteuse et de décider ce que nous en ferons.

Cependant, croire à une totale disponibilité des techniques et de leur potentiel pour des individus ou des collectivités prétendument libres, éclairés et rationnels serait se bercer d'illusions. Bien souvent, au moment où nous délibérons sur les usages possibles d'une technologie donnée, des manières de faire se sont déjà imposées. Dès avant notre prise de conscience, la dynamique collective a creusé ses attracteurs. Quand notre attention est attirée, il est trop tard... Pendant que nous nous interrogeons encore, d'autres technologies émergent sur la frontière nébuleuse où s'inventent les idées, les choses et les pratiques. Elles sont encore invisibles, peut-être à la veille de disparaître, peut-être promises au succès. Sur ces zones d'indétermination où se joue l'avenir, des groupes de concepteurs marginaux, des passionnés, des entrepreneurs audacieux tentent de toutes leurs forces d'infléchir le devenir. Aucun acteur institutionnel majeur – État ou entreprise – n'avait délibérément planifié, aucun grand média n'avait prévu ni annoncé le développement de l'informatique personnelle, ni celui des interfaces graphiques interactives pour tous, ni celui des BBS [1]ou des supports logiciels de communautés virtuelles [2], des hypertextes [3]et du World Wide Web [4], ou encore des logiciels de cryptographie personnelle inviolable [5]. Ces technologies, toutes imprégnées de leurs premiers usages et des projets de leurs concepteurs, nées dans l'esprit de visionnaires, portées par le bouillonnement de mouvements sociaux et de pratiques de base, sont arrivées de là où aucun « décideur » ne les attendait.

L'accélération du changement technique et l'intelligence collective

Si l'on s'intéresse d'abord à sa signification pour les hommes, il semble que, comme je le suggérais plus haut, le

---

1. Un **BBS** (Bulletin Board System) est un système de communication de type communautaire reposant sur des ordinateurs reliés par le réseau téléphonique.

2. Une communauté virtuelle est un groupe de personnes qui correspondent entre elles au moyen d'ordinateurs interconnectés.

3. Un hypertexte est un texte numérisé, reconfigurable et fluide. Il est composé de blocs élémentaires raccordés par des liens explorables en temps réel sur écran. La notion d'hyperdocument généralise à toutes les catégories de signes (images fixes, animées, sons, etc.) le principe du message en réseau mobile qui caractérise l'hypertexte.

4. Le World Wide Web est une fonction d'Internet qui rassemble en un seul immense hypertexte ou hyperdocument (comprenant des images et du son) tous les documents et hyperdocuments qui l'alimentent.

5. Pour un exposé plus détaillé des enjeux de la cryptographie, voir dans le chapitre XIV sur le conflit des intérêts et des interprétations la section sur le point de vue des États.

numérique, fluide, en constante mutation, soit dépourvu
d'essence stable. Mais, justement, la vitesse de transformation est elle-même une constante – paradoxale – de la
cyberculture. Elle explique en partie la sensation d'impact,
d'extériorité, d'étrangeté qui nous saisit lorsque nous tentons d'appréhender le mouvement contemporain des techniques. Pour l'individu dont les méthodes de travail sont
soudain modifiées, pour telle profession touchée brusque-
ment par une révolution technologique qui rend obsolètes
ses savoir-faire traditionnels (typographe, employé de
banque, pilote de ligne) – voire l'existence de son métier –,
pour les classes sociales ou les régions du monde qui ne
participent pas à l'effervescence de la conception, de la production ou de l'appropriation ludique des nouveaux instruments numériques, pour tous ceux-là, l'évolution technique
semble la manifestation d'un « autre » menaçant. À vrai
dire, chacun de nous se trouve peu ou prou dans cet état de
dépossession. L'accélération est si forte et si générale que
même les plus « branchés » sont, à divers degrés, dépassés
par le changement, car nul ne peut participer activement à
la création des transformations de l'ensemble des spéciali-
tés techniques, ni même les suivre de près.

Ce que l'on identifie grossièrement sous la dénomina-
tion de « nouvelles technologies » recouvre en fait l'activité
multiforme de groupes humains, un devenir collectif
complexe qui se cristallise notamment autour d'objets
matériels, de programmes informatiques et de dispositifs
de communication. C'est le processus social dans toute son
opacité, c'est *l'activité des autres*, qui revient vers l'individu
sous le masque étranger, inhumain, de la technique.
Quand les « impacts » sont négatifs, il faudrait incriminer
en fait l'organisation du travail ou les rapports de domination, ou encore l'indémêlable complexité des phénomènes
sociaux. De même, lorsque les « impacts » sont jugés positifs, ce n'est évidemment pas la technique qui est responsable du succès, mais ceux qui ont conçu, mis en œuvre et

utilisé certains instruments. Dans ce cas, la qualité du processus d'appropriation (c'est-à-dire finalement la qualité des rapports humains) importe souvent plus que les particularités systémiques des outils, si tant est que les deux aspects soient séparables.

En somme, plus le changement technique est rapide, plus il semble venir de l'extérieur. De plus, le sentiment d'étrangeté croît avec la séparation des activités et l'opacité des processus sociaux. C'est ici qu'intervient le rôle central de l'intelligence collective [1], qui est un des principaux moteurs de la cyberculture. En effet, la mise en synergie des compétences, des ressources et des projets, la constitution et l'entretien dynamique de mémoires communes, l'activation de modes de coopération souples et transversaux, la distribution coordonnée des centres de décision s'opposent à la séparation étanche des activités, aux cloisonnements, à l'opacité de l'organisation sociale. Plus se développent les processus d'intelligence collective – ce qui suppose évidemment la remise en question de nombreux pouvoirs –, mieux les individus et les groupes s'approprient les changements techniques, moins l'accélération du mouvement technosocial a d'effets excluants ou humainement destructeurs. Or le cyberespace, dispositif de communication interactif et communautaire, se présente justement comme un des instruments privilégiés de l'intelligence collective. C'est ainsi, par exemple, que les organismes de formation professionnelle ou d'enseignement à distance développent des systèmes d'apprentissage coopératifs en réseau. Des grandes entreprises mettent en place des dispositifs informatisés d'aide à la collaboration et à la coordination décentralisée (les *groupwares*, ou collecticiels). Les chercheurs et étudiants du monde entier échangent des idées, des articles, des images, des expériences ou des observations dans des conférences électroniques organi-

---

1. Voir Pierre Lévy, *L'Intelligence collective*, Paris, La Découverte, 1994.

sées par centres d'intérêts. Des informaticiens dispersés sur
la planète se viennent en aide pour résoudre des problèmes
de programmation. Le spécialiste d'une technologie aide
un novice tandis qu'un autre spécialiste l'initie à son tour à
un domaine où il est moins expert...

L'intelligence collective,
poison et remède de la cyberculture

Le cyberespace comme support d'intelligence collective est une des principales conditions à son propre développement. Toute l'histoire de la cyberculture témoigne
largement de ce processus de rétroaction positive, c'est-à-
dire de l'auto-entretien de la révolution des réseaux numériques [1]. Ce phénomène est complexe et ambivalent.

Tout d'abord, la croissance du cyberespace ne détermine pas automatiquement le développement de l'intelligence collective, elle lui fournit seulement un environnement propice. En effet, on voit poindre également dans
l'orbite des réseaux numériques interactifs toutes sortes de
nouvelles formes...

– d'isolement et de surcharge cognitive (stress de la
communication et du travail sur écran),

– de dépendance (addiction à la navigation ou au jeu
dans des mondes virtuels),

– de domination (renforcement des centres de décision et de contrôle, maîtrise quasi monopolistique de puissances économiques sur d'importantes fonctions du
réseau, etc.),

– d'exploitation (dans certains cas de télétravail sur-
veillé ou de délocalisation d'activités dans le tiers monde),

---

1. On trouve une bonne description de ces processus rétroactifs chez
Joël de Rosnay, *L'Homme symbiotique*, Paris, Seuil, 1995.

– et même de *bêtise collective* (rumeurs, conformisme de réseau ou de communautés virtuelles, amoncellement de données vides d'informations, « télévision interactive »).

Ensuite, dans les cas où des processus d'intelligence collective se développent effectivement grâce au cyberespace, ils ont notamment pour effet d'accélérer derechef le rythme du changement technosocial, ce qui rend d'autant plus nécessaire la participation active à la cyberculture si l'on ne veut pas être laissé pour compte, et tend à exclure de manière plus radicale encore ceux qui ne sont pas entrés dans le cycle positif du changement, de sa compréhension et de son appropriation.

Par son aspect participatif, socialisant, décloisonnant, émancipateur, l'intelligence collective proposée par la cyberculture constitue l'un des meilleurs remèdes au rythme déstabilisant, parfois excluant, de la mutation technique. Mais, du même mouvement, l'intelligence collective travaille activement à l'accélération de cette mutation. En grec ancien, le mot *pharmakon* (qui a donné le français pharmacie) désigne aussi bien le poison que le remède. Nouveau *pharmakon*, l'intelligence collective que favorise la cyberculture est à la fois *poison* pour ceux qui n'y participent pas (et personne ne peut y participer complètement tant elle est vaste et multiforme) et *remède* pour ceux qui plongent dans ses tourbillons et parviennent à contrôler leur dérive au milieu de ses courants.

CHAPITRE II

L'INFRASTRUCTURE TECHNIQUE DU VIRTUEL

L'émergence du cyberespace

Les premiers ordinateurs (calculatrices programmables à programme enregistré) apparurent en Angleterre et aux États-Unis en 1945. Longtemps réservé aux militaires pour des calculs scientifiques, leur usage civil se répandit pendant les années soixante. Il était déjà prévisible à cette époque que les performances des matériels informatiques augmenteraient constamment. Mais qu'un mouvement général de virtualisation de l'information et de la communication affecterait profondément les données élémentaires de la vie sociale, sauf quelques visionnaires, nul ne le prévoyait à ce moment-là. Les ordinateurs étaient encore de grosses machines à calculer, fragiles, isolées dans des salles réfrigérées, que des scientifiques en blouse blanche alimentaient en fiches perforées et qui crachaient périodiquement des listings illisibles. L'informatique servait aux calculs scientifiques, aux statistiques des États et des grandes entreprises ou à la gestion lourde (fiches de paye, etc.).

Le tournant capital peut être daté des années soixante-dix. La mise au point et la commercialisation du microprocesseur (unité de calcul arithmétique et logique logée sur une seule petite « puce » électronique) déclenchèrent plusieurs processus économiques et sociaux de grande ampleur.

Elles ouvrirent une nouvelle phase de l'automatisation de la production industrielle : robotique, ateliers flexibles, machines-outils à commandes numériques, etc. Elles virent également le début de l'automatisation de certains secteurs du tertiaire (banque, assurances). Depuis, la recherche systématique de gains de productivité par l'usage multiforme d'appareils électroniques, d'ordinateurs et de réseaux de communication informatique a gagné progressivement l'ensemble des activités économiques. Cette tendance se poursuit encore aujourd'hui.

Par ailleurs, un véritable mouvement social né en Californie dans le bouillonnement de la « contre-culture » s'empara des nouvelles possibilités techniques et inventa l'ordinateur personnel. Dès lors, l'ordinateur allait progressivement échapper aux services informatiques des grandes entreprises et aux programmeurs professionnels pour devenir un instrument de création (de textes, d'images, de musiques), d'organisation (bases de données, tableurs), de simulation (tableurs, outils d'aide à la décision, logiciels pour la recherche) et de divertissement (jeux) aux mains d'une proportion croissante de la population des pays développés.

Les années quatre-vingt virent se dessiner l'horizon contemporain du multimédia. L'informatique perdit peu à peu son statut de technique et de secteur industriel particulier et commença sa fusion avec les télécommunications, l'édition, le cinéma et la télévision. La numérisation gagna d'abord la production et l'enregistrement de la musique, mais les microprocesseurs et les mémoires informatiques tendaient à devenir l'infrastructure de production de tout le domaine de la communication. De nouvelles formes de messages « interactifs » apparurent : cette décennie vit la percée des jeux vidéo, le triomphe de l'informatique « conviviale » (interfaces graphiques et interactions senso-

rimotrices) et l'apparition des hyperdocuments (hypertextes, CD-Rom).

À la fin des années quatre-vingt et au début des années
quatre-vingt-dix, un nouveau mouvement social et culturel
issu des jeunes professionnels des grandes métropoles et
des campus américains prit rapidement une ampleur mondiale. Sans qu'une quelconque instance centrale ne dirige
ce processus, les différents réseaux informatiques qui
s'étaient constitués depuis la fin des années soixante-dix se
raccordèrent les uns aux autres tandis que le nombre de
personnes et d'ordinateurs connectés sur l'interréseau crût
soudainement de manière exponentielle. Comme dans le
cas de l'invention de l'ordinateur personnel, un courant
culturel spontané et imprévisible imposa un nouveau cours
au développement techno-économique. Les technologies
du numérique apparurent alors comme l'infrastructure du
cyberespace, nouvel espace de communication, de sociabilité, d'organisation et de transaction, mais aussi nouveau
marché de l'information et de la connaissance.

Dans ce rapport, la technique ne nous intéresse pas
pour elle-même. Il est cependant nécessaire d'exposer les
grandes tendances de l'évolution technique contemporaine
pour aborder les mutations sociales et culturelles qui
l'accompagnent. En la matière, la première donnée à
prendre en compte est l'augmentation exponentielle des
performances des matériels (vitesse de calcul, capacité de
mémoire, débits de transmission) combinée à une baisse
des prix continue. Parallèlement, le domaine du logiciel
bénéficie d'améliorations conceptuelles et théoriques qui
exploitent les augmentations de puissance matérielle. Les
producteurs de logiciels s'attachent à la construction d'un
espace de travail et de communication de plus en plus
« transparent » et « convivial ».

Les projections sur les usages sociaux du virtuel
doivent intégrer ce mouvement permanent d'accroissement de puissance, de baisse des coûts et de décloisonne-

ment. Tout laisse supposer que ces trois tendances vont se poursuivre à l'avenir. En revanche, il est impossible de prédire les mutations qualitatives qui s'appuieront sur cette vague, ni la manière dont la société va s'en emparer et l'infléchir. C'est en ce point que peuvent s'affronter des projets divergents, projets indissolublement techniques, économiques et sociaux.

Le traitement

Du côté du matériel, l'informatique regroupe l'ensemble des techniques qui contribuent à numériser ou digitaliser l'information (entrée), à la stocker (mémoire), à la traiter automatiquement, à la transporter et à la mettre à disposition d'un utilisateur final, humain ou mécanique (sortie). Ces distinctions sont conceptuelles. Les appareils ou les composants concrets mêlent toujours plusieurs fonctions.

Les organes de traitement d'information ou « processeurs », aujourd'hui logés sur des « puces », effectuent des calculs arithmétiques et logiques sur les données. Ils accomplissent à grande vitesse et de manière hautement répétitive un petit nombre d'opérations très simples sur des informations codées de manière numérique. Des lampes aux transistors, des transistors aux circuits intégrés, des circuits intégrés aux microprocesseurs, les avancées très rapides du traitement de l'information ont bénéficié d'améliorations dans l'architecture des circuits, des progrès en électronique et en physique, des recherches appliquées sur les matériaux, etc. Les processeurs disponibles sont chaque année plus petits, plus puissants [1], plus fiables et moins chers. Ces progrès, comme dans le cas des mémoires, sont d'allure expo-

---

1. La puissance de calcul est généralement mesurée en millions d'instructions par seconde ou Mips.

nentielle. Par exemple, la loi de Gordon-Moore (vérifiée depuis vingt-cinq ans) prévoit que, tous les dix-huit mois, l'évolution technologique permet de doubler la densité des microprocesseurs en nombre d'opérateurs logiques élémentaires. Or la densité se traduit presque linéairement en vitesse et en puissance de calcul. On peut encore illustrer cette rapidité d'évolution en disant que la puissance des plus gros supercalculateurs d'aujourd'hui se retrouvera sur un ordinateur personnel à la portée de la plupart des bourses dans dix ans.

La mémoire

Les supports d'enregistrement et de lecture automatique d'information sont généralement désignés par le terme de « mémoire ». L'information numérisée peut être stockée sur des cartes perforées, sur des bandes magnétiques, sur des disques magnétiques, sur des disques optiques, dans des circuits électroniques, sur des cartes à puce, sur des supports biologiques, etc. Depuis les débuts de l'informatique, les mémoires évoluent vers toujours plus de capacité d'enregistrement, de miniaturisation, de rapidité d'accès et de fiabilité, tandis que leurs coûts ne cessent de baisser.

Les progrès des mémoires sont, comme ceux des unités de traitement, d'ordre exponentiel : à l'intérieur du volume occupé par un disque dur de micro-ordinateur de dix méga-octets [1] en 1983, on pouvait ranger dix giga-octets d'informations en 1993, soit mille fois plus. On connaît ce

---

1. Les capacités d'enregistrement des supports de mémoire sont mesurées en bits (unité de codage élémentaire : 0 ou 1) ou en octets (8 bits, en anglais *byte*). L'octet correspond à l'espace mémoire nécessaire au codage d'un caractère alphabétique. Un kilo-octet (Ko) = 1 000 octets. Un méga-octet (Mo) = 1 000 000 d'octets. Un giga-octet (Go) = 1 000 000 000 d'octets.

taux de croissance depuis plus de trente ans, et il semble devoir se poursuivre au moins jusqu'en 2010 (c'est-à-dire à l'horizon du prévisible).

De 1956 à 1996, les disques durs des ordinateurs ont multiplié par six cents leur capacité de stockage et par sept cent vingt mille la densité de l'information enregistrée. En revanche, le coût du méga-octet passait, pendant la même période, de cinquante mille à deux francs [1].

Les technologies-mémoires utilisent des matériaux et des procédés très variés. De futures découvertes en physique ou en biotechnologie, activement poursuivies dans de nombreux laboratoires, mèneront probablement à des progrès inimaginables aujourd'hui.

La transmission

La transmission de l'information numérisée peut s'opérer par toutes les voies de communication imaginables. On peut transporter physiquement les supports (disques, disquettes, etc.) par la route, le rail, les bateaux ou les avions. Mais la connexion directe, c'est-à-dire en réseau, ou *on line* (« en ligne ») est évidemment plus rapide. L'information peut emprunter le réseau téléphonique classique, à condition d'être modulée (convenablement codée analogiquement) au moment de s'engager dans le réseau téléphonique et démodulée (renumérisée) au moment où elle parvient à un ordinateur ou à un autre appareil numérique à l'autre bout du fil. L'appareil qui permet de moduler et de démoduler l'information numérique et qui autorise donc la communication entre deux ordinateurs par le téléphone s'appelle un

1. Source : IBM.

« modem ». Volumineux, coûteux et lents dans les années soixante-dix, les modems avaient, au milieu des années quatre-vingt-dix, une capacité de transmission supérieure à celle de la ligne téléphonique de l'usager moyen. D'un usage courant, les modems sont aujourd'hui miniaturisés et souvent intégrés aux ordinateurs sous forme de carte ou de circuit imprimé.

Les informations peuvent voyager directement sous forme numérique, par câbles coaxiaux en cuivre, par fibres optiques ou par voie hertzienne (ondes électromagnétiques) et donc, comme lorsqu'elles empruntent le réseau téléphonique, passer par des satellites de télécommunication.

Les progrès de la fonction transmission (débits, fiabilité) dépendent de plusieurs facteurs. Le premier d'entre eux est la capacité de transmission brute. En ce domaine, les améliorations attendues des fibres optiques sont spectaculaires. On mène actuellement dans plusieurs laboratoires des recherches sur une « fibre noire », canal optique dont un seul brin, fin comme un cheveu, pourrait contenir tous les flux de messages téléphoniques des États-Unis le jour de la fête des mères (date où il y a le plus de transit sur le réseau). Un équipement minimal avec cette fibre noire donnerait mille fois la capacité de transmission hertzienne sur tout le spectre de fréquence.

Le deuxième facteur d'amélioration réside dans les capacités de *compression* et de *décompression* des messages. En effet, ce sont les sons et surtout les images animées qui sont les plus gourmands en capacité de stockage et de transmission. Certains programmes ou circuits spécialisés dans la compression peuvent analyser les images ou les sons afin d'en produire des simplifications ou des descriptions synthétiques qui sont jusqu'à plusieurs milliers de fois moins volumineuses que leur codage numérique intégral. À l'autre bout du canal de transmission, un module de décompression reconstruit l'image ou le son à partir de la description reçue, en minimisant la perte d'information. En comprimant et en décomprimant les messages, on transfère une partie des difficultés de la transmission (et de l'enregistrement) sur le traitement, qui est, comme je viens de le dire, chaque jour moins coûteux et plus rapide.

Le troisième facteur d'amélioration de la transmission réside dans les avancées en matière d'architecture globale de systèmes de communication. En ce domaine, le principal progrès est sans doute la généralisation de la *commutation par paquets*. Cette architecture décentralisée, dans laquelle chaque nœud du réseau est « intelligent », fut imaginée dès la fin des années cinquante en réponse à des scénarios de guerre nucléaire, mais elle ne commença à être expérimentée en grandeur nature qu'à la fin des années soixante aux États-Unis. Dans ce système, les messages sont découpés en petites unités de taille égale, les paquets, qui sont chacun munis de leur adresse de départ, de leur adresse d'arrivée et de leur position dans le message complet, dont ils ne sont qu'une partie. Des ordinateurs routeurs, distribués dans tout le réseau, savent lire cette information. Le réseau peut être matériellement hétérogène (câbles, voie hertzienne, satellites, etc.), il suffit que les routeurs sachent lire les adresses des paquets et qu'ils parlent entre eux le même « langage ». Si, à une étape de la transmission, des informations ont disparu, les routeurs peuvent demander au destinateur de les renvoyer. Les routeurs se tiennent au courant mutuellement, à intervalles réguliers, de l'état du réseau. Les paquets peuvent alors emprunter des chemins différents en fonction de problèmes de destruction, de panne ou d'encombrement, mais ils seront finalement réassemblés avant de parvenir à leur destinataire. Ce système est particulièrement résistant aux incidents parce qu'il est décentralisé et que son intelligence est « distribuée ». Il ne fonctionne, en 1997, que sur certains réseaux spécialisés (notamment celui qui supporte l'ossature d'Internet), mais la norme de communication

ATM (Asynchronous Transfer Mode), qui se conforme à la commutation par paquets, a été adoptée par l'Union internationale des télécommunications. Elle doit s'appliquer dans l'avenir à l'ensemble des réseaux de télécommunication et prévoit une communication multimédia numérique à très haut débit.

Quelques chiffres donneront une idée des progrès accomplis dans le domaine des débits de transmission d'informations. Dans les années soixante-dix, le réseau Arpanet (ancêtre d'Internet) aux États-Unis avait des liens supportant cinquante-six mille bits par seconde. Dans les années quatre-vingt, les lignes du réseau connectant les scientifiques américains pouvaient transporter un million et demi de bits par seconde. En 1992, les voies du même réseau pouvaient transmettre quarante-cinq millions de bits par seconde (une encyclopédie par minute). Les projets et recherches en cours prévoient la construction de lignes d'un débit de plusieurs centaines de milliards de bits par seconde (une grande bibliothèque par minute).

Les interfaces

On appelle ici « interfaces » tous les appareillages matériels qui permettent l'interaction entre l'univers de l'information numérisée et le monde ordinaire.

Les dispositifs d'entrée capturent et numérisent l'information pour la livrer aux traitements informatiques. Jusqu'aux années soixante-dix, la plupart des ordinateurs étaient alimentés en données par l'intermédiaire de fiches de carton perforées. Depuis cette époque, le spectre d'actions corporelles ou de qualités physiques pouvant être *directement* captées par des dispositifs informatiques s'est élargi : claviers permettant d'entrer des textes et de donner

des instructions aux ordinateurs, « souris » grâce auxquelles on peut manipuler « à la main » les informations
sur les écrans, surfaces sensibles à la pression du doigt
(écrans tactiles), numériseurs automatiques de son (échan-
tillonneurs), modules logiciels capables d'interpréter la
parole, numériseurs (ou *scanners*) d'images et de textes,
lecteurs optiques (de codes-barres ou d'autres informations), capteurs automatiques de mouvements du corps
(gants ou combinaisons de données), des yeux, des ondes
cérébrales, de l'influx nerveux (utilisés dans certaines pro-
thèses), capteurs de toutes sortes de grandeurs physiques :
chaleur, humidité, lumière, poids, propriétés chimiques,
etc.

Après avoir été stockés, traités et transmis sous forme
de nombres, les modèles abstraits sont rendus visibles, les
descriptions d'images redeviennent des formes et des couleurs, les sons retentissent dans l'air, les textes s'impriment
sur du papier ou s'affichent sur des écrans, les ordres don-
nés à des automates sont effectués par des actionneurs, etc.
La qualité des supports d'affichage ou de *sortie* de l'information est évidemment déterminante pour les utilisateurs
des systèmes informatiques et conditionne largement leur
succès pratique et commercial. Jusqu'aux années soixante-
dix, la plupart des ordinateurs n'avaient tout simplement
pas de moniteurs. Les premiers écrans d'ordinateurs n'affi-
chaient que des caractères (chiffres et lettres). Alors que
des écrans en couleurs ultra-plats à cristaux liquides sont
aujourd'hui disponibles, des développements sont en cours
pour commercialiser des systèmes de rendu stéréoscopique
des images.

L'évolution des interfaces de sortie s'est accomplie
dans le sens d'une amélioration de la définition et d'une
diversification des modes de communication de l'information. Du côté visuel, outre les images sur écran, la qualité
des documents imprimés à partir de textes ou d'images
numérisés a connu, en moins de dix ans, une avancée

considérable qui, en brouillant la distinction entre imprimé et manuscrit, a transformé le rapport au document écrit. Du côté du son, il suffit de rappeler que la plupart des haut-parleurs diffusent une musique stockée (et bien souvent produite) numériquement. Par ailleurs, la synthèse de voix à partir de textes progresse rapidement. Du côté des modalités tactiles et proprioceptives, le retour d'effort imprimé aux manettes, *joystick* et autres commandes manuelles, voire la sensation de grain lisse ou rugueux, parfait l'illusion de réalité dans l'interaction avec des mondes virtuels.

En matière d'interfaces, deux voies de recherche et de développement sont menées parallèlement. L'une d'elles vise l'immersion par les cinq sens dans des mondes virtuels de plus en plus réalistes. La « réalité virtuelle » est particulièrement utilisée dans les domaines militaire, industriel, médical et urbanistique. Dans cette approche des interfaces, l'humain est invité à passer de l'autre côté de l'écran et à interagir sur un mode sensorimoteur avec des modèles numériques [1]. Dans une autre direction de recherche [2], appelée la « réalité augmentée », notre environnement physique naturel est truffé de capteurs, de caméras, de vidéoprojecteurs, de modules intelligents, communicants et interconnectés à notre service. Nous ne sommes plus en relation avec un ordinateur par l'intermédiaire d'une interface, mais nous nous livrons à une multitude de tâches dans un environnement « naturel » qui nous fournit à point nommé les diverses ressources de création, d'information et de communication dont nous avons besoin.

La plupart des appareils de communication (téléphone, télévision, photocopieuses, fax, etc.) comporteront d'une manière ou d'une autre des interfaces avec le monde numérique et seront interconnectés. On pourrait en dire

---

1. Jaron Lanier est la figure emblématique de cette voie de recherche.
2. Notamment représentée par Bill Buxton.

Osmose de Char Davies

Septembre 1995. Vous participez au symposium international des arts électroniques qui se tient cette année à Montréal. Vous avez réservé votre tour plusieurs jours à l'avance afin d'explorer Osmose, le monde virtuel de Char Davies, une artiste canadienne. À l'heure dite, vous arrivez dans la cabine spécialement équipée au premier étage du musée d'Art contemporain. La petite pièce est encombrée d'ordinateurs, de câbles et d'appareils électroniques de toutes sortes. Un assistant vous fait monter sur une plate-forme que surplombe un dispositif de capture infrarouge de vos mouvements. Légèrement effrayé, vous enfilez un harnachement assez lourd qui vous enserre la poitrine. On ajuste ensuite sur votre tête un casque pourvu de lunettes-écrans stéréoscopiques et d'écouteurs. « Pour monter, inspirez. Pour descendre, expirez. » Le déplacement par la respiration a été suggéré à Char Davies par la pratique de la plongée sous-marine, dont elle est une adepte fervente. « Pour avancer, penchez-vous en avant. Pour reculer, penchez-vous en arrière. Vous avez vingt minutes. Vous avez compris ? Ça n'est pas trop serré ? » Quoique vous ne soyez pas vraiment à votre aise, vous indiquez d'un signe de tête que tout va bien.

Vous êtes maintenant jeté dans l'espace intersidéral. Une musique douce, planante, cosmique, accompagne la gravitation tranquille, le lent mouvement tournant qui vous entraîne vers la planète brillante, là-bas, qui est votre destination. Il vous semble être devenu le fœtus qui revient vers la Terre à la fin de *2001, l'Odyssée de l'espace* de Stanley Kubrick. Vous pénétrez au ralenti dans le monde où vous êtes appelé à naître, traversant des couches de codes informatiques semblables à des nuages, puis des vents de mots et de phrases, pour atterrir finalement au centre d'une clairière. À partir de maintenant, vous dirigez vos mouvements. Maladroitement d'abord, puis avec plus d'assurance, vous expérimentez une étrange façon de vous déplacer. Prenant une grande inspiration, vous vous élevez au-dessus de la clairière. Des animaux semblables à des lucioles qui dansaient aux abords de la forêt viennent vous faire escorte. Un étang couvert de nénuphars et d'étranges plantes aquatiques brille sous votre regard. Ce monde est doux, organique, dominé par une végétation omniprésente. En vous penchant, vous vous dirigez vers un grand arbre qui semble constituer l'axe de la clairière sacrée. Surprise : au moment où vous entrez en contact avec l'écorce de l'arbre, vous pénétrez dans l'aubier et, comme si vous étiez une molécule douée de sensations, vous empruntez les canaux qui portent la sève. En vous attachant à inspirer fortement, vous montez à l'intérieur de l'arbre jusqu'à atteindre la frondaison. Environné de capsules de chlorophylle d'un vert tendre, vous voici parvenu dans une feuille où vous assistez à la danse compliquée de la photosynthèse. Sorti de la feuille, vous planez de nouveau au-dessus de la clairière. Vous descendez vers l'étang par de profondes expirations. Vous croisez de nouveau en chemin un vol de lucioles (ou peut-être sont-ce des esprits ?) d'où émanent d'étranges sonorités de clochettes lointaines. Tournant la tête, vous les regardez s'éloigner vers la forêt tandis que vous parviennent, atténués par la distance, des échos rémanents de sonnailles célestes. Vous êtes maintenant tout près de la surface de l'étang où les reflets et les jeux de lumière vous retiennent un moment. Puis vous franchissez la surface de l'eau. Un poisson aux nageoires ondulantes vous accueille dans le monde aquatique...

Après votre visite de l'étang, vous traversez le monde de la forêt, le monde minéral, puis un espace bizarre, zébré de lignes d'écriture, que vous devez parcourir au moyen de votre respiration et des mouvements de votre buste pour déchiffrer des phrases de philosophes : englobant la nature, c'est le monde du discours humain. Enfin, vous atteignez le monde informatique, uniquement peuplé de lignes de codes. Vous pensez que vous aurez le temps de revenir dans ces différents mondes. Mais vous êtes déjà entraîné dans un mouvement ascendant qui vous fait calmement, mais fermement, quitter la planète Osmose. La vie dans cet univers n'a qu'un temps. Tandis que le globe où vous avez existé et senti, un trop court instant, s'éloigne maintenant dans le fond de l'espace intersidéral, vous regrettez de n'avoir pas utilisé à bon escient votre période d'immersion. Où allez-vous maintenant vous réincarner ?

Les principes qui ont guidé la conception d'Osmose sont aux antithèses de ceux qui gouvernent les jeux vidéo. Vous ne pouvez y agir avec vos mains. La posture de préhension, de manipulation ou de combat est nécessairement déçue. Au contraire, pour évoluer dans ce monde végétal et méditatif, vous êtes amené à vous concentrer sur votre respiration et vos sensations kinesthésiques. Il vous faut *être en osmose* avec cette réalité virtuelle pour en prendre connaissance. Les mouvements brusques ou rapides sont inefficaces. En revanche, les comportements doux et l'attitude contemplative sont « récompensés ». Plutôt que des couleurs franches, les mondes de l'arbre, de l'étang, de la clairière et de la forêt offrent à la vue un camaïeu subtil de verts et de bruns qui évoquent plus les teintures végétales que le clinquant technologique des images de synthèse. Osmose marque la sortie des arts du virtuel de leur matrice originelle de simulation « réaliste » et géométrique. Cette œuvre offre un démenti cinglant à ceux qui ne veulent voir dans le virtuel que la poursuite du « projet occidental et/ou machiste de maîtrise de la nature et de manipulation du monde ». Ici, le virtuel est explicitement conçu pour inciter au recueillement, à la conscience de soi, au respect de la nature, à une forme « osmotique » de connaissance et de rapport au monde.

autant d'un nombre croissant de machines, d'appareils de mesure, d'objets dits « nomades » (assistants personnels automatiques, téléphones cellulaires, etc.), des véhicules de transport individuels, etc. La diversification et l'allégement des interfaces, combinés aux progrès de la numérisation, convergent vers une extension et une multiplication des points d'entrée dans le cyberespace.

La programmation

Le cyberespace ne comprend pas seulement des matériels, des informations et des êtres humains, il est aussi
constitué et peuplé par des êtres étranges, mi-textes mi-
machines, mi-acteurs mi-scénarios : les programmes. Un
programme, ou logiciel, est une liste bien organisée d'instructions codées qui visent à faire accomplir une tâche particulière à un ou des processeurs. Par l'intermédiaire des
circuits qu'ils commandent, les programmes interprètent
des données, agissent sur les informations, transforment
d'autres programmes, font fonctionner des ordinateurs et
des réseaux, actionnent des machines physiques, voyagent,
se reproduisent, etc.

Les programmes sont rédigés à l'aide de langages de
programmation, codes spécialisés dans l'écriture d'instructions pour processeurs informatiques. Il existe un grand
nombre de langages de programmation plus ou moins spécialisés dans certaines tâches. Depuis le début de l'informatique, des ingénieurs, des mathématiciens, des linguistes
travaillent à rendre les langages de programmation de plus
en plus proches du langage naturel. On distingue les langages de programmation ésotériques et très proches de la
structure matérielle de l'ordinateur (langages machines,
assembleurs) et les langages de programmation « évo-
lués », moins dépendants de la structure du matériel et
plus proches de l'anglais comme *Fortran, Lisp, Pascal, Pro-
log,* C, etc. Aujourd'hui, certains langages dits « de quatrième génération » permettent de concevoir des programmes en dessinant des schémas et en manipulant des
icônes sur un écran. On constitue des ateliers de programmation fournissant des « briques » logicielles de base
prêtes à l'assemblage. Le programmeur passe ainsi moins

de temps à coder et consacre l'essentiel de son effort à concevoir l'architecture des logiciels. Des « langages auteurs » permettent à des non-spécialistes de réaliser eux-mêmes certains programmes simples, des bases de données multimédias ou des logiciels pédagogiques.

Les logiciels

Les logiciels *d'application* permettent aux ordinateurs de rendre des services déterminés à leurs utilisateurs. Donnons-en quelques exemples canoniques. Certains logiciels calculent automatiquement la paye des employés d'une société, d'autres établissent des factures à des clients, d'autres permettent de gérer des stocks, d'autres encore sont capables de commander des machines en temps réel en fonction des informations que leur fournissent des capteurs. Des systèmes experts peuvent détecter l'origine de pannes ou donner des conseils financiers. Comme son nom l'indique, un traitement de texte permet de rédiger, de modifier, d'organiser des textes. Un tableur présente des tableaux de chiffres, tient une comptabilité, aide à prendre des décisions d'ordre budgétaire ou financier. Un gestionnaire de base de données permet de constituer un ou plusieurs fichiers, de retrouver rapidement l'information pertinente selon des clés d'entrée variées et de présenter l'information sous tel ou tel angle suivant les besoins. Un logiciel de dessin permet de produire facilement des schémas impeccables. Un logiciel de communication autorise des envois de messages et l'accès à des informations sur d'autres ordinateurs, etc. Les logiciels d'application sont de plus en plus ouverts à la *personnalisation* évolutive des fonctions, sans que leurs utilisateurs soient obligés d'apprendre à programmer.

Les *systèmes d'exploitation* sont des programmes gérant les ressources des ordinateurs (mémoire, entrée, sortie, etc.) et organisant la médiation entre le matériel et les logiciels d'application. Les logiciels d'application ne sont donc pas en contact direct avec le matériel. C'est pourquoi un même logiciel d'application peut fonctionner sur des matériels différents, pourvu qu'ils aient le même système d'exploitation.

Si toutes les données ne sont pas des programmes, tous les programmes peuvent être considérés comme des données : ils doivent être saisis, archivés, lus par des ordinateurs. Surtout, ils peuvent être eux-mêmes objets de calculs, de traductions, de modifications ou de simulations par d'autres programmes. Parce qu'un programme peut tenir lieu de collection de données à traduire ou à traiter pour un autre programme, des couches successives de logiciels peuvent s'établir entre le matériel et l'utilisateur final. Celui-ci n'est en communication directe qu'avec la dernière couche et n'a pas besoin de connaître la complexité sous-jacente à l'application qu'il est en train de manipuler ou l'hétérogénéité du réseau qu'il est en train de parcourir. En règle générale, plus le « mille-feuille » logiciel auquel on fait appel est épais, plus les réseaux sont « transparents » et plus facilement s'accomplissent les tâches humaines.

De l'ordinateur au cyberespace

C'est ainsi que l'on navigue aujourd'hui librement entre des logiciels et des matériels naguère incompatibles. En effet, grâce à l'adoption de normes logicielles et matérielles, la tendance générale est à l'établissement d'espaces virtuels de travail et de communication décloisonnés, de plus en plus indépendants de leurs supports. Signalons également l'usage croissant de normes de description de structure de documents textuels (SGML [1]) ou multimédias (HTML [2], Hi Time [3]), qui permettent de conserver intacte l'intégralité de l'information malgré les changements de supports logiciels et matériels. La norme VRML [4] autorise l'exploration d'*images tridimensionnelles interactives* sur le World Wide Web à partir de n'importe quelle machine connectée sur le réseau. L'usage croissant de la norme VRML laisse augurer l'interconnexion des mondes virtuels disponibles sur Internet et projette l'horizon d'un cyberespace semblable à un immense métamonde virtuel hétérogène, en transformation permanente, qui contiendrait tous les autres mondes virtuels.

Longtemps polarisée par la « machine », balkanisée naguère par les logiciels, l'informatique contemporaine – logiciel et matériel – déconstruit l'ordinateur au profit d'un espace de communication navigable et transparent centré sur l'information.

Un ordinateur est un assemblage particulier d'unités de traitement, de transmission, de mémoire et d'interfaces pour l'entrée et la sortie d'informations. Or des ordinateurs de marques différentes peuvent être assemblés à partir de composants presque identiques, et des ordinateurs de la même marque contiennent des pièces d'origines très différentes. Par ailleurs, des composants de matériel informatique (capteurs, mémoires, processeurs, etc.) peuvent se trouver ailleurs que dans des ordinateurs proprement dits : sur des cartes à puce, dans des distributeurs automatiques, des robots, des moteurs, des appareils ménagers, des voi-

---

1. Standard Generalised Mark up Language.
2. Hyper Text Mark up Language.
3. Hypermedia Time-based Structuring Language.
4. Virtual Reality Modeling Language. Notons que la norme VRML actuellement utilisée sur le WWW organise l'exploration de modèles tridimensionnels par l'intermédiaire d'une souris et non pas par immersion au moyen de lunettes à vision stéréoscopique et de gants de données.

tures automobiles, des photocopieuses, des télécopieurs, des caméras vidéo, des téléphones, des radios, des télévisions, jusque dans des nœuds de réseaux de communication... partout où se traite automatiquement l'information numérique. Enfin et surtout, un ordinateur branché sur le cyberespace peut faire appel aux capacités de mémoire et de calcul d'autres ordinateurs du réseau (qui, eux-mêmes, en font autant), ainsi qu'à divers appareils distants de capture et d'affichage d'information. Toutes les fonctions de l'informatique sont distribuables et, de plus en plus, distribuées. L'ordinateur n'est plus un centre mais un nœud, un terminal, un composant de l'universel réseau calculant. Ses fonctions pulvérisées imprègnent chaque élément du technocosme. À la limite, il n'y a plus qu'un seul ordinateur, mais il est devenu impossible de tracer ses limites, de fixer son contour. C'est un ordinateur dont le centre est partout et la circonférence nulle part, un ordinateur hypertextuel, dispersé, vivant, pullulant, inachevé : le cyberespace lui-même.

CHAPITRE III

LE NUMÉRIQUE OU LA VIRTUALISATION DE L'INFORMATION

Le veau d'or

Non loin de la basilique contenant les monuments funéraires des anciens rois de France, à Saint-Denis, se tient tous les deux ans une manifestation consacrée aux arts du numérique : Artifices.

En novembre 1996, le principal artiste invité était Jeffrey Shaw, pionnier des arts du virtuel et directeur en Allemagne d'un important institut destiné à la création dans les « nouveaux médias ».

En entrant dans l'exposition, vous découvrez d'abord l'installation du « veau d'or ». Au milieu de la première salle, un piédestal manifestement fait pour soutenir une statue ne supporte que le vide. La statue est absente. Un écran plat repose sur une table à côté du piédestal. Vous vous en saisissez pour vous rendre compte que cet écran à cristaux liquides se comporte comme une « fenêtre » sur la salle : en le dirigeant vers les murs ou le plafond, vous voyez une image numérique des murs ou du plafond. En l'orientant vers la porte d'entrée, vous faites apparaître un modèle numérique de la porte. Quand vous tournez l'écran vers le piédestal, vous découvrez avec surprise une superbe statue, brillante, magnifiquement sculptée, de veau d'or. Le veau d'or n'est visible qu'à travers l'écran. Il n'« existe » que virtuellement. En marchant autour du piédestal, tout en dirigeant l'écran vers le lieu vide qui le surmonte, vous pouvez admirer toutes les facettes du veau d'or. En vous rapprochant, vous le voyez plus gros; en vous éloignant, plus petit. Si vous avancez suffisamment l'écran au-dessus du piédestal, vous pénétrez à l'intérieur du veau d'or pour éventer son secret : l'intérieur est vide. Il n'existe qu'en apparence, sur la seule face externe, sans envers, sans intériorité.

Quel est le propos de cette installation ? Il est d'abord critique : le virtuel est le nouveau veau d'or, la nouvelle idole de notre temps. Mais il est aussi classique. L'œuvre donne à ressentir concrètement la nature de toute idole : une entité qui n'est pas vraiment là, une apparence sans consistance, sans intériorité. Ici, ce n'est pas tant l'absence de plénitude matérielle qui est visée que le néant de présence et d'intériorité vivante, subjective. L'idole n'a pas d'existence par elle-même mais seulement celle que lui prête ou que lui fabrique celui qui l'adore. La relation à l'idole est mise en acte par le dispositif même de l'installation, puisque le veau d'or n'apparaît que grâce à l'activité du visiteur.

Sur un plan où les problèmes esthétiques rejoignent les interrogations spirituelles, l'installation de Jeffrey Shaw questionne la notion de représentation. En effet, le veau d'or renvoie évidemment au deuxième des dix Commandements, qui interdit non seulement l'idolâtrie mais la fabrication d'images et de statues « ayant la forme de ce qui se trouve au ciel, sur terre ou dans l'eau ». Peut-on dire que Jeffrey Shaw a sculpté une statue ou dessiné une image ? Son veau d'or est-il une représentation ? Mais il n'y a rien sur le piédestal ! La vie et l'intériorité sensible de ce qui vole dans les airs ou court sur le sol n'ont pas été captées par une forme morte. Ce n'est pas un veau, exalté par une matière réputée précieuse, que l'installation met en scène *mais le processus même de la représentation*. Là où, en un sens ultime, ne flotte que le néant, l'activité mentale et sensori-motrice du visiteur fait apparaître une image qui, lorsqu'elle est suffisamment explorée, finit par révéler sa nullité.

Ce chapitre est consacré aux nouvelles espèces de messages qui prolifèrent dans les ordinateurs et les réseaux informatiques tels que les hypertextes, les hyperdocuments, les simulations interactives et les mondes virtuels. Comme je vais tenter de le montrer, la virtualité, entendue en un sens très général, constitue le trait distinctif de la nouvelle figure de l'information. La *numérisation* étant le fondement technique de la virtualité, une explication de ses principes et de ses fonctions suivra la présentation de la notion de *virtuel* qui commence ce chapitre.

Du virtuel en général

L'universalisation de la cyberculture propage la coprésence et l'interaction de points quelconques de l'espace physique, social ou informationnel. En ce sens, elle est complémentaire d'une deuxième tendance fondamentale, la virtualisation [1].

Le mot « virtuel » peut s'entendre au moins en trois sens, un sens technique lié à l'informatique, un sens courant et un sens philosophique [2]. La fascination suscitée par la « réalité virtuelle » vient pour une large part de la confusion entre ces trois sens. Dans l'acception philosophique, est virtuel *ce qui n'existe qu'en puissance et non en acte*, le champ de forces et de problèmes qui tend à se résoudre dans une *actualisation*. Le virtuel se tient en amont de la concrétisation effective ou formelle (l'arbre est *virtuelle-*

---

1. Je me permets de renvoyer sur ce point le lecteur à mon ouvrage *Qu'est-ce que le virtuel?*, Paris, La Découverte, 1995, qui traite la question sous un angle philosophique et anthropologique.

2. Il existe encore d'autres significations de ce terme en optique, en mécanique, etc. Je signale, outre mon livre *Qu'est-ce que le Virtuel?*, *op. cit.*, les passionnantes analyses de René Berger dans *L'Origine du futur*, Paris, Le Rocher, 1996, notamment dans son chapitre « Le virtuel jubilatoire », ainsi que l'ouvrage de Jean-Clet Martin, *L'Image virtuelle*, Paris, Kimé, 1996.

ment présent dans la graine). Au sens philosophique, le virtuel est évidemment une dimension très importante de la réalité. Mais dans l'usage courant, le mot virtuel s'emploie souvent pour signifier l'irréalité, la « réalité » supposant une effectuation matérielle, une présence tangible. L'expression « réalité virtuelle » sonne alors comme un oxymore, un tour de passe-passe mystérieux. On pense généralement qu'une chose doit être ou bien réelle, ou bien virtuelle et qu'elle ne peut donc posséder les deux qualités à la fois. En toute rigueur philosophique, cependant, le virtuel ne s'oppose pas au réel mais à l'actuel : virtualité et actualité sont seulement deux modes différents de la réalité. S'il est dans l'essence de la graine de produire un arbre, la virtualité de l'arbre est bien réelle (sans être encore actuelle).

Est virtuelle une entité « déterritorialisée », capable d'engendrer plusieurs manifestations concrètes en différents moments et lieux déterminés, sans être pour autant attachée elle-même à un endroit ou à un temps particuliers. Pour prendre une illustration hors de la sphère technique, un *mot* est une entité virtuelle. Le vocable « arbre » est toujours prononcé ici ou là, tel jour à telle heure. On appellera la prononciation de cet élément lexical son « actualisation ». Mais le mot lui-même, celui qui est prononcé ou actualisé ici ou là, n'est nulle part et est détaché de tout moment précis (quoiqu'il n'ait pas toujours existé).

Répétons-le, bien qu'on ne puisse le fixer dans aucune coordonnée spatio-temporelle, le virtuel est pourtant réel. Un mot, cela existe bel et bien. Le virtuel existe sans être là. Ajoutons que les actualisations de la même entité virtuelle peuvent être fort différentes les unes des autres et que l'actuel n'est jamais complètement prédéterminé par le virtuel. Ainsi, d'un point de vue acoustique comme sur un plan sémantique, aucune actualisation d'un mot ne ressemble exactement à une autre, et des prononciations (naissances de nouvelles voix) ou des sens (inventions de nouvelles phrases) imprévisibles peuvent toujours apparaître. Le virtuel est une source indéfinie d'actualisations. La cyberculture est liée au virtuel de deux manières. L'une directe et l'autre indirecte. Directement, la numérisation de l'information peut être assimilée à une virtualisation. Les codes informatiques inscrits sur les disquettes ou les disques durs des ordinateurs – invisibles, aisément copiables ou transférables d'un nœud à l'autre du réseau – sont quasiment virtuels puisqu'ils sont presque indépendants de coordonnées spatio-temporelles déterminées. Au sein des réseaux numériques, l'information est évidemment *physiquement située* quelque part, sur un support donné, mais elle est aussi *virtuellement présente en chaque point du réseau où on la demandera.*

L'information numérique (traduite en 0 et en 1) peut aussi être qualifiée de virtuelle dans la mesure où elle est inaccessible en tant que telle à l'être humain. On ne peut prendre connaissance directe *que de son actualisation* par un mode d'affichage ou un autre. Les codes informatiques, illisibles pour nous, s'actualisent ici et là, maintenant ou plus tard, en textes lisibles, en images visibles sur des écrans ou du papier, en sons audibles dans l'atmosphère.

Une image qui a été observée au cours de l'exploration d'une « réalité virtuelle » n'était généralement pas enregistrée telle quelle dans une mémoire informatique. Elle a le plus souvent été *calculée* en temps réel (sur le moment et à la demande) à partir d'une matrice informationnelle contenant la description du monde virtuel. L'ordinateur synthétise l'image en fonction des données (constantes) de cette matrice et des informations (variables) concernant la « position » de l'explorateur et ses actions antérieures. Un monde virtuel – considéré comme un ensemble de codes numériques – est *un potentiel d'images*, alors que telle vue, affichée au cours d'une immersion dans le monde virtuel, actualise ce potentiel dans un contexte d'usage particulier.

Cette dialectique du potentiel, du calcul et de l'affichage contextuel caractérise la plupart des documents ou ensembles d'informations à support numérique.

Indirectement, le développement des réseaux numériques interactifs favorise d'autres mouvements de virtualisation que ceux de l'information proprement dite. Ainsi, la communication poursuit avec le numérique un mouvement de virtualisation initié depuis longtemps au moyen de techniques plus anciennes telles que l'écriture, l'enregistrement du son et de l'image, la radio, la télévision et le téléphone. Le cyberespace encourage un style de relation quasiment indépendant des lieux géographiques (télécommunication, téléprésence) et de la coïncidence des temps (communication asynchrone). Il ne s'agit pas là de nouveauté absolue puisque le téléphone nous a déjà habitués à une télécommunication interactive. Avec la poste (ou l'écriture en général), nous avons même une tradition fort ancienne de communication réciproque, asynchrone et à distance. Cependant, seules les particularités techniques du cyberespace permettent aux membres d'un groupe humain (qui peuvent être aussi nombreux que l'on voudra) de se coordonner, de coopérer, d'alimenter et de consulter une mémoire commune, et cela presque en temps réel malgré la distribution géographique et l'éclatement des horaires. Cela nous conduit directement à la virtualisation des *organisations* qui, à l'aide des outils de la cyberculture, deviennent de moins en moins dépendantes de lieux déterminés, d'emplois du temps fixes et de planifications à long terme. De même, en se poursuivant dans le cyberespace, les transactions économiques et financières accentuent encore le caractère virtuel qui les caractérise depuis l'invention de la monnaie et de la banque.

En somme, l'extension du cyberespace accompagne et accélère une virtualisation générale de l'économie et de la société. Des substances et des objets, on remonte aux processus qui les produisent. Des territoires, on saute en amont, vers les réseaux mobiles qui les valorisent et les dessinent. Des processus et des réseaux, on passe aux compétences et aux scénarios qui les commandent, plus virtuels encore. Les supports d'intelligence collective du cyberespace démultiplient et mettent en synergie les compétences. Du design à la stratégie, les scénarios sont alimentés par les simulations et les données mises à disposition par l'univers numérique.

Ubiquité de l'information, documents interactifs interconnectés, télécommunication réciproque et asynchrone de groupe et entre groupes : le caractère virtualisant et déterritorialisant du cyberespace en fait le vecteur d'un universel ouvert. Symétriquement, l'extension d'un nouvel espace universel dilate le champ d'action des processus de virtualisation.

Le numérique

Numériser une information consiste à la traduire en nombres. Quasiment toutes les informations peuvent être codées de cette manière. Par exemple, si l'on fait correspondre un nombre à chaque lettre de l'alphabet, n'importe quel texte est transformable en une suite de chiffres.

Une image peut être décomposée en points ou pixels *(picture elements)*. Chacun de ces points est descriptible par deux nombres précisant ses coordonnées sur le plan et par trois nombres analysant l'intensité de chacune des composantes de sa couleur (rouge, bleu et vert en synthèse additive). N'importe quelle image ou séquence d'images est donc traduisible en une série de nombres.

Un son peut également être numérisé s'il est échantillonné, c'est-à-dire mesuré à intervalles réguliers (plus de soixante mille fois par seconde afin de saisir les hautes fréquences). Chaque échantillon est codable par un nombre décrivant le signal sonore au moment de la mesure. Une séquence sonore ou musicale quelconque est donc représentable par une liste de nombres.

Les images et les sons peuvent également se numériser, non seulement point par point ou échantillon par échantillon mais aussi, de manière plus économique, à partir de descriptions des structures globales des messages iconiques ou sonores. À cet effet, on utilise notamment des fonctions sinusoïdales pour le son et des fonctions qui engendrent des figures géométriques pour les images.

En général, n'importe quel type d'information ou de message, à condition qu'il soit explicitable ou mesurable, peut être traduit numériquement[1]. Or tous les nombres sont exprimables en langage binaire, sous forme de 0 et de 1. Donc toutes les informations peuvent être ultimement représentées dans ce système. L'intérêt de cette binarisation est triple.

D'une part, des dispositifs techniques très variés peuvent enregistrer et transmettre des nombres codés en langage binaire. En effet, les nombres binaires peuvent être représentés physiquement par une grande variété de dispositifs à deux états (ouvert ou fermé, plat ou creusé, négatif ou positif, etc.). C'est ainsi que les *digits* circulent dans des fils électriques, informent des circuits électroniques, polarisent des bandes magnétiques, se traduisent en éclairs dans des fibres de verre, par des microcuvettes sur des

---

1. Par exemple, une image sera décomposée en pixels. Chaque pixel d'une image en couleurs est représenté dans un ordinateur par cinq nombres : deux nombres pour les coordonnées du point et trois nombres pour l'intensité de chacune des trois composantes élémentaires de la couleur. Ce codage peut occasionner des pertes d'information. Plus le « degré de résolution » du codage est fin, moins il y a de pertes. Par exemple, une image peut être codée en 256 pixels (256. 5 nombres), ou en 1 024 pixels (1 024. 5 nombres). La perte d'information sera moindre dans le second cas. À partir d'un certain degré de résolution, la perte d'information n'est cependant plus perceptible humainement.

disques optiques, s'incarnent en structures de molécules biologiques, etc.

Ensuite, les informations codées numériquement peuvent être transmises et copiées quasi indéfiniment *sans perte d'information* car le message original peut presque toujours être reconstitué intégralement malgré les dégradations occasionnées par la transmission (téléphonique, hertzienne) ou la copie. Cela n'est évidemment pas le cas des images et des sons enregistrés sur un mode analogique, qui se dégradent irrémédiablement à chaque nouvelle copie ou transmission. Le codage analogique d'une information établit une relation proportionnelle entre un certain paramètre de l'information à traduire et un certain paramètre de l'information traduite. Par exemple, le volume d'un son sera codé par l'intensité d'un signal électrique (ou le creusement d'un sillon dans un disque de vinyle) : plus le volume est élevé, plus le signal électrique est intense (ou plus le sillon est creusé profondément). L'information analogique est donc représentée par une *suite continue de valeurs*. En revanche, le codage digital ou numérique n'utilise que deux valeurs, nettement différenciées, ce qui rend la reconstitution de l'information bruitée incomparablement plus aisée, grâce à différents procédés de contrôle de l'intégrité du message.

Enfin, et surtout, les nombres codés en binaire peuvent faire l'objet de calculs arithmétiques et logiques par des circuits électroniques spécialisés. Même si l'on parle souvent d'« immatériel » ou de « virtuel » au sujet du numérique, il faut insister sur le fait que les traitements en question se ramènent toujours à des opérations physiques élémentaires sur les représentants physiques des 0 et des 1 : effaçage, substitution, tri, arrangement, aiguillage vers tel ou tel lieu d'enregistrement ou canal de transmission.

Après avoir été traitées, les informations codées en binaire sont destinées à être traduites (automatiquement) en sens inverse, et à se manifester sous l'aspect de textes lisibles, d'images visibles, de sons audibles, de sensations tactiles ou proprioceptives, voire en actions d'un robot ou d'une pièce mécanique.

Pourquoi une quantité croissante d'informations est-elle numérisée et, de plus en plus, *directement produite sous cette forme* avec les instruments adéquats ? La raison principale est que la numérisation autorise un type de traitement des informations efficace et complexe, impossible à atteindre par d'autres voies.

Traitement automatique, fin, rapide, à grande échelle

L'information numérisée peut être traitée automatiquement, avec un degré de finesse quasi absolu, très rapidement, et sur une grande échelle quantitative. Nul autre procédé que le traitement numérique n'atteint *en même temps* ces quatre qualités. La numérisation permet le contrôle des informations et des messages « bit par bit », nombre binaire par nombre binaire, et cela à la vitesse de calcul des ordinateurs.

Commençons par un exemple simple. Voici un roman de trois cents pages numérisé. Par l'intermédiaire d'un logiciel de traitement de texte, je peux commander à mon ordinateur de remplacer toutes les occurrences de « Durand » par « Dupont ». L'ordinateur exécutera cet ordre en quelques secondes. Sur mon disque dur, la mémoire magnétique permanente de mon ordinateur où les informations sont codées en binaire, tous les noms ont été changés presque immédiatement. Si le texte avait été imprimé sur du papier, la même opération aurait nécessairement demandé beaucoup plus de temps. Je peux également intervertir l'ordre de deux chapitres et changer la numérotation des pages en quelques secondes. Je peux changer de police de caractères, alors que la même opération avec des caractères de plomb aurait demandé une nouvelle composition du texte, etc.

Prenons maintenant le cas du son. Une fois qu'un morceau de violon, par exemple, a été échantillonné, des logiciels appropriés de traitement du son permettent de ralentir ou d'accélérer le tempo sans modifier la fréquence des sons (les graves et les aigus). Il est également possible d'isoler le timbre de l'instrument et de lui faire jouer une autre mélodie. On peut, en jouant le même morceau, calculer (et faire jouer) le passage continu du timbre du violon à celui d'un piano. Là aussi, ce genre de résultat est quasiment impossible à obtenir rapidement et automatiquement hors traitement numérique.

Terminons par quelques exemples dans le travail des images. Supposons qu'un film soit numérisé. Des logiciels spécialisés permettent de transformer automatiquement et presque instantanément la couleur d'une fleur ou d'une robe sur toutes les images du film. Sur une photo numérisée, la taille d'un objet peut être diminuée de 17 %, par exemple, sans modifier sa forme. S'il s'agit d'une représentation en trois dimensions, on peut calculer automatiquement une nouvelle perspective quand le point de vue sur une scène a tourné de neuf degrés vers la gauche... et toutes ces opérations peuvent être effectuées presque à la seconde.

Encore une fois, c'est parce que les informations sont codées sous forme de nombres que l'on peut les manipuler avec une telle facilité : les nombres sont sujets au calcul, et les ordinateurs calculent vite.

Les informations peuvent être non seulement traitées mais également produites automatiquement. Certains synthétiseurs musicaux émettent des sons résultant d'un échantillonnage de sons naturels, tandis que d'autres font chanter les haut-parleurs uniquement à partir de modèles physiques du son à produire, ou même d'une description mathématique des vibrations de l'instrument à imiter. De même, certains films numériques ne proviennent pas du traitement d'une image dessinée à la main ou captée par une caméra mais de modèles géométriques des volumes à représenter, des lois de la réfraction de la lumière, de fonctions décrivant les mouvements des personnages ou de la caméra virtuelle, etc. Des programmes de *synthèse*, incorporant des modèles formels des objets à simuler, font calculer des images ou des sons à des ordinateurs.

Dématérialisation ou virtualisation ?

La numérisation peut-elle être considérée comme une « dématérialisation » de l'information ? Pour mieux comprendre ce qui est en question, raisonnons sur un exemple. Prenons une photographie d'un cerisier en fleur, obtenue par capture optique de l'image et réaction chimique avec du chlorure d'argent. Numérisons la photo à l'aide d'un *scanner* ou numériseur. Elle se trouve maintenant sous forme de nombres sur le disque dur de notre ordinateur. En un sens, la photo a été « dématérialisée » puisque la suite de nombres est une *description* très précise de la photo du cerisier en fleur et non plus une image bidimensionnelle. Cependant, la description elle-même ne peut subsister sans support physique : elle occupe une portion déterminée de l'espace, elle mobilise un matériau d'inscription, toute une machinerie qui coûte et pèse, elle demande une certaine énergie physique pour être enregistrée et restituée. Car nous pouvons faire traduire par l'ordinateur cette description codée en image visible sur un grand nombre de supports différents, par affichage sur écran, impression ou

autre procédé [1]. Le codage numérique de l'image du cerisier en fleur n'est pas « immatériel » à proprement parler,
mais il occupe moins d'espace et pèse moins lourd qu'une
photo sur papier ; on a besoin de moins d'énergie pour
modifier ou truquer l'image numérique que l'image argen-
tique. Plus fluide, plus volatil, l'enregistrement numérique
occupe une position très particulière dans la procession
des images, en amont de leur manifestation visible, non
pas irréel ou immatériel mais *virtuel*.

À partir d'un unique négatif, la photo classique peut
déjà être agrandie, retouchée, développée et reproduite à
un grand nombre d'exemplaires. Quel est le gain amené
par la numérisation ? Où se trouve la différence qualitative ? Non seulement l'image numérisée peut être modifiée
plus facilement et plus rapidement, mais elle peut surtout
se rendre visible *suivant d'autres modalités que celles de la
reproduction de masse*. Par exemple, moyennant des programmes informatiques appropriés, le cerisier pourra
s'afficher avec ou sans feuillage en fonction de la saison,
dans une taille différente selon l'endroit du jardin où on le
place, ou bien la couleur des fleurs – ayant valeur de signal
– dépendra du parcours antérieur de la personne qui
consulte l'image, etc.

Contemplons une dernière fois l'image du cerisier en
fleur. Elle peut avoir été dessinée, photographiée ou numérisée à partir d'une photo classique puis retouchée par
ordinateur, elle peut encore avoir été entièrement synthéti-
sée par un programme informatique. Si l'on considère
l'ordinateur comme un outil pour traiter ou produire cette
image, ce n'est qu'un instrument de plus, dont l'efficacité et

---

1. Remarquons que même le cliché en tant qu'objet matériel de
papier ne comporte pas réellement d'image : ce n'est pas un cerisier en
fleur pour la fourmi qui marche dessus ni pour la souris qui la ronge. En
toute rigueur, il s'agit d'un support physique de pigments, dont la disposition est interprétée comme un cerisier en fleur par notre esprit ou, si
l'on veut, par les « calculs » de notre système nerveux central.

les degrés de liberté sont supérieurs à ceux du pinceau et de l'appareil photographique. L'image en tant que telle, quoique produite par ordinateur, n'a cependant pas de statut ontologique ou de propriété esthétique fondamentalement différente de n'importe quel autre type d'image. Cependant, si l'on ne considère plus une seule image (ou un seul film) mais l'ensemble de toutes les images (ou de tous les films), différentes les unes des autres, qui pourraient être produites automatiquement par un ordinateur à partir du même engramme numérique, on pénètre dans un nouvel univers d'engendrement des signes. À partir d'un stock de données initiales, d'une collection de descriptions ou de modèles, un programme peut calculer un nombre indéfini de manifestations visibles, audibles ou tangibles différentes, en fonction de la situation en cours ou de la demande des utilisateurs. L'ordinateur n'est donc pas qu'un outil de plus pour produire des textes, des sons ou des images, c'est d'abord un opérateur de *virtualisation de l'information*.

Hyperdocuments

Un CD-Rom (Compact-Disc Read Only Memory) ou un CD-I (Compact-Disc Interactif) sont des supports d'information numérique à lecture laser. Ils contiennent des sons, des textes et des images (fixes ou animées) qui s'affichent sur des écrans d'ordinateur pour les CD-Rom, ou de télévision pour les CD-I (moyennant un lecteur spécial). Celui qui consulte un CD-Rom « navigue » parmi les informations, passe d'une page-écran ou d'une séquence animée à l'autre en indiquant par un simple geste les thèmes qui l'intéressent ou les lignes de lecture qu'il désire poursuivre. Cette navigation s'effectue en « cliquant » au moyen de la

« souris » sur des icônes à l'écran, en pressant telle touche du clavier, en manipulant une télécommande, ou en actionnant des manettes lorsqu'il s'agit de jeux. Encyclopédies, titres à thème artistique, musical ou ludique, les CD-Rom sont les formes d'hyperdocuments les plus connues du grand public en 1997. Les CD-Rom (capables de contenir le texte d'une encyclopédie en trente volumes) seront bientôt supplantés par les DVD (Digital Video Disc), dont la mémoire, six fois supérieure, pourra accueillir un film vidéo « plein écran ».

Si l'on prend le mot « texte » en son sens le plus large (qui n'exclut ni les sons ni les images), les hyperdocuments peuvent également être appelés des « hypertextes ». L'approche la plus simple de l'hypertexte est de le décrire, par opposition à un texte linéaire, comme un texte structuré en réseau. L'hypertexte est constitué de nœuds (les éléments d'information, paragraphes, pages, images, séquences musicales, etc.) et de liens entre ces nœuds, références, notes, pointeurs, « boutons » fléchant le passage d'un nœud à l'autre.

Un roman se parcourt en principe de la première à la dernière ligne, un film de la première à la dernière image. Mais comment lit-on une encyclopédie ? On peut commencer par consulter l'index ou le thesaurus, qui nous renvoie à un ou plusieurs articles. À la fin d'un article, on trouve mention d'autres articles sur des sujets connexes, etc. Chacun entre dans cette « navigation » par les sujets qui l'intéressent et chemine de manière originale dans la somme des informations, en utilisant les outils d'orientation que sont les dictionnaires, lexiques, index, thesaurus, atlas, tableaux de chiffres et tables des matières qui sont eux-mêmes de petits hypertextes. Toujours en conservant la définition de « texte en réseau » ou de réseau documentaire, une bibliothèque peut être considérée comme un hypertexte. En ce cas, la liaison entre les volumes est assurée par les renvois, les notes de bas de page, les citations et les bibliographies.

Fichiers et catalogues constituent les instruments de navigation globale dans la bibliothèque.

Cependant, le support numérique apporte une différence considérable par rapport aux hypertextes d'avant l'informatique : la recherche dans les index, l'usage des instruments d'orientation, le passage d'un nœud à l'autre s'y font avec une grande rapidité, de l'ordre de quelques secondes. Par ailleurs, la numérisation permet d'associer sur le même média et de mixer finement les sons, les images et les textes. Selon cette première approche, l'hypertexte numérique se définirait comme information multimodale disposée en réseau à navigation rapide et « intuitive ». Par rapport aux techniques antérieures d'aide à la lecture, la numérisation introduit une petite révolution copernicienne : ce n'est plus le navigateur qui suit les instructions de lecture et se déplace physiquement dans l'hypertexte, tournant les pages, déplaçant de lourds volumes, arpentant la bibliothèque, mais c'est désormais un texte mobile, kaléidoscopique, qui présente ses facettes, tourne, se plie et se déplie à volonté devant le lecteur.

Il s'invente aujourd'hui un nouvel art de l'édition et de la documentation, qui tente d'exploiter au mieux une nouvelle vitesse de navigation parmi des masses d'informations que l'on condense dans des volumes chaque jour plus petits.

Selon une seconde approche, complémentaire, la tendance contemporaine à l'hypertextualisation des documents peut se définir comme une tendance à l'indistinction, au mélange des fonctions de lecture et d'écriture. Considérons d'abord la chose du côté du lecteur. Si l'on définit un hypertexte comme un espace de parcours de lecture possibles, un texte apparaît comme une lecture particulière d'un hypertexte. Le navigateur participe donc à la *rédaction* du texte qu'il lit. Tout se passe comme si l'auteur d'un hypertexte constituait *une matrice de textes potentiels*, le rôle des navigateurs étant de réaliser quelques-uns de ces textes en faisant jouer, chacun à sa manière, la combinatoire entre les nœuds. L'hypertexte opère la virtualisation du texte.

Le navigateur peut se faire auteur de façon plus profonde qu'en parcourant un réseau préétabli : en participant à la structuration de l'hypertexte. Non plus seulement en empruntant à sa guise des liens préexistants, mais en créant de nouveaux liens, ceux qui auront un sens pour lui et auquel le créateur de l'hyperdocument n'avait pas pensé. Des systèmes peuvent également enregistrer les parcours et renforcer (rendre plus visibles, par exemple) ou affaiblir les liens en fonction de la manière dont ils sont parcourus par la communauté des navigateurs.

Enfin, les lecteurs peuvent non seulement modifier les liens mais également ajouter ou modifier des nœuds (textes, images, etc.), connecter un hyperdocument à un autre et faire ainsi un seul document de deux hypertextes séparés ou, selon la manière d'envisager les choses, tracer des liens hypertextuels entre une multitude de documents. Soulignons que cette pratique est aujourd'hui en plein développement sur Internet, notamment sur le World Wide Web. Dans ces deux dernières figures de la navigation, les hyperdocuments ne sont plus figés sur des CD-Rom mais accessibles en ligne à une communauté de personnes. Lorsque le système de visualisation en temps réel de la structure de l'hypertexte (ou sa cartographie dynamique) est bien conçu, ou lorsque la navigation peut s'effectuer de manière naturelle et intuitive, les hyperdocuments ouverts accessibles par un réseau informatique sont de puissants instruments d'*écriture-lecture collective*.

Du côté de l'auteur, maintenant, constatons que les grandes masses d'informations recueillies par les hyperdocuments viennent de sources très diverses. Le découpage et la mise en réseau de ces informations peuvent être considérés comme une de leurs « lectures » possibles. L'auteur ou, plus souvent, l'équipe de réalisation utilisent d'autre

Actualité du virtuel

Champ : l'image vidéo présente une jeune fille en chair et en os qui souffle dans une sorte de sifflet. Contrechamp : sur l'écran, les graines d'une fleur de pissenlit en images de synthèse se détachent de l'extrémité de la tige et s'envolent à tous les vents. Champ : la jeune fille souffle toujours dans le même dispositif. Contrechamp : sur l'écran de l'ordinateur, une plume en images de synthèse se soulève doucement au gré des courants d'air virtuels modélisés par Edmont Couchot, Michel Bret et Marie-Hélène Tramus.

Le CD-Rom *Actualité du virtuel* publié par la *Revue virtuelle* du centre Pompidou fait le point sur l'état des réalisations et de la réflexion concernant les arts du numérique, de l'interactivité et du réseau. On y trouve réunies les vingt-cinq conférences qui ont été prononcées dans le cadre de la revue de 1992 à 1996 ainsi que cent cinquante-cinq extraits d'œuvres et de dispositifs interactifs présentés au public.

Les images de Karl Sims sont animées par des programmes de « vie artificielle » simulant la croissance, les mutations génétiques et les interactions de populations imaginaires. Fibrillations, expansions de formes, propagations de couleurs et d'intensités, émergences de figures imprévues animent les cases d'un étrange tableau qui n'est jamais le même et réagit en temps réel aux stimulations tactiles du spectateur-interactant.

Anne-Marie Duguet explique les affinités profondes qui unissent les arts du virtuel à l'art vidéo et aux recherches du dernier demi-siècle sur les « installations ». Certains prétendent que l'art du numérique est nouveau parce que la technique l'est tandis que d'autres dénoncent une mystification. Le mot « mystification » devient rouge quand le curseur passe sur la ligne où il se trouve. Lorsque vous cliquez sur ce mot écarlate, il devient bleu. Apparaissent alors en haut de l'écran les titres des paragraphes où la notion de mystification intervient dans d'autres conférences. Vous cliquez sur le nom d'un paragraphe dont l'auteur est Jean-Baptiste Barrière, de l'Ircam. Vous voici maintenant face à son texte. Les œuvres virtuelles cherchent-elles en direction d'un nouvel

« art total » ou les artistes du numérique ne parviennent-ils qu'à accoucher de jeux vidéo améliorés ? Sur la gauche, la colonne de résumé vous permet de vous déplacer rapidement dans le texte. À l'extrême gauche se devine le bord d'une image interactive illustrant le texte et que vous pouvez faire glisser vers le centre de l'écran.

Devant le visage numérique programmé par Keith Waters, vous vous demandez d'abord comment réagir. Puis vous vous enhardissez et vous vous décidez à déplacer la petite main qui a remplacé le curseur sur la figure de synthèse. Surprise : le visage fronce les sourcils, et tente désespérément, par des mimiques frénétiques, de se débarrasser du contact gênant que vous lui faites subir. Les réactions ne sont pas les mêmes selon que vous lui « chatouillez » les yeux, le nez ou la bouche.

De retour au texte de Jean-Baptiste Barrière, vous suivez le lien hypertexte menant à une conférence d'Alain Le Diberder sur les jeux vidéo, elle aussi abondamment illustrée. Au passage, vous cliquez sur « Glossaire », ce qui fait apparaître en bleu outremer tous les mots du paragraphe qui font l'objet d'une définition circonstanciée et fort pédago-gique. Il suffit de cliquer sur un des mots pour en obtenir l'explicitation. De la conférence d'Alain Le Diberder, vous passez à celle de Florian Roetzer, qui explique comment les jeux vidéo sont en phase avec les nouvelles compétences cognitives requises par les nouvelles formes de travail : vitesse, capacité de manipulation de modèles complexes, découverte de règles non explicites par exploration, etc.

Presque partout, les illustrations déclinent le thème de l'interactivité. Ici, un tableau se transforme en fonction du déplacement du regard du spectateur (l'image du visage du visiteur est captée par une caméra cachée et analysée par un programme informatique). Là, on explore un environnement en tenant à bout de bras une grosse boule figurant le globe oculaire. Le dispositif « donne à voir » comme si l'on avait l'œil à l'extrémité de la main. Ailleurs, on agit sur les mouvements d'un essaim de papillons de synthèse en déplaçant le faisceau d'une lampe de poche réelle sur la surface de projection de l'image.

En suivant les liens hypertextes, vous arrivez au texte

de David Le Breton, qui prétend que les technologies du virtuel font disparaître le corps ou le réifient, et qu'elles ne sont que la poursuite du vieux projet occidental, machiste et judéo-chrétien de domination de la nature. Visiblement, David Le Breton n'a pas exploré *Osmose*. Au bas de l'écran, des visages de conférenciers viennent s'afficher quelques secondes, remplacés bientôt par d'autres visages de conférenciers. Intrigué, vous cliquez sur le visage de Derrick de Kerckove, qui explique de vive voix que les technologies du virtuel et de la téléprésence étendent et exaltent le sens du toucher. Voilà qui contredit ce que vous venez de lire. Le CD-Rom est organisé de manière à simuler une sorte de conversation fictive entre les conférenciers, chacun citant des exemples à l'appui de ses thèses, le navigateur restant le maître du rythme et des orientations de cette conversation virtuelle, maître du dégel de ce discours pluriel engravé dans le disque. Afin que les explorateurs ne tournent pas en rond, les liens déjà empruntés une fois ne se présentent pas une seconde fois au cours d'une même session de consultation.

L'image d'un homme se transforme progressivement et insensiblement en image de singe : *morphing*. Le numérique est le milieu des métamorphoses.

Voxelmann, l'atlas anatomique virtuel, permet d'obtenir toutes les coupes imaginables sur le modèle numérique d'un corps. Incroyable complexité des sinus.

Five Into One, la ville virtuelle de Matt Mullican, met en espace tridimensionnel une conception philosophique, une cosmologie abstraite. L'image virtuelle annonce-t-elle une mise en sensibilité du monde des idées [1] ?

L'érable du Japon modélisé par le Centre international de recherche sur l'agriculture et le développement (Cirad) se présente d'abord sous son aspect hivernal, avec en bande-son le souffle du vent. Puis les bourgeons poussent, les branches se couvrent de vert tendre, les oiseaux gazouillent. Le feuillage se fait plus abondant, plus fourni, son vert s'assombrit,

---

1. Que l'image virtuelle soit la mise en sensibilité du monde des idées postulé par la philosophie, c'est là une des thèses de l'intéressant petit livre de Jean-Clet Martin, *op. cit.*

> tandis que résonne le coassement des grenouilles caractéristique des nuits d'été. Puis les feuilles jaunissent, roussissent, tombent, et c'est de nouveau l'hiver. Poésie simple des saisons, saisissante contraction du temps évoquée par l'image de synthèse.

part des machines, des programmes, des traits d'interfaces préexistants dans la constitution de leur hyperdocument. Celui-ci résulte en fait d'une navigation particulière parmi des informations, des matériels, des logiciels disponibles. L'hyperdocument éditorialisé est donc lui-même un parcours au sein d'un hyperdocument plus vaste et plus vague.

L'écriture et la lecture échangent leurs rôles. Celui qui participe à la structuration de l'hypertexte, au tracé en pointillés des possibles plis du sens, est déjà un lecteur. Symétriquement, celui qui actualise un parcours, ou manifeste tel ou tel aspect de la réserve documentaire, contribue à la rédaction, achève momentanément une écriture interminable. Les coupures et renvois, les chemins de sens originaux que le lecteur invente peuvent être incorporés à la structure même des corpus. Avec l'hypertexte, toute lecture est une écriture potentielle.

Multimédia ou unimédia ?

Le mot « multimédia » prête à tant de confusions qu'il semble nécessaire, avant d'en parler, de définir un certain nombre de termes clés de l'univers de l'information et de la communication.

Le *média* est le support ou le véhicule du message. L'imprimé, la radio, la télévision, le cinéma ou Internet, par exemple, sont des médias.

La réception d'un message peut mettre en jeu plusieurs *modalités perceptives*. L'imprimé met principalement en jeu la vue, et secondairement le toucher. Depuis le parlant, le cinéma implique deux sens : la vue et l'ouïe. Les réalités virtuelles peuvent mettre en jeu la vue, l'ouïe, le toucher et la kinesthésie (sens interne des mouvements du corps).

Une même modalité perceptive peut autoriser la réception de plusieurs *types de représentations*. Par exemple, l'imprimé (qui ne mobilise que la vue) porte le texte et l'image. Le disque audio (qui ne sollicite que l'ouïe) permet de transmettre la parole et la musique.

Le *codage*, analogique ou numérique, fait référence au système fondamental d'enregistrement et de transmission des informations. Le disque de vinyle code le son de manière analogique tandis que le CD audio le code numériquement. La radio, la télévision, le cinéma, la photographie peuvent être analogiques ou numériques.

Le *dispositif informationnel* qualifie la structure du message ou le mode de relation des éléments d'information. Le message peut être linéaire (comme pour la musique ordinaire, le roman ou le cinéma) ou en réseau. Les hyperdocuments codés numériquement n'ont pas inauguré la structure en réseau puisque, on l'a vu, un dictionnaire (dont chaque mot renvoie implicitement à d'autres mots et qu'on ne lit généralement pas du début à la fin), une encyclopédie (avec son index, son thesaurus et ses multiples renvois), une bibliothèque (avec ses fichiers et ses références croisées d'un livre à l'autre) possèdent déjà une structure réticulée. Le cyberespace a fait surgir deux dispositifs informationnels originaux par rapport aux médias antérieurs : le monde virtuel et l'information en flux. *Le monde virtuel* dispose les informations dans un espace continu – et non dans un réseau – et cela en fonction de la position de l'explorateur ou de son représentant au sein du monde (principe d'immersion).

En ce sens, un jeu vidéo est déjà un monde virtuel. *L'information en flux* désigne des données continuellement changeantes et dispersées parmi des mémoires et des canaux interconnectés qui peuvent être parcourues, filtrées et présentées au cybernaute selon ses instructions grâce à des agents logiciels, des systèmes de cartographie dynamique de données ou d'autres aides à la navigation. On remarquera que le monde virtuel et l'information en flux tendent à reproduire à grande échelle et grâce à des supports techniques perfectionnés un rapport « non médiatisé » à l'information. La notion de dispositif informationnel est en principe indépendante du média, de la modalité perceptive mise en jeu ou du type de représentation portée par les messages.

Enfin, le *dispositif communicationnel* désigne la relation entre les participants de la communication. On peut distinguer trois grandes catégories de dispositifs communicationnels : un-tous, un-un et tous-tous. La presse, la radio, la télévision sont structurées par le principe un-tous : un centre émetteur envoie ses messages à un grand nombre de récepteurs passifs et dispersés. La poste ou le téléphone organisent des relations réciproques entre interlocuteurs mais seulement selon des contacts d'individu à individu ou de point à point. Le cyberespace met en œuvre un dispositif communicationnel original puisqu'il permet à des communautés de constituer progressivement et de manière coopérative un contexte commun (dispositif tous-tous). Dans une conférence électronique, par exemple, les individus participants envoient des messages que peuvent lire tous les autres membres de la communauté et auxquels chacun peut répondre. La communication ininterrompue sédimente une mémoire collective qui émerge de la communication entre les participants. Les mondes virtuels multiparticipants, les systèmes pour l'apprentissage ou le travail coopératif, ou même, à une échelle géante, le

WWW peuvent être considérés comme des systèmes de communication tous-tous. Une fois encore, le dispositif communicationnel est indépendant des sens impliqués par la réception, ou du mode de représentation de l'information. J'insiste sur ce point parce que ce sont *les nouveaux dispositifs informationnels (mondes virtuels, information en flux) et communicationnels (communication tous-tous) qui sont le plus porteurs de mutations culturelles* et non le fait que l'on mélange le texte, l'image et le son, comme semble le sous-entendre la notion floue de « multimédia ».

Le terme de « multimédia » signifie en principe : qui emploie plusieurs supports ou plusieurs véhicules de communication. Malheureusement, il est devenu très rare qu'on l'utilise dans ce sens. Aujourd'hui, le mot réfère généralement à deux tendances saillantes des systèmes de communication contemporains : la multimodalité et l'intégration numérique.

Premièrement, l'information traitée par les ordinateurs ne concerne plus seulement des données chiffrées ou des textes (comme c'était le cas jusqu'aux années soixante-dix) mais également, et de manière croissante, des images et du son. Il serait donc linguistiquement beaucoup plus correct de parler à ce sujet d'informations ou de messages multimodaux, puisque mettant en jeu plusieurs modalités sensorielles (la vue, l'ouïe, le toucher, les sensations proprioceptives). Le terme de « multimédia » employé pour désigner les CD-Rom est, à mon avis, trompeur. Si l'on veut signifier par là « multimodal », on ne décrit pas suffisamment la spécificité de ce nouveau support, car une encyclopédie, ou certains livres manipulables pour enfants, ou des brochures illustrées accompagnés de cassettes (du type méthodes de langue) sont déjà multimodaux (texte, image, son, toucher), voire multimédias. En toute rigueur, il faudrait définir les CD-Rom et CD-I comme des *documents multimodaux interactifs à support numérique*, ou, pour faire court, comme des hyperdocuments.

Tableau n° 1
Différentes dimensions de la communication

	Définition	*Exemples*
Média	Support d'information et de communication	Imprimé, cinéma, radio, télévision, téléphone, CD-Rom, Internet (ordinateurs + télécom), etc.
Modalité perceptive	Sens impliqué par la réception de l'information	Vue, ouïe, toucher, odorat, goût, kinesthésie
Langage	Type de représentation	Langues, musiques, photographies, dessins, images animées, symboles, danse, etc.
Codage	Principe du système d'enregistrement et de transmission des informations	Analogique, numérique
Dispositif informationnel	Relations entre éléments d'information	Messages à structure linéaire (textes classiques, musique, films) / Message à structure en réseau (dictionnaires, hyperdocuments) / Mondes virtuels (l'information *est* l'espace continu ; l'explorateur ou son représentant sont immergés dans l'espace) / Flux d'informations
Dispositif communicationnel	Relation entre les participants de la communication	Dispositif un-tous, en étoile (presse, radio, télévision) / Dispositif un-un, en réseau (poste, téléphone) / Dispositif tous-tous, en espace (conférences électroniques, systèmes pour l'apprentissage ou le travail coopératif, mondes virtuels multiparticipants, WWW)

Deuxièmement, le mot de « multimédia » renvoie au mouvement général de numérisation qui concerne, à plus ou moins longue échéance, les différents médias que sont l'informatique (par définition), le téléphone (en cours), les disques musicaux (déjà fait), l'édition (partiellement réalisé avec les CD-Rom et CD interactifs), la radio, la photo (en cours), le cinéma et la télévision. Si la numérisation est en marche à rythme forcé, l'intégration de tous les médias reste une tendance à long terme. Il est possible, par exemple, que la télévision, même numérisée et plus « interactive » qu'aujourd'hui, demeure encore longtemps un média relativement distinct.

Le terme de multimédia est employé correctement lorsque, par exemple, la sortie d'un film donne lieu simultanément à la mise en vente d'un jeu vidéo, à la diffusion d'une série télévisée, de tee-shirts, de jouets, etc. Dans ce cas, on a véritablement affaire à une « stratégie multimédia ». Mais si l'on veut désigner de manière claire la confluence de médias séparés vers le même réseau numérique intégré, on devrait employer de préférence le mot « unimédia ». Le terme de multimédia risque d'induire en erreur, car il a l'air d'indiquer une variété de supports ou de canaux, alors que la tendance de fond est au contraire à l'interconnexion et à l'intégration.

En somme, lorsqu'on entend ou qu'on lit le terme multimédia, dans un contexte où il ne semble pas désigner un type particulier de support (voir la discussion sur les CD-Rom) ou de traitement, il faut prêter charitablement à l'énonciateur l'intention de désigner un *horizon d'unimédia multimodal*, c'est-à-dire la constitution progressive d'une infrastructure de communication intégrée, numérique et interactive.

Enfin, le mot « multimédia », quand il est employé pour désigner l'émergence d'un nouveau média, me semble particulièrement inadéquat puisqu'il attire l'attention sur les formes de *représentations* (textes, images, sons, etc.) ou de supports alors que la principale nouveauté se trouve dans les *dispositifs informationnels* (en réseau, en flux, en mondes virtuels) et le *dispositif de communication* interactif et communautaire, c'est-à-dire finalement dans un mode de relation entre des personnes, dans une certaine qualité de lien social.

Simulations

Avant de faire voler un avion pour la première fois, il est recommandé d'avoir testé d'une manière ou d'une autre la façon dont ses ailes réagiront aux vents, à la pression de l'air et aux turbulences atmosphériques. Pour des raisons de coût évidentes, il serait même préférable d'avoir une idée de la résistance de la voilure préalablement à la construction d'un prototype. À cet effet, on peut construire un modèle réduit de l'aéroplane et le soumettre à des vents violents dans une soufflerie. Pendant longtemps, on a d'ailleurs procédé ainsi. Les puissances de calcul des ordinateurs augmentant et leurs coûts diminuant, il est devenu maintenant plus rapide et moins cher de fournir à un ordinateur une description de l'avion, une description du vent, et de lui demander de calculer à partir de là une description de l'effet du vent sur les surfaces portantes. On dit alors que l'ordinateur a *simulé* la résistance à l'air de l'avion. Pour que l'ordinateur donne une réponse correcte, il faut que les descriptions qu'on lui a fournies, celles de l'avion comme celles du vent, soient rigoureuses, précises, cohérentes. On appelle *modèles* ces descriptions rigoureuses des objets ou des phénomènes à simuler.

Le résultat de la simulation peut être fourni sous la forme d'une liste de nombres, indiquant par exemple la pression maximale sur chaque centimètre carré des ailes.

Mais le même résultat peut être livré par des images fixes représentant le ventre et le dos de l'avion, chaque carré de la surface étant coloré en fonction de la plus grande pression subie. Plutôt qu'une image fixe, le système de simulation peut proposer une représentation en trois dimensions, l'ingénieur pouvant alors faire tourner à volonté l'image de l'avion sur l'écran pour observer sa surface de tous les points de vue possibles. Le système de simulation peut également proposer une représentation dynamique, de type dessin animé, visualisant les phénomènes tourbillonnaires, la pression subie, la température et d'autres variables importantes (au choix) au fur et à mesure que le vent souffle plus fort. Enfin, le système de simulation peut autoriser l'ingénieur à modifier aisément certains paramètres de la description du vent, ou la forme et les dimensions de l'avion, et à visualiser immédiatement l'effet de ces modifications. Nous sommes passés insensiblement de la notion simple de simulation numérique à la notion de *simulation graphique interactive*. Le phénomène simulé est visualisé, on peut agir en temps réel sur les variables du modèle et observer immédiatement à l'écran les transformations que cela provoque. On peut simuler de manière graphique et interactive des phénomènes très complexes ou abstraits, dont il n'existe aucune « image » naturelle : dynamiques démographiques, évolution d'espèces biologiques, écosystèmes, guerres, crises économiques, croissance d'une entreprise, budgets, etc. Dans ce cas, la modélisation traduit de manière visuelle et dynamique des aspects ordinairement non visibles de la réalité et relève donc d'une sorte particulière de *mise en scène*.

Ces simulations peuvent servir à décliner des phénomènes ou situations selon toutes les variations imaginables, à envisager l'ensemble des conséquences et des implications d'une hypothèse, à mieux connaître des objets ou des systèmes complexes ou à explorer des univers fictifs sur un mode ludique. Répétons que toutes les simulations reposent sur des descriptions ou des modèles numériques des phénomènes simulés et qu'elles ne valent que ce que valent ces descriptions.

« *Lieux* »

La deuxième installation de Jeffrey Shaw lors d'Artifices 1996 se nomme « *Places* » en anglais ou « *Lieux* » en français. Au centre d'une grande salle de forme cylindrique se trouve une tourelle sur laquelle le visiteur peut faire pivoter une sorte de canon projetant sur le mur circulaire qui fait office d'écran une image à cent vingt degrés. Après s'être familiarisé avec le maniement de l'appareil (tourner à gauche ou à droite, avancer ou reculer dans l'image), le visiteur commence à explorer l'univers qui lui est proposé. Il s'agit d'un complexe de onze cylindres aplatis, comparables dans leur forme à la salle où se trouve l'installation. Lorsque le visiteur est parvenu à pénétrer (virtuellement) dans l'un des cylindres, une commande spéciale lui permet de s'installer automatiquement au centre et d'effectuer un panoramique. En accomplissant une rotation complète, le canon à image projette sur le mur de la salle le panorama « contenu » dans le cylindre. Vous découvrez par exemple un paysage industriel de grands réservoirs de gaz, d'essence et de pétrole ou bien, dans un autre cylindre, une vue magnifique de sommets enneigés et de forêts alpestres. Il faut noter que le visiteur sur sa tourelle « tourne » avec le canon à images si bien qu'il fait toujours face à l'image projetée, mais que, derrière lui, deux cent quarante degrés de l'écran mural circulaire restent blancs. Le visiteur est donc mis en situation de « créer » et de « projeter » l'image explorée, celle-ci n'ayant aucune permanence indépendamment de ses actes sensori-moteurs d'actualisation. Si vous vous déplacez toujours tout droit dans ce monde virtuel, vous réalisez sa nature fondamentalement circulaire, car, même si les cylindres semblent disposés sur un plan infini, une fois dépassé le onzième, vous retombez de nouveau sur le premier. La structure « courbe » de ce territoire virtuel, comme le dispositif circulaire d'actualisation des panoramas, illustre assez bien la caractéristique des « nouvelles images » de la cyberculture : ce sont des images sans bords, sans cadres, sans limites. Vous êtes immergé dans un univers visuel refermé sur lui-même qui vous enveloppe au fur et à mesure que vous le faites naître. Derrière vous, il n'y a rien. Mais il vous suffit de vous retourner pour faire surgir l'image et reconstituer un monde continu.

Beaucoup de visiteurs autour de vous sont intéressés un moment par le dispositif, veulent tenir les commandes, explorent le monde virtuel en faisant pivoter la tourelle comme s'ils conduisaient un char d'assaut dans le désert. Puis ils se lassent : « C'est amusant. Mais qu'est-ce qu'il a voulu dire ? » Ils laissent alors la place à d'autres visiteurs, ceux qui, patientant dans la salle, se trouvaient l'instant d'avant entre le canon à image et le mur, projetant ainsi leur ombre sur le paysage virtuel.

Des arts du virtuel on attend souvent une fascination spectaculaire, une compréhension immédiate, intuitive, sans culture. Comme si la nouveauté du support devait annuler la profondeur temporelle, l'épaisseur de sens, la patience de la contemplation et de l'interprétation. Mais la cyberculture n'est justement pas la civilisation du zapping. Avant de trouver ce que l'on cherche sur le World Wide Web, il faut apprendre à naviguer et se familiariser avec le sujet. Pour s'intégrer à une communauté virtuelle, il faut faire la connaissance de ses membres et qu'ils vous reconnaissent comme un des leurs. Les œuvres et les documents interactifs ne vous donnent généralement aucune information ni aucune émotion, *immédiatement*. Si vous ne leur posez pas de questions, si vous ne prenez pas le temps de les explorer ou de les comprendre, ils resteront scellés. Il en est de même des arts du virtuel. Personne ne se scandalise qu'il faille connaître la vie des saints chrétiens pour saisir les fresques religieuses du Moyen Âge, les spéculations ésotériques de la Renaissance ou les proverbes flamands pour lire les toiles de Jérôme Bosch, ou connaître un minimum de mythologie pour percevoir le sujet des tableaux de Rubens.

Vous pensez à cela en écoutant les remarques désabusées des autres visiteurs. Peu d'entre eux semblent avoir reconnu l'arbre séphirotique de la kabbale dans le monde virtuel proposé par Jeffrey Shaw. Le diagramme de l'arbre est d'ailleurs imprimé en guise de plan du monde virtuel à côté des manettes du « canon ». En effet, la disposition des cylindres est identique à celle des séphiroth (dimensions du divin) dans les schémas de la tradition mystique juive. De plus, chaque panorama contenu dans les cylindres illustre la signification de la séphira correspondante. Par exemple, le paysage de montagne correspond à la séphira *kéther*, qui évoque le contact avec l'infini et la transcendance ; le panorama des grands réservoirs industriels exprime la séphira *malkhout*, celle de l'immanence, des réserves d'énergies et des trésors de bienfaits que Dieu destine aux créatures.

Avec cette œuvre, Jeffrey Shaw a voulu proposer un monde virtuel qui ne soit pas la représentation ou la simulation d'un lieu tridimensionnel physique ou réaliste (même s'il est imaginaire). Le visiteur est invité à explorer un espace diagrammatique et symbolique. Ici, le monde virtuel ne renvoie pas à une illusion de réalité, mais à un autre monde virtuel, non technique, éminemment réel quoiqu'il ne soit pourtant jamais « là » sur le mode d'une entité physique. Nulle trace de représentation dans l'œuvre de Jeffrey Shaw. Les paysages photographiques symbolisent ici l'infigurable, et les dispositions respectives des cylindres donnent à lire les rapports abstraits entre les attributs ou les énergies de l'Adam primordial. Seule trace de présence concrète dans le dispositif, les ombres des visiteurs qui trouent l'image virtuelle, traces intempestives du vivant dérangeant l'ordre symbolique et qui évoquent cette sentence du Talmud : Dieu est l'ombre de l'homme.

Échelle des mondes virtuels

Certains systèmes informatiques sont conçus :
– pour *simuler* une interaction entre une situation donnée et une personne,
– pour permettre à l'explorateur humain un contrôle

étroit et en temps réel de son représentant dans le modèle de la situation simulée.

De tels systèmes donnent à l'explorateur du modèle la sensation subjective (quoique presque jamais l'illusion complète) d'*être en interaction personnelle et immédiate avec la situation simulée.*

Dans l'exemple de la simulation de la résistance des ailes à la pression du vent, l'explorateur pouvait sans doute modifier l'angle de vue, la visualisation des variables pertinentes, la vitesse du vent ou la forme de l'avion, il n'était cependant pas représenté lui-même dans le modèle. Il agissait de l'extérieur. Mais restons dans l'aviation et considérons maintenant un simulateur de vol. Dans un tel système, l'apprenti navigant se retrouve dans une cabine de pilotage qui ressemble aux cabines réelles ; il consulte des cadrans et des écrans identiques à ceux qui garnissent les cockpits véritables ; il tient en main des manettes et des commandes semblables à celles d'un avion qui vole. Mais, au lieu de commander le vol d'un avion, ses actes alimentent en données un programme informatique de simulation. En fonction du flux de données émis par l'apprenti pilote, de modèles numériques très précis de l'avion et du lieu géographique, le programme va calculer la position, la vitesse et la direction qu'aurait un véritable avion en réponse à ces commandes. Ces calculs effectués à la vitesse de l'éclair, le système de simulation projette sur l'écran le paysage extérieur que le pilote verrait, affiche sur les cadrans les chiffres qu'il lirait, etc.

La réalité virtuelle

La « réalité virtuelle » au sens le plus fort du terme désigne un type particulier de simulation interactive, dans lequel l'explorateur a la sensation physique d'être immergé dans la situation définie par une base de données. L'effet d'immersion sensorielle est généralement obtenu grâce à l'usage d'un casque spécial et de gants de données. Le

casque comporte deux écrans placés à quelques milli-
mètres des yeux du porteur et qui lui dispensent une vision
stéréoscopique. Les images affichées sur ces écrans sont
calculées en temps réel en fonction des mouvements de la
tête de l'explorateur, de telle sorte qu'il puisse prendre
connaissance du modèle numérique comme s'il était situé
« dedans » ou « de l'autre côté de l'écran ». Les écouteurs
stéréophoniques complètent la sensation d'immersion. Par
exemple, un son que l'explorateur repère à gauche sera
entendu à droite après un tour de cent quatre-vingts
degrés. Les gants de données permettent de manipuler des
objets virtuels. Autrement dit, l'explorateur voit et sent que
l'image de sa main dans le monde virtuel (sa main virtuelle) est commandée par les mouvements effectifs de sa
main et peut modifier l'aspect ou la position d'objets virtuels. De simples mouvements de la main transforment le
contenu de la base de données, cette modification est ren-
voyée à l'explorateur immédiatement et sur un mode sensible. Le système calcule en temps réel les images et les
sons témoignant de la modification intervenue dans la description numérique de la situation et renvoie ces images et
ces sons aux lunettes-écrans et aux écouteurs de l'explorateur. Divers procédés techniques (mécaniques, magnétiques, optiques) sont utilisés pour capter les mouvements
de la tête et de la main de l'explorateur. Une grande puissance de traitement est requise pour calculer des images de
haute définition en temps réel, ce qui explique le caractère
schématique qu'avaient beaucoup de « mondes virtuels »
en 1996. De nombreuses recherches sont menées activement pour améliorer le rendu visuel et sonore des systèmes
de réalité virtuelle et pour renvoyer aux explorateurs des
sensations tactiles et proprioceptives fines.

En entretenant une *interaction sensori-motrice avec le
contenu d'une mémoire informatique,* l'explorateur obtient
l'illusion d'une « réalité » dans laquelle il serait plongé :
celle que décrit la mémoire numérique. En fait, un explora-

teur de réalité virtuelle ne peut pas oublier que l'univers sensoriel dans lequel il est immergé n'est que virtuel, car les images et les sons n'auront pas avant longtemps la définition qu'ils ont au cinéma, parce qu'il existe toujours un léger décalage entre les mouvements et leurs répercussions sensorielles, parce que les équipements sont assez lourds et parce que, surtout, l'explorateur *sait* qu'il interagit avec une réalité virtuelle. Comme le cinéma ou la télévision, la réalité virtuelle est de l'ordre de la *convention,* avec ses codes, ses rituels d'entrée et de sortie. On ne confond pas plus la réalité virtuelle avec la réalité ordinaire qu'on ne confond un film ou un jeu avec la « vraie réalité ».

La virtualité au sens du dispositif informationnel (sens plus faible que le précédent)

Un monde virtuel peut simuler fidèlement le monde réel, mais selon des échelles immenses ou minuscules. Il peut permettre à l'explorateur de se construire une image virtuelle très différente de son apparence physique quotidienne. Il peut simuler des environnements physiques imaginaires ou hypothétiques, régis par d'autres lois que celles qui gouvernent le monde ordinaire. Il peut enfin simuler des espaces non physiques, de type symbolique ou cartographique, qui autorisent une communication par univers de signes partagés.

Une carte n'est pas une photo réaliste mais une sémiotisation, une description utile d'un territoire. Par analogie, un monde virtuel peut être de la famille des cartes plutôt que de la famille des calques ou des illusions. De surcroît, le territoire cartographié ou simulé par le monde virtuel n'est pas nécessairement l'univers physique tridimensionnel. Il peut concerner des modèles abstraits de situations, des univers de relations, des complexes de significations, des connaissances, des jeux d'hypothèses, voire des combinaisons hybrides de tous ces « territoires ».

Dans un sens plus faible que celui qui implique une illusion sensorielle « réaliste », la notion de monde virtuel n'implique pas forcément la simulation d'espaces physiques ni l'usage d'équipements lourds et coûteux tels que les casques pour vision stéréoscopique et les gants de données. Les deux traits distinctifs du monde virtuel, en ce sens plus lâche, sont l'immersion et la navigation par proximité. Les individus ou les groupes participants sont immergés dans un monde virtuel, c'est-à-dire qu'ils y ont *une image d'eux-mêmes et de leur situation*. Chaque acte de l'individu ou du groupe modifie le monde virtuel et son image dans le monde virtuel. Dans la navigation par proximité, le monde virtuel *oriente* les actes de l'individu ou du groupe. En plus des instruments de recherche et d'adressage classiques (index, liens hypertextuels, recherches par mots clés, etc.), les repérages, recherches et communications se font *par proximité* dans un espace continu. Un monde virtuel, même non « réaliste », est donc fondamentalement organisé par une modalité « tactile » et proprioceptive (réelle ou transposée). L'explorateur d'un monde virtuel (non nécessairement « réaliste ») doit pouvoir contrôler son accès à une immense base de données selon des principes et des réflexes mentaux analogues à ceux qui lui font contrôler l'accès à son environnement physique immédiat.

Un nombre croissant de logiciels et la plupart des jeux vidéo sont fondés sur un principe identique de calcul en temps réel d'une interaction d'un modèle numérique de l'explorateur avec le modèle d'une situation, l'explorateur contrôlant les faits et gestes du modèle qui le représente dans la simulation.

La virtualité informatique (sens encore plus faible)

Une image sera dite virtuelle *si son origine est une description numérique dans une mémoire informatique*. Notons que, pour être perçue, l'image doit briller sur un écran, être imprimée sur du papier, être flashée sur un film, et que le code binaire doit donc être traduit. Si l'on voulait maintenir un parallèle avec le sens philosophique, on dirait que l'image est virtuelle dans la mémoire de l'ordinateur et actuelle sur l'écran. L'image est encore plus virtuelle, si l'on ose dire, quand sa description numérique n'est pas un dépôt stable dans la mémoire de l'ordinateur, mais quand elle est calculée en temps réel par un programme à partir d'un modèle et d'un flux de données d'entrées.

Les hypertextes, hyperdocuments, simulations et, en général, tous les objets logiciels tels que les programmes informatiques, les bases de données et leurs contenus relèvent d'une virtualité informatique au sens faible. Cette virtualité, issue de la numérisation, désigne le processus d'engendrement automatique, ou de calcul d'une grande quantité de « textes », de messages, d'images sonores, visuelles ou tactiles, de résultats de toutes sortes, en fonction d'une matrice initiale (programme, modèle) et d'une interaction en cours.

Pour le spectateur, un dessin animé projeté en salle ou vu à la télévision, même s'il est fait par ordinateur, reste de la même nature qu'un dessin animé décalqué à la main. Que certains effets spéciaux signent l'origine numérique ne change pas la nature du rapport à l'image. Seule l'équipe de réalisation a eu véritablement affaire à la virtualité. En revanche, dans un jeu vidéo, le joueur est directement confronté au caractère virtuel de l'information. La même cassette de jeu contient (virtuellement!) une infinité de parties, c'est-à-dire de séquences d'images différentes dont le joueur ne va jamais actualiser qu'une partie.

Des manuels d'instructions techniques accompagnent une installation industrielle. Ces manuels déploient sur leurs pages, textes, schémas, légendes, index, la totalité de l'information qu'ils contiennent. Tout y est manifesté. Si l'installation est suffisamment complexe (avion de guerre, vaisseau spatial, centrale nucléaire, raffinerie, etc.), il est impossible de dresser la liste de toutes les situations de pannes possibles. Le manuel se contente de donner des exemples de cas fréquents et d'indiquer des principes de résolution de problèmes pour les autres cas. Dans la pratique, seuls des techniciens expérimentés pourront réparer les pannes.

En revanche, en informatique, un système-expert d'aide au dépannage de la même installation ne contient explicitement que quelques centaines ou quelques milliers de règles (qui tiennent en quelques pages). Dans chaque situation particulière, l'utilisateur alimente le système en « faits » décrivant le problème auquel il est confronté. À partir de la « base de règles » et de ces « faits », le logiciel élabore un raisonnement adapté et une réponse précise (ou un éventail de réponses) à la situation de l'utilisateur. De ce fait, même des novices pourront réparer les pannes. S'il avait fallu imprimer (actualiser à l'avance) toutes les situations, tous les raisonnements et toutes les réponses, on aurait obtenu un document de millions ou de milliards de pages, impossible à utiliser. C'est le caractère virtuel du système-expert qui en fait un instrument plus perfectionné que le simple manuel sur papier. Ses réponses (en quantités pratiquement infinies) ne préexistent que virtuellement. Elles sont calculées et actualisées en situation.

Un monde virtuel au sens faible est un univers de possibles calculables à partir d'un modèle numérique. En interagissant avec le monde virtuel, des utilisateurs l'explorent et l'actualisent tout à la fois. Quand les interactions ont le pouvoir d'enrichir ou de modifier le modèle, le monde virtuel devient un vecteur d'intelligence et de création collectives.

Ordinateurs et réseaux d'ordinateurs apparaissent alors comme l'infrastructure physique du nouvel univers informationnel de la virtualité. Plus ils se répandent, plus leur puissance de calcul, leur capacité de mémoire et de transmission augmentent, plus les mondes virtuels se multiplient en quantité et se développent en variété.

Tableau n° 2

Les différents sens du virtuel du plus faible au plus fort

	Définitions	*Exemples*
Virtuel au sens commun	Faux, illusoire, irréel, imaginaire, possible	
Virtuel au sens philosophique	Existe en puissance et non en acte, existe sans être là	L'arbre dans la graine (par opposition à l'actualité d'un arbre ayant effectivement poussé) Un mot dans la langue (par opposition à l'actualité d'une occurrence de prononciation)
Monde virtuel au sens de la calculabilité informatique	Univers de possibles calculables à partir d'un modèle numérique et des inputs fournis par un utilisateur.	Ensemble des messages qui peuvent être délivrés respectivement par : – des logiciels pour l'écriture, le dessin ou la musique, – des systèmes hypertextes, – des bases de données, – des systèmes-experts, – des simulations interactives, etc.
Monde virtuel au sens du dispositif informationnel	Le message est un espace d'interaction par proximité dans lequel l'explorateur peut contrôler directement un représentant de lui-même	– cartes dynamiques de données présentant l'information en fonction du « point de vue », de la position ou de l'historique de l'explorateur, – jeux de rôles en réseau, – jeux vidéos, – simulateurs de vols, – réalités virtuelles, etc.
Monde virtuel au sens technologique étroit	Illusion d'interaction sensori-motrice avec un modèle informatique	Utilisation de lunettes stéréoscopiques, de gants ou de combinaison de données pour visites de monuments reconstitués, entraînement à des opérations chirurgicales, etc.

CHAPITRE IV

L'INTERACTIVITÉ

Au-delà des pages

Tout en finesse, en délicatesse et en humour, *Beyond pages* de Masaki Fujihata doit être compté comme une des plus belles illustrations des « arts de l'interactivité » en émergence.

Vous pénétrez dans un petit local fermé. Devant vous se tient une table réelle sur laquelle se trouve projetée l'image d'un livre. Dans le fond de la pièce est projetée l'image d'une porte fermée. Vous vous asseyez à la table et vous saisissez une sorte de crayon électronique. Au moyen de ce crayon, vous « touchez » l'image du livre. À l'image du livre fermé se substitue alors l'image d'un livre ouvert. Tout se passe comme si vous aviez « ouvert » le livre. Entendons-nous bien : il ne s'agit pas d'un véritable livre de papier que vous auriez ouvert mais d'une succession de deux images commandée par un dispositif interactif. Le livre de *Beyond pages* de Masaki Fujihata n'est pas une image fixe classique, ce n'est pas non plus une image animée qui se déroule imperturbablement, c'est un objet étrange, mi-signe (c'est une image), mi-chose (vous pouvez agir dessus, la transformer, l'explorer dans certaines limites). Nous sommes habitués à l'interactivité avec les écrans grâce aux jeux vidéo, à Internet et aux CD-Rom, mais ici l'image interactive du livre se trouve sur une table de bois et non sur un écran cathodique.

En ouvrant ce livre étrange, vous trouvez écrit sur la page de droite le mot « pomme » en anglais dans l'alphabet romain et en japonais avec les caractères kanji. Jusque-là, rien d'anormal : des signes d'écriture sur une page. Mais sur la page de gauche figure l'image d'une belle pomme rouge en trompe l'œil, une pomme dont l'ombre se découpe nettement sur la page immaculée. Un peu comme si la page de droite nous présentait des signes et la page de gauche une chose. La sensation que la pomme est véritablement une chose posée sur la page et non simplement une image est renforcée par ce que vous découvrez progressivement en « feuilletant le livre » : la pomme est entamée à la page suivante, progressivement consommée au fur et à mesure que vous poursuivez votre « lecture », jusqu'à ce que vous arriviez à ne plus trouver, entre les pages, qu'un trognon. Chaque fois que vous tournez la page, vous entendez distinctement le son d'une mâchoire qui se referme sur un morceau de pomme et la croque. Ainsi, le trompe-l'œil se double d'un « trompe-l'oreille ». Pourtant, à aucun moment vous n'êtes dupe de l'illusion. Vous savez toujours qu'il ne s'agit que d'une image et d'un son enregistré. Il vous est impossible de manger la pomme. Manger la pomme apparaît comme une métaphore de « lire un livre ». Quelque chose a été consommé, une irréversibilité s'est produite, quoique rien n'ait changé : les pages sont toujours là, les signes aussi. Contrairement aux pommes, la consommation ou la jouissance que nous pouvons avoir des signes ne les détruisent pas.

Cette oscillation entre signe et chose, signe qui bruisse, agit, interagit et semble s'épuiser comme une chose, chose impalpable et indestructible comme un signe, cette oscillation se poursuit jusqu'à ce que vous ayez fini de « lire le livre ». Les cailloux que vous déplacez avec votre crayon crissent sur l'image du papier. Actionner l'image d'une poignée sur la page déclenche l'ouverture de la porte sur le mur du fond et le surgissement d'une adorable petite fille, nue et rieuse, que vous ferez revenir plus d'une fois.

Contrairement aux feuilles desséchées des herbiers, le rameau de feuilles vertes qui frémit entre les pages de *Beyond pages* est encore agité par le vent et gonflé de sève. La fleur ou la feuille séchée des herbiers se trouve là, morte, mais bien réelle, entre les pages. Or *Beyond pages* nous emmène vers un au-delà de la page où des images « vivantes » de choses vivantes semblent surgir d'images de pages.

à la fin du livre, les signes effleurés se mettent à parler. Vos gribouillis esquissés se transforment miraculeusement en écriture japonaise parfaitement calligraphiée et clairement prononcée par le « livre ». Ainsi, ce livre « parle ». Il dispose d'une voix qui lui permet de se lire lui-même, et vous êtes invité à contribuer à son écriture.

Un des ressorts de *Beyond pages* est l'anneau de Mœbius, passage continu et insensible d'un ordre de réalité à l'autre : du signe à la chose, puis de la chose au signe, de l'image au caractère, puis du caractère à l'image, de la lecture à l'écriture, puis de l'écriture à la lecture. Image d'un livre (et donc doublement signe) entre les pages duquel se trouvent des choses... qui ne sont finalement que des signes, mais des signes actifs, vivants, qui vous répondent. Non pas illusion de réalité, comme on décrit trop souvent le virtuel, puisque vous savez toujours qu'il s'agit d'un jeu, d'un artifice, mais vérité ludique ou émotionnelle d'une illusion goûtée comme telle.

L'interactivité comme problème

L'interactivité étant souvent invoquée à tort et à travers, comme si chacun savait parfaitement de quoi il retourne, je voudrais tenter, dans ce petit chapitre, une approche *problématique* de cette notion.

Le terme d'interactivité souligne généralement la participation active du bénéficiaire d'une transaction d'information. En fait, on aurait beau jeu de montrer qu'un récepteur d'information, sauf mort, n'est jamais passif. Même assis devant une télévision sans télécommande, le destinataire décode, interprète, participe, mobilise son système nerveux de cent façons, et toujours différemment de son voisin. Par ailleurs, les satellites et le câble donnant accès à des centaines de chaînes différentes, couplés au magnétoscope, permettent de se constituer une vidéothèque et définissent un dispositif télévisuel évidemment plus « interactif » que celui de la chaîne unique sans magnétoscope. La possibilité de réappropriation et de recombinaison matérielles du message par son récepteur est un paramètre capital pour l'évaluation du degré d'interactivité d'un dispositif. On le retrouve également pour d'autres médias : peut-on ajouter des nœuds et des liens à un hyperdocument ? Peut-on connecter cet hyperdocument à d'autres ? Dans le cas de la télévision, la numérisation pourrait encore augmenter les possibilités de réappropriation et de personnalisation du message en autorisant, par exemple, une décentralisation de la régie chez le récepteur : choix de la caméra qui filme un événement en direct, possibilité de zoomer sur des images, va-et-vient personnalisé entre images et commentaires, sélection des commentateurs, etc.

Veut-on dire, en parlant d'interactivité, que le canal de communication fonctionne dans les deux sens ? En ce cas, le parangon du média interactif est incontestablement le téléphone. Il permet le dialogue, la réciprocité, la communication effective, quand la télévision, même numérique, navigable et enregistrable, n'a qu'un spectacle à offrir. Mais on a pourtant envie de dire qu'un jeu vidéo classique est, lui aussi, plus interactif que la télévision, quoiqu'il n'offre pas, à proprement parler, de réciprocité, de communication avec une autre personne. C'est que, loin de dérouler imperturbablement ses images sur l'écran, le jeu vidéo réagit aux actions du joueur, qui réagit lui-même aux images en cours : interaction. Le téléspectateur zappe, sélectionne, le joueur agit. Or la possibilité d'interrompre une séquence d'informations et de réorienter finement le flux informationnel en temps réel n'est pas seulement un trait des jeux vidéo et des hyperdocuments à support informatique, c'est également un caractère de la communication téléphonique. Seulement, dans un cas on est en communication avec une personne et, dans l'autre, avec une matrice informationnelle, un modèle capable d'engendrer une quantité presque infinie de « parties » ou de parcours différents (mais tous cohérents). Ici, l'interactivité renvoie au virtuel.

Tentons de saisir par un autre aspect les différences entre téléphone et jeu vidéo. Pour que toutes choses soient égales par ailleurs, supposons qu'un jeu en réseau permette à deux adversaires de jouer l'un contre l'autre : cette disposition rapproche au maximum le jeu vidéo du téléphone. Dans le jeu vidéo, chaque joueur, en agissant sur les manettes, les gants de données ou autres, modifie dans un premier temps *son image dans l'espace du jeu*. Le personnage va éviter un projectile, avancer vers le but, explorer un passage, gagner ou perdre des armes, des « pouvoirs », des « vies », etc. C'est cette image modifiée du personnage réactualisé qui modifie, dans un deuxième temps logique, l'espace de jeu lui-même. Le joueur ne peut véritablement se passionner que s'il se projette dans le personnage qui le représente, et donc, du même coup, dans le champ de menaces, de forces et d'opportunités où il vit, dans le monde virtuel commun. À chacun de ses « coups », le joueur envoie à son partenaire une autre image de soi et une autre image de leur monde commun, images que le partenaire *reçoit directement* (ou peut découvrir par exploration) et qui l'affectent immédiatement. Le message est la double image de la situation et du joueur.

En revanche, dans la communication téléphonique, l'interlocuteur A transmet à l'interlocuteur B un message qui est censé aider B à construire, par inférence, une image de A et de la situation commune à A et B. B fait de même vis-à-vis de A. L'information transmise par chacun des « coups » de communication est beaucoup plus limitée que dans le jeu en réalité virtuelle. L'équivalent de l'espace de jeu, c'est-à-dire le contexte, ou la situation, comprenant la position respective et l'identité des partenaires, n'est pas partagé par A et B sous forme d'une représentation explicite, d'une image complète ou explorable. Cela tient au fait

que le contexte est ici *a priori* illimité alors qu'il est cir-
conscrit dans le jeu ; mais cela tient également à la différence des dispositifs de communication eux-mêmes. Avec
le téléphone, l'image réactualisée de la situation doit être
constamment reconstruite par les partenaires, chacun pour
soi et séparément. Le visiophone ne change strictement rien
à l'affaire, car le contexte qui compte, l'univers de significations, la situation pragmatique (les ressources, le champ de
forces, de menaces, d'opportunités, l'ensemble de ce qui
peut affecter les projets, l'identité ou la survie des participants) ne sera pas tellement mieux partagé si l'on ajoute une
image de l'apparence corporelle de la personne et de son
environnement physique immédiat. En revanche, des systèmes permettant l'accès partagé et à distance à des documents, à des sources d'information ou à des espaces de travail nous rapprochent progressivement de la communication par monde virtuel, jusqu'à ceux qui admettent une
ou plusieurs images actives des personnes (agents logiciels
filtrants, traceurs informationnels, profils d'interrogations
personnalisés ou autres).

La communication par monde virtuel est donc, en un
sens, plus interactive que la communication téléphonique
parce qu'elle implique dans le message l'image de la personne et celle de la situation, qui sont presque toujours les
enjeux de la communication. Mais, en un autre sens, le téléphone est plus interactif, parce qu'il nous met en contact
avec le *corps* de l'interlocuteur. Non pas une image de son
corps, mais sa voix, dimension essentielle de sa manifestation physique. La voix de mon interlocuteur est vraiment
présente là où je la reçois par téléphone. Je n'entends pas
une image de sa voix mais sa voix elle-même. Par ce contact
corporel, toute une dimension affective traverse « inter-
activement » la communication téléphonique. Le téléphone
est le premier média de *téléprésence*. Aujourd'hui, de nombreux projets de recherche et de développement tentent
d'étendre et de généraliser la téléprésence à d'autres dimen-

sions corporelles : télémanipulation, images tridimensionnelles des corps, réalité virtuelle, environnements de réalité augmentée pour des visioconférences sans impression de contrainte, etc.

On retiendra de cette brève réflexion que le degré d'interactivité d'un média ou d'un dispositif de communication peut se mesurer sur des axes très divers parmi lesquels, notamment :

– les possibilités d'appropriation et de *personnalisation* du message reçu, quelle que soit la nature de ce message,

– la *réciprocité* de la communication (à savoir un dispositif communicationnel « un-un » ou « tous-tous »),

– la *virtualité*, qui souligne ici le calcul du message en temps réel en fonction d'un modèle et de données d'entrée (voir le troisième sens du tableau sur le virtuel, page 91),

– l'*implication* de l'image des participants dans les messages (voir le quatrième sens du tableau sur le virtuel),

– la *téléprésence*.

À titre d'exemple, le tableau ci-après croise deux axes parmi tous ceux que l'on pourrait mettre en valeur dans l'analyse de l'interactivité.

Des médias hybrides et mutants prolifèrent sous l'effet de la virtualisation de l'information, du progrès des interfaces, de l'augmentation des puissances de calcul et des débits de transmission. Chaque dispositif de communication relève d'une analyse circonstanciée, qui renvoie elle-même au besoin d'une théorie de la communication renouvelée, ou tout au moins à une cartographie fine des modes de communication. L'établissement de cette cartographie est d'autant plus urgent que les enjeux politiques, culturels, esthétiques, économiques, sociaux, éducatifs, voire épistémologiques de notre temps sont, de plus en plus, suspendus à des configurations de communication. L'interactivité désigne bien plus un problème, la nécessité d'un nouveau travail d'observation, de conception et d'évaluation des modes de communication qu'un caractère simple et univoque attribuable à tel ou tel système.

Tableau n° 3
Les différents types d'interactivité

RAPPORT AU MESSAGE / DISPOSITIF DE COMMUNICATION	Message linéaire non modifiable en temps réel	Interruption et réorientation du flux informationnel en temps réel	Implication du participant dans le message
Diffusion unilatérale	Presse Radio Télévision Cinéma	– Bases de données multimodales – Hyperdocuments figés – Simulations sans immersion ni possibilité de modifier le modèle	– Jeux vidéo monoparticipants – Simulations avec immersion (simulation de vol) sans modification possible du modèle
Dialogue, réciprocité	Correspondance postale entre deux personnes	– Téléphone – Visiophone	Dialogues par mondes virtuels, cybersexe
Multilogue	– Réseau de correspondance – Système des publications dans une communauté de recherche – Courrier électronique – Conférences électroniques	– Téléconférence ou visioconférence multiparticipants – Hyperdocuments ouverts accessibles en ligne, fruits de l'écriture/lecture d'une communauté – Simulations (avec possibilité d'agir sur le modèle) comme supports de débats d'une communauté	– Jeux de rôles multi-utilisateurs dans le cyberespace – Jeux vidéo en « réalité virtuelle » multiparticipants – Communication par mondes virtuels, négociation continue des participants sur leurs images et l'image de leur situation commune

CHAPITRE V

LE CYBERESPACE OU LA VIRTUALISATION DE LA COMMUNICATION

Navigations sur le World Wide Web ou la chasse et le butinage

Cet ouvrage n'est pas un guide pratique de navigation sur le WWW, mais un essai sur les implications culturelles du développement du cyberespace. Le lecteur intéressé par l'aspect pratique des choses mais qui n'a pas d'expérience personnelle en la matière pourra se référer à une quantité de manuels pratiques pour effectuer les premiers pas, ou demander à une personne déjà « branchée » de l'« accompagner » quelques minutes ou quelques heures. Après quoi, il acquerra très vite une relative autonomie. Pour un choix des meilleurs sites du World Wide Web, de nombreuses revues vendues en kiosque offrent des sélections par thèmes périodiquement réactualisées. Mais dès que l'on a pénétré dans l'univers du Web, on découvre qu'il constitue non seulement un immense « territoire » en expansion accélérée mais qu'il offre en outre une multitude de « cartes », de filtres, de sélections pour aider le navigateur à s'orienter. Le meilleur guide du Web est le Web lui-même. Encore faut-il avoir eu la patience de l'explorer. Encore faut-il prendre le risque de s'égarer, accepter de « perdre du temps » pour se familiariser avec cette étrange contrée. Peut-être faut-il céder pour un moment à son aspect ludique pour découvrir, au détour d'un lien ou d'une réponse d'un *moteur de recherche*, les sites qui s'approchent le plus de nos intérêts professionnels ou de nos passions et qui pourront donc nourrir de manière optimale notre démarche personnelle.

On peut définir deux grandes attitudes de navigation opposées, chaque navigation réelle illustrant généralement un mélange des deux. La première est la « chasse ». Nous cherchons un renseignement précis, que nous voulons obtenir le plus rapidement possible. La seconde est le « butinage ». Vaguement intéressés par un sujet mais prêts à bifurquer à tout moment sous l'effet de l'inclination du moment, ne sachant pas exactement ce que nous cherchons mais finissant presque toujours par trouver quelque chose, nous dérivons de site en site, de lien en lien, ramassant çà et là de quoi faire notre miel.

Comme on peut trouver à peu près tout et n'importe quoi sur Internet (ou, sinon réellement tout, presque certainement les *références* de tout), un exemple quelconque sera nécessairement très partiel, et aucun ne pourra donner une idée de l'infinité des navigations possibles. Un de mes amis, qui a récemment acheté un vieil harmonium et désirait le faire réparer (tout en appréhendant le coût de la restauration), m'a raconté qu'il avait trouvé sur le Net deux sites expliquant par le menu la voie à suivre pour réparer les harmoniums et un *news group* auprès duquel il a obtenu les réponses aux dernières questions qui le tracassaient ! Sauf le prix des pièces, l'harmonium a été restauré gratuitement.

À défaut d'exemples « significatifs », puisque chaque navigation est singulière, je me suis résolu à raconter tout simplement mes deux dernières sessions sur Internet, l'une relevant de la chasse et l'autre du butinage.

Chasse

Un soir, ma compagne me dit : « Cela fait trois ans que je n'ai pas de nouvelles de mon ami Olaf Mansis (le véritable nom n'est pas reproduit ici). Et je n'ai aucune idée de l'endroit où il se trouve. Puisque tu prétends qu'on trouve tout sur Internet, pourrais-je rétablir le contact de cette manière ? » Piqué au vif, je lui demande d'abord si elle pense qu'il a une adresse électronique, car il existe des sites et des moteurs de recherche spéciaux pour ce genre de chasse. Elle me répond qu'elle est quasiment sûre qu'il n'en a pas, car il fait partie des gens qui fuient les nouvelles technologies. Nous devons donc chercher autrement. Après avoir vérifié que mon modem est bien branché sur ma ligne téléphonique, je clique sur une icône spéciale sur l'écran de mon ordinateur, et la procédure qui me connecte avec mon fournisseur d'accès à Internet se met en marche. Un bruit caractéristique, qui ressemble un peu à celui d'un fax qui « passe », nous rend sensible ce processus de connexion. Une fois le contact établi, j'ouvre une application (un logiciel) spécialement conçu pour la navigation sur Internet. Les Américains appellent ce type de logiciel un *browser* et les Québécois un « fureteur ». À l'aide de ce logiciel, je consulte une liste de sites que j'ai personnellement sélectionnés (ce sont ceux que je visite le plus souvent). Parmi ces sites, je choisis AltaVista, qui est un des *moteurs de recherche* parmi les plus pratiques et les plus utilisés. Je lance la connexion sur AltaVista. Au bout de quelques secondes, la page d'accueil du moteur de recherche s'affiche à l'écran, y compris quelques publicités que je ne perds pas une seconde à regarder car je vais directement inscrire sur l'espace réservé à cet usage la requête suivante : Olaf ET Mansis. Cela signifie que je recherche tous les documents qui comprennent l'une et l'autre chaîne de caractères. Quelques secondes après avoir lancé la recherche, je reçois la réponse : il existe quatorze sites répondant à ma demande. En cliquant sur chacun des quatorze items de la liste qui est maintenant affichée à l'écran, je peux accéder directement aux sites correspondants. Je vais donc patiemment regarder tous les sites les uns après les autres. Certains correspondent à des actes

de colloques de médecine très spécialisés en suédois, en allemand et en anglais dans lesquels se sont exprimés des X Mansis et des Olaf Y. Il s'agit certainement d'une fausse piste
puisque le Olaf Mansis que nous cherchons est peintre. Après
avoir examiné divers sites sans aucune pertinence, nous
commençons à perdre espoir, jusqu'à ce que, finalement,
nous tombions sur le douzième site de la liste, celui d'un
commissaire-priseur canadien, dans lequel nous découvrons
une liste d'œuvres vendues aux enchères où figure une toile
signée du nom de notre peintre. Très excités, nous utilisons
l'adresse électronique du commissaire-priseur pour lui
envoyer un message dans lequel nous lui exposons notre problème et lui demandons de nous donner les coordonnées
d'Olaf Mansis s'il les connaît. Sur le dernier site, celui d'une
université hollandaise, figure une liste d'étudiants avec leurs
adresses électroniques sur laquelle plusieurs Olaf X voisinent
avec une Margaret Mansis. Comme Olaf Mansis vient des
Pays-Bas, nous pouvons espérer que c'est une parente, même
éloignée, et qu'elle pourra nous donner quelques indications.
Une fois de plus, nous utilisons le courrier électronique afin
de poser la question à cette étudiante.

Deux jours après, nous recevons une réponse du
commissaire-priseur désolé de ne pouvoir nous aider. Il met
l'œuvre en vente mais ne connaît pas les coordonnées du
peintre. Une semaine plus tard, nous avons le plaisir de recevoir un message électronique de Margaret Mansis qui nous
dit qu'elle est bien une parente du peintre (une petite-nièce,
en fait) et qu'elle accepte de nous aider, mais à condition que
nous lui donnions quelques précisions sur notre identité et
les motifs de notre recherche. Après un échange de courrier
électronique, nous avons eu le plaisir de recevoir les coordonnées complètes d'Olaf Mansis, que notre correspondante
avait obtenues au cours d'un dîner de famille.

On voit dans cet exemple que, même si l'on n'obtient
pas directement le renseignement sur Internet, on peut
néanmoins contacter des personnes ou des institutions qui
nous le donneront. On remarque également qu'une telle
recherche nous a pris initialement un quart d'heure, sans

que nous ayons à sortir de chez nous, pour le prix de quinze minutes de communication locale alors qu'il aurait évidemment été beaucoup plus coûteux en temps, en efforts et en argent de suivre une démarche qui aurait commencé, par exemple, par une consultation de tous les annuaires de la planète... On note enfin que le but de l'opération était de faire se retrouver deux amis qui s'étaient perdus de vue. Le virtuel ne « remplace » pas le « réel », il multiplie les occasions d'actualiser.

Le butinage

Je vais de temps en temps sur le site parisien de Virgin pour consulter les critiques (réactualisées tous les mois) des derniers disques qui viennent de sortir. La musique, les livres et les vidéos sont classés par styles, et je consulte de préférence les pages correspondant aux styles « gaïa » et « techno ». Je découvre dans la sélection « gaïa » de ce mois-ci que Gavin Bryars vient de sortir un nouvel album : *Farewell to Philosophy*. Près de la recension de chaque album se trouve généralement une « icône » permettant de télécharger un extrait sonore du disque ainsi qu'un ou plusieurs liens avec des sites consacrés aux musiciens. Je suis le lien qui mène au site de Gavin Bryars, et après quelques secondes d'attente, je peux me renseigner sur sa biographie et consulter sa discographie complète. J'apprends alors qu'il a réalisé beaucoup plus d'albums que je ne le pensais. Je note les titres qui me semblent intéressants, puis je reviens au site de Virgin.

Il faut remarquer que cette possibilité d'approfondissement d'un thème seulement effleuré dans un certain site par lien immédiat avec un autre site plus spécialisé (qui peut être physiquement localisé n'importe où dans le monde, en Angleterre dans le cas de Gavin Bryars) est une des grandes originalités et un des plus remarquables avantages du Web.

À partir de la page d'accueil du site de Virgin où je suis maintenant revenu, je suis un lien qui mène à un débat d'actualité. Il s'agit de la condamnation du groupe NTM pour insulte à la police. Afin d'alimenter la discussion, les éditeurs du site ont mis à la disposition des *internautes* diverses chansons françaises de toutes les époques ayant malmené (en paroles) la maréchaussée. Mi-amusé, mi-agacé, je lis les contributions du forum sur la condamnation de NTM. Le débat est extrêmement vif, et, malgré quelques déclarations péremptoires et peu argumentées, je trouve des témoignages et des idées remarquablement exposés, aussi bien dans un « camp » (pour la condamnation) que dans l'autre. De retour à la page d'accueil, je suis un lien qui mène à un musée dada imaginaire. Il s'agit essentiellement de liens vers des sites concernant le dadaïsme, le surréalisme et le lettrisme, agrémentés de photos d'œuvres de Max Ernst, Marcel Duchamp, Man Ray, etc. On trouve également des notices sur des musiciens d'inspiration dadaïste, comme, par exemple, Frank Zappa, avec des liens menant vers des sites spécialisés sur la vie et l'œuvre des musiciens en question. Parmi les nombreux points de départ vers d'autres sites, on trouve notamment dans le musée dada imaginaire :

– le Web Muséum (un des plus anciens et des plus remarquables « musées virtuels » d'initiative privée, réalisé par des Français,

– le *Surrealism Server*,

– le site *From Dada to Wave*,

– plusieurs sites sur Alfred Jarry et Ubu,

– le site du mouvement artistique Fluxus,

– un site consacré à l'Internationale situationniste, etc.

Je décide de suivre quelques-uns de ces liens et j'ai la surprise de découvrir sur le site de l'Internationale situationniste une critique d'un article de Bruno Latour paru dans *Libération* au sujet du suicide de Guy Debord (le fameux auteur de *La Société du spectacle* et l'un des principaux fondateurs de l'IS).

Sur le site de Fluxus je trouve des photos d'installations et des comptes rendus de performances plus bizarres les unes que les autres. Il y a en particulier une image de *Vagin Painting* qui me laisse pantois. Je suis heureux de voir enfin une installation de Naim June Paik dont j'avais vaguement entendu parler mais dont je ne parvenais pas à me faire une représentation concrète. Il s'agit d'un Bouddha (Naim June

Paik est coréen) en méditation devant un moniteur vidéo. L'écran est surmonté d'une caméra qui filme le Bouddha en direct... et affiche évidemment l'image de l'Éveillé. J'ai immédiatement été frappé par la supériorité de cette installation sur la statue traditionnelle pour donner une illustration de la pratique de la méditation. En effet, la statue est une image figée, un bloc massif, solide, presque hors du temps. Or la méditation est une attention au présent constamment renouvelée, assez bien rendue par la dimension de bouclage en temps réel et de processus en train de se faire – quoique rien ne se passe apparemment – de l'installation de Naim June Paik.

Le site de Fluxus contient lui-même des liens vers de nombreux autres sites à caractère artistique, notamment le site Media Filter qui organise un forum et un archivage alimentés par tous les contributeurs volontaires de la planète sur les abus policiers.

Cessant de suivre des liens, je décide de me rendre « directement » sur le site de Rhizome à partir de ma propre liste de sites favoris. Rhizome, qui a des correspondants un peu partout dans le monde, envoie toutes les semaines (gratuitement !) par courrier électronique à ses abonnés (dont je suis) une sélection de textes et d'informations sur l'art contemporain. On trouve sur le site des articles et des liens vers d'autres sites permettant de prendre connaissance directement des œuvres commentées dans les articles. Il peut s'agir de travaux « classiques » – comme tels « portraits » sur plaques d'aluminium faits à partir de fragments de code génétique que je contemple sur le site de l'artiste. Mais les références concernent aussi des œuvres dont la scène naturelle est l'Internet. Ainsi, par exemple, le monde virtuel construit par Julia Sher sur Ada Web qui joue sur le masochisme *(soft)* et la paranoïa des internautes pour les perdre dans un univers interactif de cliniques angoissantes, de télésurveillance généralisée et de forums sur le plaisir d'être dominé dont on se demande si les participants au sexe indécis sont réels ou fictifs tant leurs contributions sont bien écrites.

Je termine ma navigation par le site d'un ami brésilien installé aux États-Unis qui vient de m'avertir par *e mail* qu'une de ses nouvelles œuvres *(Rara Avis)* était sur Internet.

Il s'agit de l'image vidéo en temps réel (rafraîchie toutes les soixante secondes) d'une volière contenant un perroquet d'une espèce rare. Effectivement, d'une minute à l'autre, l'image change. Ce type de travail expérimental, dont le principe se généralise de plus en plus sur Internet, préfigure un tout autre rapport à l'image vidéo que celui auquel nous a habitués la télévision. Nous pourrons bientôt « aller voir » de notre propre chef un nombre croissant de points du globe dont l'image sera disponible sur le Web. J'ai déjà observé ainsi, en temps réel, l'intérieur de certains laboratoires de la NASA, un carrefour quelque part à Washington, un coin perdu de l'Antarctique, la Terre vue d'un satellite, etc.

J'aurais pu raconter d'autres sessions, comme celle qui s'est terminée par le téléchargement de textes de Nagarjuna (le grand philosophe bouddhiste de la « voie du milieu »), ou celle qui m'a permis de participer à l'élaboration collective d'un lexique de la cyberphilosophie. Mais il fallait choisir, et j'ai préféré rendre compte d'une session ordinaire, « n'importe laquelle », la dernière en date.

Cette session de navigation m'a occupé un peu plus d'une heure et j'estime qu'elle m'a enrichi beaucoup plus que la lecture d'une ou deux revues sur papier pendant le même laps de temps. Le « butinage » sur Internet ne peut se comparer qu'avec la dérive dans une immense bibliothèque-discothèque illustrée, la facilité d'accès, le temps réel, le caractère interactif, participatif, impertinent et ludique en plus. Cette médiathèque est peuplée, mondiale, en extension constante. Elle contient l'équivalent de livres, de disques, d'émissions de télévision, de radio, de magazines, de journaux, de tracts, de *curriculum vitæ*, de jeux vidéo, d'espaces de discussions et de rencontres, de marchés, tout cela interconnecté, vivant, fluide. Loin de s'uniformiser, l'Internet abrite chaque année plus de langues, plus de cultures, plus de variété. Il ne tient qu'à nous de continuer à alimenter cette diversité et d'exercer notre curiosité afin de ne pas laisser dormir, enfoui au fond de l'océan informationnel, les perles de savoir et de plaisir – différentes pour chacun de nous – qu'il recèle.

Qu'est-ce que le cyberespace ?

Le mot « cyberespace » a été inventé en 1984 par William Gibson dans le roman de science-fiction *Neuromancien*. Ce terme y désigne l'univers des réseaux numériques décrit comme champ de bataille entre les multinationales, enjeu de conflits mondiaux, nouvelle frontière économique et culturelle. Dans *Neuromancien*, l'exploration du cyberespace met en scène les forteresses d'informations secrètes protégées par des glacis logiciels, îles baignées par les océans de données qui se métamorphosent et s'échangent à grande vitesse autour de la planète. Certains héros sont capables d'entrer « physiquement » dans cet espace de données pour y vivre toutes sortes d'aventures. Le cyberespace de Gibson rend sensible la mouvante géographie de l'information, normalement invisible. Le terme a immédiatement été repris par les utilisateurs et par des concepteurs de réseaux numériques. Il existe aujourd'hui dans le monde un foisonnement de courants littéraires, musicaux, artistiques, voire politiques, se réclamant de la « cyberculture ».

Je définis le cyberespace comme *l'espace de communication ouvert par l'interconnexion mondiale des ordinateurs et des mémoires informatiques*. Cette définition inclut l'ensemble des systèmes de communication électroniques (y compris l'ensemble des réseaux hertziens et téléphoniques classiques) dans la mesure où ils convoient des informations en provenance de sources numériques ou destinées à la numérisation [1]. J'insiste sur le codage numérique car il conditionne le caractère plastique, fluide, finement calculable et traitable en temps réel, hypertextuel, interactif et pour tout dire virtuel de l'information qui est, me semble-t-il, la marque distinctive du cyberespace. Ce nouveau milieu a vocation à mettre en synergie et à interfacer tous les dispositifs de création d'information, d'enregistrement, de communication et de simulation. La perspective de la numérisation générale des informations et des messages fera probablement du cyberespace le principal canal de communication et le premier support de mémoire de l'humanité dès le début du prochain siècle.

Nous allons examiner maintenant les principaux modes de communication et d'interaction autorisés par le cyberespace. Il va de soi que ce qui pouvait être fait par la télévision, la radio ou le téléphone classiques peut *aussi* être réalisé par des radios, des télévisions ou des téléphones numériques; il n'est pas nécessaire d'exposer longuement ce qui est bien connu. Je développerai donc particulièrement les innovations par rapport aux grandes techniques de communication précédentes.

Accès à distance et transferts de fichiers

Une des principales fonctions du cyberespace est *l'accès à distance aux diverses ressources d'un ordinateur.*

---

1. Notre définition du cyberespace est proche, quoique plus restrictive, de celle qu'en donnent Esther Dyson, George Gilder, Jay Keyworth et Alvin Toffler dans leur *Magna Carta for the Knowledge Age in New Perspective Quarterly*, Fall, 1994, p. 26 à 37. Pour ces auteurs, le cyberespace est « la terre du savoir » (« *the land of knowledge* »), la « nouvelle frontière » dont l'exploration pourrait être aujourd'hui la tâche la plus exaltante de l'humanité (« *the exploration of that land can be the civilisation's truest highest calling* »).

Par exemple, à condition d'en avoir le droit, je peux, à l'aide d'un petit ordinateur personnel, me connecter à un très gros ordinateur situé à des milliers de kilomètres et lui faire effectuer en quelques minutes ou quelques heures des calculs (calculs scientifiques, simulations, synthèse d'images, etc.) que mon ordinateur personnel aurait mis des jours ou des mois à exécuter. Cela signifie que le cyberespace peut *dispenser de la puissance de calcul*, et cela en temps réel, un peu comme les grandes compagnies de distribution d'électricité dispensent de l'énergie. D'un strict point de vue technique, il n'est plus nécessaire de posséder sur place un gros ordinateur, il suffit que la puissance de calcul soit disponible quelque part dans le cyberespace.

Avec un terminal convenablement disposé à cet effet (ordinateur personnel, télévision améliorée, téléphone cellulaire spécial, « assistant personnel » nomade, etc.), je peux également *accéder au contenu de bases de données ou, en général, à la mémoire d'un ordinateur lointain*. À condition de disposer des interfaces logicielles nécessaires et d'un débit de transmission suffisant, tout se passe comme si je consultais la mémoire de mon propre ordinateur. Si le coût de la connexion est faible, il n'est donc plus nécessaire de disposer de l'information au lieu où je me trouve. Dès qu'une information publique se trouve dans le cyberespace, elle est virtuellement et immédiatement à ma disposition, indépendamment des coordonnées spatiales de son support physique. Il m'est loisible non seulement de lire un texte, de naviguer dans un hypertexte, de regarder une série d'images, de visionner une vidéo, d'interagir avec une simulation, d'écouter une musique enregistrée sur mémoire distante, mais également d'*alimenter* cette mémoire en textes, images, etc. Des communautés dispersées peuvent alors *communiquer par le partage d'une télémémoire* sur laquelle chaque membre lit et écrit, quelle que soit sa position géographique.

Une autre fonction importante du cyberespace est le

transfert de fichier ou *téléchargement*. Transférer un fichier consiste à recopier un paquet d'informations d'une mémoire numérique à une autre, généralement d'une mémoire lointaine à celle de mon ordinateur personnel ou du site sur lequel je travaille physiquement. L'information transférée de l'ordinateur du CERN à Genève vers le PC d'un étudiant en physique de Melbourne ne disparaît évidemment pas de l'ordinateur du CERN. Ce fichier peut être, par exemple, la dernière version à jour d'une banque de données sur les résultats des expériences les plus récentes du laboratoire de physique des hautes énergies, ou une banque de photos des collisions de particules élémentaires dans une chambre à bulle, ou le texte d'un article scientifique, ou une vidéo pédagogique de présentation des installations, ou un modèle interactif visualisant la théorie des hypercordes, ou un système expert d'aide au diagnostic de pannes du cyclotron, etc. L'étudiant de Melbourne ne peut recopier tous ces fichiers que s'ils ont été classés par les administrateurs de l'ordinateur du CERN dans les informations publiques, appropriables par tout un chacun. Sinon, il faudra connaître le mot de passe ou payer le tarif convenu.

Parmi tous les fichiers que l'on peut recopier à distance, on compte évidemment les programmes informatiques. Dans ce cas, le téléchargement permet la diffusion très rapide, par le canal du cyberespace lui-même, d'opérateurs (les logiciels) qui améliorent son propre fonctionnement. C'est ainsi qu'une grande partie des logiciels optimisant la communication entre ordinateurs et la recherche d'informations dans le cyberespace se sont répandus.

Le courrier électronique

Les fonctions de *messagerie* sont parmi les plus importantes et les plus utilisées du cyberespace. Chaque personne reliée à un réseau informatique peut posséder une boîte aux lettres électronique repérée par une adresse spéciale, recevoir les messages que lui envoient ses correspondants et envoyer des messages à tous ceux qui possèdent une adresse électronique accessible par son réseau. Ces messages sont aujourd'hui principalement des textes mais ils seront de plus en plus multimodaux à l'avenir.

Pour bien comprendre l'intérêt du courrier électronique (*e mail*, en anglais), il faut le comparer au courrier classique et à la télécopie. Tout d'abord, les messages reçus dans une boîte aux lettres électronique sont obtenus d'emblée sous forme numérique. Ils peuvent donc être aisément effacés, modifiés et classés dans la mémoire informatique du récepteur, sans passer par le support papier. Symétriquement, il n'est plus nécessaire d'imprimer le texte pour le faire parvenir à son destinataire : on l'envoie directement sous sa forme numérique initiale. Ce trait est d'autant plus intéressant que beaucoup de messages sont aujourd'hui produits au moyen d'ordinateurs.

Partout où il existe une possibilité de connexion téléphonique ou hertzienne, même indirecte, avec l'ordinateur gérant ma boîte aux lettres électronique (c'est-à-dire *presque partout*), je peux prendre connaissance des messages qui me sont adressés et en envoyer.

Le courrier électronique permet d'envoyer d'un seul coup le même message à une liste (qui peut être longue) de correspondants, simplement en indiquant cette liste. Ainsi, il n'est pas nécessaire de photocopier le document, ou de faire plusieurs numéros de téléphone les uns après les autres. Si chaque membre d'un groupe de personnes possède la liste des adresses électroniques des autres, apparaît la possibilité de communiquer de collectif à collectif : chacun peut émettre vers l'ensemble du groupe et sait que les autres ont reçu les messages qu'il lit.

Atom test

Comme tous les soirs, je consulte mon courrier électronique. J'ouvre un message qui vient des organisateurs d'un important colloque international sur les arts du virtuel auquel je dois participer. On me dit, en anglais, qu'une *mailing list* sera constituée pour permettre d'engager la discussion avant la rencontre physique. Pour en faire partie, il suffit d'envoyer le message « *I subscribe* » à une certaine adresse électronique. Intéressé, je me conforme à la procédure indiquée. Le lendemain soir, en plus du courrier en provenance de mes correspondants habituels, je découvre les premiers messages de la *mailing list* sur les arts numériques.

Un professeur d'une école d'art de Minneapolis explique l'incompréhension dont font preuve ses collègues face à ses enseignements sur le *multimédia.*

Une artiste hollandaise parle des installations de capture du son de la mer qu'elle monte devant les côtes... et des énormes coquillages artificiels qui répercutent ce son en des endroits choisis à l'intérieur des terres.

Un étudiant de Detroit craint que l'industrie du multimédia ne standardise pour des raisons commerciales les interfaces visuelles, sonores ou tactiles que les artistes voudraient au contraire laisser ouvertes pour explorer librement des possibilités alternatives.

Le surlendemain, ma boîte aux lettres contient déjà des réponses aux précédents messages. Certains renchérissent sur les premiers, d'autres les contredisent. Beaucoup d'artistes regrettent de ne pas avoir été invités à exposer leurs œuvres au colloque, quoiqu'ils aient présenté un projet. Ils profitent de la *mailing list* pour indiquer à la communauté l'adresse Web où l'on peut obtenir une description ou un exemple de leur travail. Un des responsables du colloque répond le jour suivant qu'il regrette mais que le budget était limité, que quatre-vingts artistes du monde entier pourront montrer leurs installations et que c'est déjà beaucoup !

Au fil des jours, quelques thèmes semblent se stabiliser : questions institutionnelles et pédagogiques, problèmes esthétiques, renseignements sur les logiciels, etc. La plupart des messages sont étiquetés comme des réponses à un message précédent, qui est souvent lui-même une réponse, et ainsi de suite. On peut ainsi reconstituer des lignes de conversations relativement indépendantes. Avec le temps, certains échanges sur le même sujet comptent vingt, trente « lettres » ou plus encore. D'autres messages ne donnent lieu qu'à cinq ou six réponses, et la conversation s'essouffle d'elle-même.

Il est de coutume chez les cybernautes de reprendre dans leurs propres messages le message auquel ils répondent, de telle sorte qu'un courrier ressemble souvent à une sorte de commentaire du précédent. On peut ainsi avoir plusieurs « couches » de texte (parfois quatre ou cinq) à l'intérieur d'un message, chaque « pli » devenant en quelque sorte l'« enveloppe » du précédent. Les logiciels de courrier électronique favorisent cette pratique en reproduisant (avec une marque spéciale au début de chaque ligne) automatiquement dans la réplique le message auquel on répond. Certains abonnés de la *mailing list* protestent contre les excès de cette pratique qui gonfle artificiellement les messages, comme des boules de neige dévalant une pente, ce qui encombre leur boîte aux lettres.

Les missives viennent de tous les coins du monde, avec une nette prédominance de l'Amérique du Nord et de l'Europe. Comme souvent dans les conférences électroniques, même si deux cent cinquante personnes sont abonnées (et donc reçoivent les messages), seule une trentaine de personnes participent activement à la conversation en alimentant régulièrement la conférence. Peu à peu, les récipiendaires de la *mailing list* découvrent le style de ces animateurs naturels, qui reflète probablement leur caractère. Les uns affichent un comportement spontané, émotif, et rédigent dans un anglais négligé, presque phonétique. D'autres répondent point par point, de manière presque maniaque, aux énoncés de leurs correspondants ou composent, dans une langue classique, de véritables petits traités en plusieurs chapitres et sous-chapitres. Quand il arrive que le ton monte, des modérateurs (que j'imagine « plus âgés ») se révèlent et tentent de calmer le jeu.

Parfois, alors que la rumeur d'un Paris pollué vient battre les vitres de mon appartement et que mes yeux

fatigués peinent à lire les caractères sur l'écran, un correspondant s'écarte du sujet de la conférence pour parler du
temps qu'il fait à Oslo, ou de la retraite, sans ordinateur ni
accès au Net, qu'il vient de faire dans les montagnes du
Colorado. Allongé sur les pentes fleuries, il a goûté la fraî-
cheur du vent des cimes apportant les effluves résineux des
sapins et s'est abîmé dans la pure profondeur du bleu du
ciel.

La routine de la conférence est interrompue par le courrier d'un musicien australien, un certain Wesson (je ne
reproduis pas ici son véritable nom), qui proteste violemment contre les essais atomiques français dans le Pacifique.
Ce message déclenche de nombreuses réponses dans les
jours qui suivent. Certaines personnes sympathisent avec la
cause de Wesson. D'autres lui rappellent que ce n'est pas le
propos de cette *mailing list* et qu'il y a assez de forums sur le
Net où il pourra en parler avec les personnes intéressées.
D'autres répondent à ceux-là que des artistes ne peuvent
exclure *a priori* un sujet de discussion : les artistes ont toujours été engagés dans les affaires de la cité, qui s'étend
maintenant aux dimensions de la planète. La discussion
s'envenime. Des participants menacent de se désinscrire de
la conférence si le flot de messages au sujet des essais atomiques ne décroît pas. Wesson, de plus en plus excité,
commet un message dans lequel il avoue avoir commencé à
apprendre le français, mais regrette maintenant de s'être
intéressé à cette langue. Cette fois-ci, plus personne n'est de
son côté. Il doit affronter ce que les cybernautes appellent
une *flame*, c'est-à-dire un tir nourri de messages venant de
tous les coins du monde. Des Français, des Belges, des
Suisses, des Québécois répondent à Wesson dans la langue
de Molière. Une Allemande, un Anglais et un Danois
répondent également en français par solidarité avec une
langue minoritaire insultée. Des professeurs américains
tentent de ramener Wesson à la raison tout en lui reprochant
d'avoir manqué à l'éthique du Net. Comme beaucoup
d'autres, alors que je m'étais contenté de lire les messages, je
sors de ma réserve pour m'adresser à Wesson (en anglais). Je
lui explique qu'il commet au moins deux confusions : celle
d'une langue et d'un peuple, celle d'un peuple et d'un gouver-

nement. Lui qui se prétend pacifiste, il devrait se rendre compte que c'est ce genre de confusion grossière et d'identification des êtres humains à des catégories nationales, ethniques, linguistiques ou religieuses qui rendent les guerres possibles.

Wesson se livre alors à une sorte de confession publique. Il regrette son message sur la langue française et demande à chacun de l'excuser. Quand il avait rédigé ce malheureux courrier, il était tout seul devant son écran. Il avait presque pensé à voix haute, sans réaliser qu'il y avait des gens de l'autre côté du réseau. Des individus vivants, animés de sentiments, qui pouvaient être blessés par des mots, tout comme lui. Et parmi ces individus, justement quelques-uns de ceux que la télévision et les journaux qu'il lisait tous les jours désignaient en masse à la vindicte des Australiens. Il avait été chauffé à blanc par le matraquage antifrançais des médias qui l'environnaient. Mais le réseau lui avait donné une conscience planétaire bien plus concrète que celle qu'il pensait avoir. Celle du contact direct avec des personnes qui expriment leurs émotions et leurs pensées. En plus de ce message à la cantonade, j'ai la surprise de trouver dans ma boîte aux lettres électronique un message privé de Wesson, que ne peuvent donc pas lire les autres membres de la *mailing list*. Il me déclare qu'il a été touché par la sincérité et la clarté de ma réponse et qu'il veut me connaître. Nous échangeons alors quelques messages personnels qui se terminent sur une promesse réciproque de se rencontrer lors du colloque.

L'été passe.

Un matin de septembre, dans la salle de presse du symposium international, un jeune homme barbu et souriant vient m'aborder.

– *Mister Lévy?*

– *Yes.*

– *I am Paul Wesson...*

Les conférences électroniques

Plus complexe que le simple courrier électronique, un système de *conférence électronique* est un dispositif élaboré qui permet à des groupes de personnes de discuter ensemble sur des thèmes particuliers. Les messages sont généralement classés par sujets et par sous-rubriques. Certains sujets sont fermés lorsqu'ils sont désertés et d'autres sont ouverts lorsque les membres du groupe en ressentent la nécessité. Dans un système de conférence électronique, les messages ne sont pas adressés à des personnes mais à des thèmes ou à des sous-thèmes. Cela n'empêche cependant pas les individus de se répondre, puisque les messages sont signés. D'autre part, les individus entrés en contact par une conférence électronique peuvent généralement aussi communiquer par courrier électronique classique, de personne à personne.

Des systèmes spéciaux permettent une communication directe entre toutes les personnes qui sont branchées sur une conférence électronique *au même instant*. Les messages échangés dans ce type de conférence électronique ne sont généralement pas enregistrés. Les individus en communication partagent une sorte d'espace virtuel de communication éphémère où s'inventent de nouveaux styles d'écriture et d'interaction.

Certaines messageries et conférences électroniques ne fonctionnent que sur des réseaux spécialisés de grandes entreprises ou sur les réseaux offerts par certains services commerciaux. Cependant, la tendance est à l'établissement de passerelles entre ces messageries et conférences locales et le grand système de connexion des réseaux qu'est Internet.

Progressivement, toute personne possédant une boîte

aux lettres électronique dans un réseau informatique quelconque, c'est-à-dire bientôt toute personne ayant un ordinateur ou un assistant personnel digital, pourra recevoir un message multimodal de n'importe quel autre point d'entrée du cyberespace, exactement comme le réseau des télécommunications met en contact tous les postes téléphoniques.

Des réseaux de réseaux comme Internet permettent d'accéder à un très grand nombre de conférences électroniques. Les conférences électroniques spécifiques d'Internet sont appelées les *newsgroups* ou *news*. En donnant une visibilité à ces groupes de discussion, qui se font et se défont en permanence, le cyberespace devient un moyen de contacter des personnes non plus en fonction de leur nom ou de leur position géographique mais à partir de leurs centres d'intérêts. Tout se passe comme si les personnes qui participent à des conférences électroniques acquéraient une adresse sur l'espace mouvant des thèmes de débats et des objets de connaissance.

De la conférence électronique au collecticiel

Lorsque des systèmes d'indexation et de recherche y sont intégrés et que toutes les contributions sont enregistrées, les conférences électroniques fonctionnent comme des mémoires de groupe. On obtient alors des bases de données « vivantes », alimentées en permanence par des collectifs de personnes intéressées par les mêmes sujets et confrontées les unes aux autres. À la limite, la distinction devient floue entre un hyperdocument accessible en ligne, sur lequel chaque membre d'une communauté peut lire et écrire, et un système de conférence électronique perfectionné. Figé sur CD-Rom, un hyperdocument, même s'il garde quelques-uns des caractères interactifs propres au numérique, offre moins de plasticité, de dynamisme, de sensibilité à l'évolution du contexte qu'un hyperdocument enrichi et restructuré en temps réel par une communauté d'auteurs et de lecteurs en réseau. Bourgeonnant, buissonnant, bifurquant, rhizome dynamique exprimant un savoir pluriel en construction, accueillant la mémoire multiple et multiplement interprétée d'un collectif, autorisant des navigations suivant des lignes de sens transversales, l'hypertexte ne déploie toutes ses qualités qu'immergé dans le cyberespace.

Certains *dispositifs d'apprentissage de groupe* sont spécialement conçus pour le partage de diverses ressources informatiques et l'usage des moyens de communication propres au cyberespace. On parle alors d'apprentissage coopératif assisté par ordinateur (en anglais, Computer Supported Cooperative Learning, CSCL). Ces dispositifs permettent la discussion collective, le partage de connaissances, les échanges de savoirs entre individus, l'accès à des tuteurs en ligne aptes à guider les personnes dans leur apprentissage et l'accès à des bases de données, hyperdocuments et simulations. Dans les systèmes les plus perfectionnés, les hyperdocuments sont restructurés et enrichis en fonction des questions et navigations des apprenants.

De nouvelles formes d'*organisation du travail* apparaissent également, qui exploitent au mieux les ressources des hyperdocuments partagés, des conférences électroniques, de l'accès à distance et du téléchargement de fichiers. Le domaine du travail coopératif assisté par ordinateur (en anglais, Computer Supported Cooperative Work, CSCW) est aujourd'hui en rapide expansion. Si elle est bien conçue, une organisation coopérative du travail par réseau informatique est *aussi* un dispositif d'apprentissage coopératif. Les logiciels et systèmes informatiques au service du travail coopératif sont appelés synergiciels ou

Le Babillard de l'Atelier :
un exemple de communauté virtuelle

Jean-Michel Billaud est responsable de la cellule de
veille et de prospective de la Compagnie bancaire. Il a perçu
depuis plusieurs années, bien avant que la presse ne
s'empare du sujet, que le développement de la communication numérique en ligne entraînerait de profonds bouleversements économiques ainsi qu'une redistribution des cartes
entre les acteurs financiers. Que deviendra le commerce
lorsqu'une grande partie des transactions économiques
passera par le cyberespace ? Que restera-t-il des monnaies
nationales lorsque le « cybercash » sera devenu d'usage
banal ? Les banquiers ne devront-ils pas réinventer leur
rôle traditionnel quand diverses formes de crédit et
d'échange en ligne – encore en voie d'expérimentation dans
le réseau – seront bien établies ? Comment influer dès
aujourd'hui sur les évolutions en cours ? Qui peut avoir
une telle action, et comment ? Telles sont les questions que
Jean-Michel Billaud a commencé à agiter dans la communauté française des banquiers et des organismes de crédit,
au moyen du magazine à diffusion restreinte *L'Atelier de la*
Compagnie bancaire. Joignant l'expérimentation à l'information et à la réflexion, ce visionnaire a impulsé l'usage
d'un babillard au sein du département de veille technologique de son entreprise, incitant les responsables
d'autres services à s'y connecter. Il voulait habituer les
cadres de la Compagnie bancaire à recevoir des informations ciblées et filtrées par voie électronique, les initier à la
culture des échanges transversaux et de la réflexion collective sur support numérique. Le « Babillard de l'Atelier » fut
ensuite ouvert à des personnes étrangères à l'entreprise,
intéressées par les questions abordées mais aussi capables
de l'alimenter par leurs informations et leurs expériences.
Bien entendu, une partie des renseignements et des
groupes de discussion resta réservée aux membres de la
Compagnie bancaire. Mais la partie « publique » prit bientôt
une extension remarquable. Le Babillard de l'Atelier, qui
accueille plusieurs centaines de personnes, constitue aujour-

d'hui une des plus importantes en nombre, sinon la plus importante, des communautés virtuelles françaises.

Si vous êtes, comme moi, abonné au Babillard de l'Atelier, quatre services vous sont offerts : messagerie électronique (avec passerelle vers Internet), informations, forums, téléchargement de documents et de logiciels. Je vais détailler ci-dessous ce qui concerne les informations et les forums.

Les informations : les documentalistes et spécialistes qui travaillent à la cellule de veille de la Compagnie bancaire alimentent des dossiers bien fournis où figure une foule de renseignements recueillis sur divers *news groups* d'Internet, glanés sur des sites Web, dans des correspondances électroniques semi-privées, auprès d'agences spécialisées, etc. Ces informations concernent généralement les marchés et les technologies de l'informatique et des télécommunications. Tendances du marché, statistiques, annonces d'achats ou de fusions, décisions d'investissement de tel ou tel acteur dans le domaine du cyberespace, innovations financières sur Internet... On peut ainsi suivre jour par jour les progrès du langage de programmation Java pour les applications interactives sur le Web ou la montée des *network computers*, machines spécialisées dans la connexion au réseau pour le grand public (et trois fois moins chères que les ordinateurs personnels classiques). Certains dossiers proposent des bibliographies et des indications documentaires plutôt que des informations brutes. On trouve également en ligne tous les articles parus et à paraître dans le journal *L'Atelier*.

Offrant un résumé et une sélection des nouvelles du jour, la revue de presse quotidienne du Babillard de l'Atelier est particulièrement appréciée des abonnés. Elle est alimentée à partir des journaux spécialisé comme de la grande presse. À titre d'exemple, les rubriques de la revue de presse du 5 février 1997 étaient les suivantes : services en ligne, monétique, téléphone mobile, télécommunications, informatique, électronique, audiovisuel, télévision numérique.

Les forums : comme dans toute communauté virtuelle, les forums du « Bab » de l'Atelier sont des espaces d'échange d'informations et de débat. Certains forums sont accessibles à tout un chacun tandis que d'autres, très techniques, ne sont fréquentés que par des spécialistes. On trouve également sur le « Bab » des reproductions de forum importées d'Internet ou d'autres babillards. Voici la liste de quelques-uns des forums propres au Babillard de l'Atelier : le commerce électronique, le paiement sécurisé, la Bourse, les autoroutes de l'information, les questions juridiques liées à la cyberculture, la réalité virtuelle, le monde des BBS, la démocratie et les nouvelles technologies de l'information, les villes numérisées, les CD-Rom, etc. De plus, le Babillard abrite le forum de discussion du Club de l'Arche, qui s'est donné pour mission de sensibiliser les responsables politiques et économiques aux questions émergentes de la cyberculture. Un des intérêts des forums du « Bab » de l'Atelier est qu'ils accueillent une part croissante des acteurs, des promoteurs ou des décideurs des domaines concernés. C'est ainsi que le groupe de pression des responsables économiques français favorables à la libéralisation de l'usage des techniques de cryptographie s'est notamment organisé au moyen du « Bab ».

Certains espaces collectifs « réservés » sont accessibles seulement aux personnes possédant le mot de passe nécessaire. Ils sont consacrés à des négociations et à des transactions économiques.

Terminons en signalant que la lecture des informations en ligne et la participation aux discussions « virtuelles » ne remplacent pas, bien au contraire, les contacts en chair et en os. L'Atelier organise plusieurs fois par semaine à Paris des rencontres physiques entre les acteurs de la « cyberéconomie ». On y présente de nouveaux produits, des initiatives diverses touchant les thèmes de prédilection de l'Atelier, des débats très ouverts où les utopistes de la démocratie électronique et de l'intelligence collective côtoient des responsables de marketing (ce sont parfois les mêmes) et peuvent boire un verre en compagnie de Jean-Michel Billaud après s'être fréquentés « en ligne ».

collecticiels (*groupware* en anglais). Sous le nom d'Intranet, on utilise de plus en plus les outils d'Internet (messagerie, *news*, Web, etc.) pour l'organisation *interne* des entreprises ou de réseaux d'entreprises. L'Intranet, qui tend à s'imposer comme un standard, offre des instruments de correspondance, de collaboration, de partage de mémoire et de documents immédiatement compatibles avec le grand réseau externe. Les transactions les plus diverses entre les systèmes d'information des organisations utilisant Intranet deviennent « transparentes ».

En somme, le cyberespace permet de combiner plusieurs modes de communication. On trouve, par degrés de complexité croissante : le courrier électronique, la conférence électronique, l'hyperdocument partagé, des systèmes élaborés d'apprentissage ou de travail coopératif et, enfin, les mondes virtuels multiparticipants.

La communication par monde virtuel partagé

Comme nous l'avons vu plus haut, l'interaction avec une réalité virtuelle au sens le plus fort se ramène dans son principe technique à la possibilité d'explorer ou de modifier le contenu d'une base de données par ses gestes (mouvements de la tête, des mains, déplacements, etc.) et à percevoir immédiatement, sur un mode *sensible* (images, sons, sensations tactiles et proprioceptives), les nouveaux aspects de la base de données révélés par les gestes que l'on vient d'accomplir. Cela revient à entretenir une relation sensori-motrice avec le contenu d'une mémoire informatique. Or les réalités virtuelles servent de plus en plus souvent de média de communication. En effet, plusieurs personnes géographiquement dispersées peuvent alimenter en même temps une base de données sur un mode gestuel et en recevoir des informations sensorielles en retour. Lorsqu'une des personnes modifie le contenu de la mémoire numérique partagée, les autres perçoivent immédiatement le nouvel état de l'environnement commun. Comme la position et l'image virtuelles de chacun sont aussi enregistrées dans la base de données, chaque fois qu'un des partenaires bouge ou modifie la description de son image, les autres perçoivent son mouvement. Ce type de dispositif de communication peut servir à des jeux, à des environnements d'apprentissage ou de travail, à des préfigurations urbanistiques, à des simulations de combat, etc. Les réalités virtuelles partagées, qui peuvent mettre en communication des milliers, voire des millions de personnes, doivent être considérées comme des dispositifs de communication « tous-tous », typiques de la cyberculture.

On peut étendre la notion de *communication par monde virtuel partagé* à d'autres systèmes que ceux qui simulent une interaction au sein d'un univers physique tridimensionnel « réaliste » dont l'aspect visuel est calculé selon les lois de la perspective. Autrement dit, il peut y avoir communication par monde virtuel même dans un sens plus faible que celui des simulations immersives.

Pour que l'on considère un certain dispositif de communication comme un monde virtuel, il n'est donc pas nécessaire qu'il calcule des images et du son. Par exemple, certains jeux de rôles impliquant des milliers de participants sur Internet sont d'authentiques mondes virtuels, avec leurs règles de fonctionnement et leurs capacités de réaction autonomes, quoiqu'ils ne soient composés que de textes. Chaque joueur contribue à construire l'univers auquel il participe sous l'aspect du « personnage » qu'il incarne. Se déplaçant dans un univers fictif, les joueurs sont plus ou moins « proches » les uns des autres et n'interagissent que s'ils sont dans le même « lieu » virtuel. Nous avons là un bel exemple de communication par construction coopérative d'un monde, ressortissant évidemment au dispositif « tous-tous ».

Navigations

Des ignorants en programmation peuvent utiliser les fonctions de courrier et de conférence électronique, ou consulter un hyperdocument à distance au sein d'un même réseau. Il suffit généralement de savoir cliquer sur les bons boutons, ou de choisir les opérations que l'on veut accomplir dans un « menu » ou, au pire, de taper certaines commandes que l'on connaît rapidement par cœur. En revanche, la circulation d'un réseau à l'autre dans le cyberespace a longtemps demandé des compétences plus ou moins poussées en informatique, ou tout au moins un apprentissage long et douloureux. Cette situation est en passe d'être révolue.

De nouvelles générations d'instruments logiciels et de services de recherche automatique déchargent les navigateurs de la manipulation de codes ésotériques et leur évitent de longs errements pendant leurs quêtes d'informations. Après avoir rendu plus conviviales les relations entre l'humain et l'ordinateur, après avoir décloisonné l'espace de travail entre logiciels et applications différentes, après avoir facilité les connexions des ordinateurs avec les imprimantes, les numériseurs, les instruments de capture et de restitution de l'image et du son, le progrès des interfaces s'attaque aujourd'hui à l'opacité du cyberespace.

Téléphones mobiles perfectionnés, télévisions numériques, assistants personnels digitaux, tous ces terminaux du cyberespace seront dotés d'importantes capacités de calcul et de mémoire. Les systèmes d'exploitation de ces appareils intégreront des instruments de navigation et d'orientation dans un cyberespace de plus en plus transparent.

Dès aujourd'hui, des programmes très puissants sont capables de « chasser » automatiquement des informations et des textes dans des centaines de bases de données et de bibliothèques dispersées dans le cyberespace. Il est également possible d'entraîner des agents logiciels spécialisés, dits *knowbots* (« robots du savoir »), à rechercher périodiquement dans le cyberespace des informations multimodales intéressantes et à les présenter automatiquement sous forme de « magazine » structuré interactif ou d'hyperdocuments spécialement composés pour une personne.

D'autres logiciels, les *gophers,* présentent à leurs utilisateurs des sortes de cartes intelligentes capables de mener aux endroits qu'elles montrent. Enfin, un système d'interconnexion et de recherche de documents comme le World Wide Web a vocation à transformer Internet en hypertexte géant, indépendant de la localisation physique des fichiers informatiques. Sur le Web, chaque élément d'information contient des pointeurs, ou liens, que l'on peut suivre pour accéder à d'autres documents sur des sujets apparentés. Le Web permet également d'accéder par mots clés à des documents dispersés dans des centaines d'ordinateurs hétérogènes de par le monde, comme si ces documents faisaient partie de la même base de données ou du même disque dur.

Virtuellement, tous les textes ne forment plus qu'un seul hypertexte, une seule nappe textuelle fluide. L'analyse vaut aussi bien pour les images qui, virtuellement, ne constituent plus qu'une seule hypericône, sans limites, kaléidoscopique, en croissance, sujette à toutes les chimères. Et les musiques, montant des banques d'effets sonores, des répertoires de timbres échantillonnés, des programmes de synthèse, de séquençage et d'arrangement automatiques, composent ensemble une inaudible polyphonie, confluent dans la symphonie de Babel. Les recherches sur les interfaces de navigation sont orientées, directement ou indirectement, par la perspective ultime de transformer le cyberespace en un seul et unique monde virtuel, immense, infiniment varié et perpétuellement changeant.

DEUXIÈME PARTIE

PROPOSITIONS

CHAPITRE VI

L'UNIVERSEL SANS TOTALITÉ, ESSENCE DE LA CYBERCULTURE

À chaque minute qui passe, de nouvelles personnes s'abonnent à Internet, de nouveaux ordinateurs s'interconnectent, de nouvelles informations sont injectées dans le réseau. Plus le cyberespace s'étend, plus il devient « universel », et moins le monde informationnel devient totalisable. L'universel de la cyberculture est aussi dépourvu de centre que de ligne directrice. Il est vide, sans contenu particulier. Ou plutôt, il les accepte tous puisqu'il se contente de mettre en contact un point quelconque avec n'importe quel autre, quelle que soit la charge sémantique des entités mises en relation. Je ne veux pas signifier par là que l'universalité du cyberespace est « neutre » ou sans conséquences, puisque le fait majeur du processus d'interconnexion générale a déjà, et aura plus encore à l'avenir, d'immenses répercussions dans la vie économique, politique et culturelle. Cet événement transforme effectivement les conditions de la vie en société. Pourtant, il s'agit d'un universel indéterminé et qui tend même à maintenir son indétermination puisque chaque nouveau nœud du réseau des réseaux en extension constante peut devenir producteur ou émetteur d'informations nouvelles, imprévisibles, et réorganiser une partie de la connectivité globale pour son propre compte.

Le cyberespace s'érige en système des systèmes mais, par ce fait même, il est aussi *le système du chaos*. Incarnation maximale de la transparence technique, il accueille cependant, par son irrépressible foisonnement, toutes les opacités du sens. Il dessine et redessine la figure d'un labyrinthe mobile, en extension, sans plan possible, universel, un labyrinthe auquel Dédale en personne n'aurait pu rêver. Cette universalité dépourvue de signification centrale, ce système du désordre, cette transparence labyrinthique, je l'appelle « l'universel sans totalité ». Il constitue l'essence paradoxale de la cyberculture.

Dans cette partie, je commencerai par rappeler les tendances de l'évolution technique qui fondent ce trait capital de la civilisation en émergence et j'analyserai ensuite la nouvelle pragmatique des communications qu'instaure le cyberespace. Cette analyse nous conduira à l'explicitation théorique du concept d'universel sans totalité. Dans les chapitres suivants, je montrerai que ce concept permet de rendre compte du mouvement social qui porte la cyberculture, de ses formes esthétiques et de son rapport au savoir. Je terminerai enfin sur une discussion approfondie des enjeux urbanistiques et politiques de la cyberculture : comment articuler la virtualité du cyberespace et la territorialité de la ville ?

L'universalité au plan technique

Je suggère dans le chapitre premier, sur l'impact des nouvelles technologies, qu'il est impossible de fixer la signification humaine d'une galaxie technique en transformation continuelle. Les implications culturelles et sociales du numérique s'approfondissent et se différencient à chaque nouvelle interface, à chaque augmentation de puissance ou de capacité, à chaque nouveau branchement sur d'autres ensembles techniques. Nous avons vu cependant que, parmi toute cette mouvante variété, la *vitesse* d'évolution se maintient comme un invariant paradoxal. J'ai également mis en évidence, aux chapitres suivants, la constante de la *virtualisation* de l'information et de la communication. Un autre trait immuable de la cyber-culture semble être la tendance à « faire système », la ten-sion vers l'universel. Ne serait-ce qu'au plan des infrastruc-tures techniques, les promoteurs de systèmes d'exploitation (comme Windows, Unix ou Mac OS), de lan-gages de programmation (comme C ou Java), de logiciels d'application (comme Word ou Netscape) espèrent géné-ralement que leurs produits deviendront ou resteront des « standards ». Un logiciel fait figure de standard quand, pour un usage particulier (gérer les ressources d'un ordina-teur, programmer des applications interactives pour Inter-net, écrire, naviguer sur le Web, etc.), il est majoritaire-ment utilisé dans le monde. De fait, il en est du cyberespace comme de certains systèmes écologiques : à terme, une « niche » particulière ne pourra pas accueillir un trop grand nombre d'espèces concurrentes. La variété initiale disparaît donc généralement au profit de quelques formes de vie dominantes. Même si beaucoup de marques coexistent, les *principes techniques* obéiront tôt ou tard à un petit nombre de normes internationales. Plus le numé-rique s'affirme comme un support privilégié de communi-cation et de collaboration, plus cette tendance à l'universa-lisation marque l'histoire de l'informatique. Les documents numérisés doivent pouvoir circuler d'une machine à l'autre, de cette organisation à celle-là. Le possesseur d'un ordinateur quelconque veut pouvoir communiquer avec n'importe quel autre ordinateur de la planète. La proposi-tion technique *incompatible* est tôt ou tard sanctionnée par le marché, c'est-à-dire, de plus en plus, par les utilisateurs finals des produits. Dire que l'innovation qui gagne est celle qui réussit à « faire système » avec le reste de l'environne-ment technologique revient quasiment à énoncer une tau-tologie.

Quels que soient ses avatars dans l'avenir, on peut prédire que tous les éléments du cyberespace continueront à progresser vers l'intégration, l'interconnexion, l'établissement de systèmes de plus en plus interdépendants, universels et « transparents ». Ce trait caractérise de nombreux ensembles techniques contemporains comme l'aviation, l'automobile ou la production et la distribution électriques [1]. Néanmoins, le cyberespace tend à l'universalité et à la systématicité (interopérabilité, « transparence », irréversibilité des choix stratégiques) en un sens encore plus fort que les autres grands systèmes techniques, et cela pour au moins deux raisons.

Tout d'abord, il constitue l'infrastructure de communication et de coordination des autres grands systèmes techniques. Mieux, il assure la condition de possibilité d'une progression dans l'universalisation et la cohérence fonctionnelle, organisationnelle et opérationnelle des autres systèmes. Le développement du numérique est donc systématisant et universalisant non seulement en lui-même, mais aussi, à un second degré, au service d'autres phénomènes technosociaux tendant à l'intégration mondiale : finance, commerce, recherche scientifique, médias, transports, production industrielle, etc.

D'autre part, la signification ultime du réseau ou la valeur portée par la cyberculture est précisément l'universalité. Ce média tend vers l'interconnexion générale des informations, des machines et des hommes. Et donc si, comme l'affirmait McLuhan, « le média est le message », le message de ce média est l'universel, ou la systématicité transparente et illimitée. Ajoutons que ce trait correspond effectivement aux projets de ses concepteurs et aux attentes de ses utilisateurs.

---

1. Sur la notion de grand système technique, voir Alain Gras, avec la participation de Sophie Poirot-Delpech, *Grandeur et Dépendance. Sociologie des macro-systèmes techniques*, Paris, PUF, 1993.

L'écriture et l'universel totalisant

Pour bien comprendre la mutation contemporaine de la civilisation, il faut passer par un retour réflexif sur la première grande transformation dans l'écologie des médias : le passage des cultures orales aux cultures de l'écriture. L'émergence du cyberespace, en effet, aura probablement – a même déjà aujourd'hui – sur la pragmatique des communications un effet aussi radical que l'eut en son temps l'invention de l'écriture.

Dans les sociétés orales, les messages linguistiques étaient toujours reçus dans le temps et le lieu où ils étaient émis. Émetteurs et récepteurs partageaient une identique situation et, la plupart du temps, un semblable univers de signification. Les acteurs de la communication évoluaient dans le même bain sémantique, dans le même contexte, dans le même flux vivant d'interactions.

L'écriture a ouvert un espace de communication inconnu des sociétés orales, dans lequel il devenait possible de prendre connaissance de messages produits par des personnes situées à des milliers de kilomètres, ou mortes depuis des siècles, ou bien s'exprimant malgré d'importantes différences culturelles ou sociales. Désormais, les acteurs de la communication ne partageaient plus nécessairement la même situation, ils n'étaient plus en interaction directe.

Subsistant hors de leurs conditions d'émission et de réception, les messages écrits se tiennent « hors contexte ». Cet « hors contexte » – qui ne relève d'abord que de l'écologie des médias et de la pragmatique de la communication – a été légitimé, sublimé, intériorisé par la culture. Il deviendra le noyau d'une certaine rationalité et mènera finalement à la notion d'universalité.

Il est cependant difficile de comprendre un message hors de son contexte vivant de production. C'est pourquoi, du côté de la réception, on inventa les arts de l'interprétation, de la traduction, toute une technologie linguistique (grammaires, dictionnaires, etc.). Du côté de l'émission, on s'efforça de composer des messages susceptibles de circuler partout, indépendants de leurs conditions de production et qui contiennent autant que possible en eux-mêmes leurs clés d'interprétation, ou leur « raison ». À cet effort pratique correspond l'idée de l'universel. En principe, il n'est pas besoin de faire appel à un témoignage vivant, à une autorité extérieure, à des habitudes ou à des éléments d'un environnement culturel particulier pour comprendre et admettre, par exemple, les propositions énoncées dans les *Éléments* d'Euclide. Ce texte comprend en lui-même les définitions et les axiomes desquels découlent nécessairement les théorèmes. Les *Éléments* sont un des meilleurs exemples du type de message auto-suffisant, auto-explicatif, enveloppant ses propres raisons, qui serait sans pertinence dans une société orale.

La philosophie et la science classiques, chacune à leur manière, visent l'universalité. Je fais l'hypothèse que c'est parce qu'elles ne peuvent être séparées du dispositif de communication instauré par l'écrit. Les religions « universelles » (et je ne parle pas seulement des monothéismes : pensons au bouddhisme) sont toutes fondées sur des textes. Si je veux me convertir à l'islam, je peux le faire à Paris, à New York ou à La Mecque. Mais si je veux pratiquer la religion bororo (à supposer que ce projet ait un sens), je n'ai pas d'autre solution que d'aller vivre avec les Bororos. Les rites, mythes, croyances et modes de vie bororos ne sont pas « universels » mais contextuels ou locaux. Ils ne reposent en aucune manière sur un rapport aux textes écrits. Ce constat n'implique évidemment aucun jugement de valeur ethnocentrique : un mythe bororo appartient au patrimoine de l'humanité et peut virtuellement émouvoir

n'importe quel être pensant. Par ailleurs, des religions par-
ticularistes ont aussi leurs textes : l'écriture ne *détermine*
pas automatiquement l'universel, elle le *conditionne* (pas
d'universalité sans écriture).

Comme les textes scientifiques ou philosophiques qui
sont censés rendre raison d'eux-mêmes, contenir leurs
propres fondements et porter avec eux leurs conditions
d'interprétation, les grands textes des religions universa-
listes enveloppent par construction la source de leur autorité. En effet, l'origine de la vérité religieuse est la révélation. Or la Thora, les Évangiles, le Coran, *sont la révélation
elle-même* ou le récit authentique de la révélation. Le discours ne se place plus sur le fil d'une tradition qui tient son
autorité du passé, des ancêtres ou de l'évidence partagée
d'une culture. Le texte seul (la révélation) fonde la vérité,
échappant ainsi à tout contexte conditionnant. Grâce au
régime de vérité qui s'appuie sur un texte-révélation, les
religions du livre se libèrent de la dépendance à un milieu
particulier et deviennent universelles.

Notons au passage que l'auteur (typique des cultures
écrites) est, à l'origine, *la source de l'autorité*, tandis que
l'interprète (figure centrale des traditions orales) ne fait
qu'actualiser ou moduler une autorité qui vient d'ailleurs.
Grâce à l'écriture, les auteurs, démiurgiques, inventent
l'autoposition du vrai.

Dans l'universel fondé par l'écriture, ce qui doit se
maintenir inchangé par interprétations, traductions, trans-
lations, diffusions, conservations, c'est le sens. La signification du message doit être la même ici et là, aujourd'hui
comme autrefois. Cet universel est indissociable d'une
visée de clôture sémantique. Son effort de totalisation lutte
contre la pluralité ouverte des contextes traversés par les
messages, contre la diversité des communautés qui les font
circuler. De l'invention de l'écriture s'ensuivent les exi-
gences très spéciales de la décontextualisation des discours. Depuis cet événement, la maîtrise englobante de la

signification, la prétention au « tout », la tentative d'instaurer en chaque lieu le même sens (ou, pour la science, la même exactitude) sont pour nous associées à l'universel.

Médias de masse et totalité

Les médias de masse : presse, radio, cinéma, télévision, tout au moins dans leur configuration classique, poursuivent la lignée culturelle de l'universel totalisant initiée par l'écrit. Comme le message médiatique sera lu, écouté, regardé par des milliers ou des millions de personnes dispersées, on le compose de telle sorte qu'il rencontre le « commun dénominateur » mental de ses destinataires. Il vise les récepteurs au minimum de leur capacité interprétative. Ce n'est pas ici le lieu de développer tout ce qui distingue les effets culturels des médias électroniques de ceux de l'imprimerie. Je veux seulement souligner une similitude. Circulant dans un espace privé d'interaction, le message médiatique ne peut exploiter le contexte particulier où évolue le récepteur, il néglige sa singularité, ses adhérences sociales, sa microculture, sa situation précise à un moment précis. C'est ce dispositif à la fois réducteur et conquérant qui fabrique le « public » indifférencié des médias de « masse ». Par vocation, les médias contemporains, en se réduisant à l'attraction émotionnelle et cognitive la plus « universelle », « totalisent ». C'est aussi le cas, de manière beaucoup plus violente, de la propagande du parti unique des totalitarismes au xxe siècle : fascisme, nazisme et stalinisme.

Cependant, les médias électroniques comme la radio ou la télévision ont une deuxième tendance, complémentaire de la première. La décontextualisation que je viens d'évoquer instaure paradoxalement un autre contexte, holistique, quasi tribal, mais à plus grande échelle que dans les sociétés orales. La télévision, en interaction avec les autres médias, fait ainsi surgir un plan d'existence émotionnel qui réunit les membres de la société dans une sorte de macro-contexte fluctuant, sans mémoire, en évolution rapide. Cela se perçoit notamment dans les phénomènes de « direct » et en général lorsque « l'actualité » se fait brûlante. Il faut reconnaître à McLuhan le mérite d'avoir le premier décrit ce caractère des sociétés médiatiques. La principale différence entre le contexte médiatique et le contexte oral est que les téléspectateurs, s'ils sont impliqués *émotionnellement* dans la sphère du spectacle, ne peuvent jamais l'être *pratiquement*. Par construction, sur le plan d'existence médiatique, ils ne sont jamais acteurs.

La véritable rupture avec la pragmatique de la communication instaurée par l'écriture ne peut se faire jour avec la radio ou la télévision, car ces instruments de diffusion massive ne permettent ni véritable réciprocité ni interactions transversales entre participants. Le contexte global instauré par les médias, au lieu d'émerger des interactions vivantes d'une ou plusieurs communautés, se tient hors de portée de ceux qui n'en consomment que la réception passive, isolée.

Complexité des modes de totalisation

Nombre de formes culturelles dérivées de l'écriture ont vocation à l'universalité, mais chacune totalise sur un attracteur différent : les religions universelles sur le sens, la philosophie (y compris la philosophie politique) sur la raison, la science sur l'exactitude reproductible (les faits), les médias sur une captation dans un spectacle sidérant baptisé « communication ». Dans tous les cas, la totalisation

s'opère sur l'identité de la signification. Chacune à sa
manière, ces machines culturelles tentent de rejouer, sur le
plan de réalité qu'elles inventent, une manière de coïncidence avec eux-mêmes des collectifs qu'elles rassemblent.
L'universel? Une sorte d'ici et maintenant virtuel de
l'humanité. Or, quoiqu'elles aboutissent à une *réunion* par
un aspect de leur action, ces machines à produire de l'universel *décomposent* par ailleurs une multitude de micrototalités contextuelles : paganismes, opinions, traditions,
savoirs empiriques, transmissions communautaires et arti-
sanales. Et ces destructions de local sont elles-mêmes
imparfaites, ambiguës, car les produits des machines universelles sont en retour presque toujours phagocytés, relo-
calisés, mélangés aux particularismes qu'ils voudraient
transcender. Bien que l'universel et la totalisation (la totalisation, c'est-à-dire la clôture sémantique, l'unité de la raison, la réduction au commun dénominateur, etc.) aient
depuis toujours partie liée, leur conjonction recèle de
fortes tensions, de douloureuses contradictions que la nouvelle écologie des médias polarisée par le cyberespace permettra peut-être de dénouer. Un tel dénouement, sou-
lignons-le, n'est en aucune manière garanti ni automatique. L'écologie des techniques de communication
propose, les acteurs humains disposent. Ce sont eux qui
décident en dernier ressort, délibérément ou dans la semi-
inconscience des effets collectifs, de l'univers culturel qu'ils
construisent ensemble. Encore faut-il qu'ils aient aperçu la
possibilité de nouveaux choix.

La cyberculture ou l'universel sans totalité

En effet, l'événement culturel majeur annoncé par
l'émergence du cyberespace est le débrayage entre ces deux

opérateurs sociaux ou machines abstraites (bien plus que des concepts !) que sont l'universalité et la totalisation. La cause en est simple : le cyberespace dissout la pragmatique de communication qui, depuis l'invention de l'écriture, avait conjoint l'universel et la totalité. Il nous ramène, en effet, à la situation d'avant l'écriture – mais à une autre échelle et sur une autre orbite – dans la mesure où l'interconnexion et le dynamisme en temps réel des mémoires en ligne font de nouveau partager le même contexte, le même immense hypertexte vivant aux partenaires de la communication. Quel que soit le message abordé, il est connecté à d'autres messages, à des commentaires, à des gloses en évolution constante, aux personnes qui s'y intéressent, aux forums où l'on en débat ici et maintenant. N'importe quel texte est le fragment qui s'ignore peut-être de l'hypertexte mouvant qui l'enveloppe, le connecte à d'autres textes et sert de médiateur ou de milieu à une communication réciproque, interactive, ininterrompue. Sous le régime classique de l'écriture, le lecteur est condamné à réactualiser le contexte à grands frais, ou bien à s'en remettre au travail des Églises, des institutions ou des écoles, acharnées à ressusciter et à boucler le sens. Or aujourd'hui, techniquement, du fait de l'imminente mise en réseau de toutes les machines de la planète, il n'y a quasiment plus de messages « hors contexte », séparés d'une communauté active. Virtuellement, tous les messages sont plongés dans un bain communicationnel grouillant de vie, incluant les personnes elles-mêmes, dont le cyberespace apparaît progressivement comme le cœur.

La poste, le téléphone, la presse, l'édition, les radios, les innombrables chaînes de télévision forment désormais la frange imparfaite, les appendices partiels et tous différents d'un espace d'interconnexion ouvert, animé de communications transversales, chaotique, tourbillonnant, fractal, mû par des processus magmatiques d'intelligence collective. Certes, on ne se baigne jamais deux fois dans le même fleuve informationnel, mais la densité des liens et la rapidité de circulation sont telles que les acteurs de la communication n'ont plus de difficulté majeure à partager le même contexte, même si cette situation est quelque peu glissante et souvent brouillée.

L'interconnexion généralisée, utopie minimale et moteur primaire de la croissance d'Internet, émerge comme une forme nouvelle de l'universel. Attention! Le processus en cours d'interconnexion mondiale réalise bel et bien une forme de l'universel, mais ce n'est pas la même qu'avec l'écriture statique. Ici, l'universel ne s'articule plus sur la clôture sémantique appelée par la décontextualisation, tout au contraire. Cet universel ne totalise plus par le sens, il relie par le contact, par l'interaction générale.

L'universel n'est pas le planétaire

On dira peut-être qu'il ne s'agit pas là à proprement parler de l'universel mais du planétaire, du fait géographique brut de l'extension des réseaux de transport matériel et informationnel, du constat technique de la croissance exponentielle du cyberespace. Pire encore, sous couvert d'universel, n'est-il pas seulement question du pur et simple « global », celui de la « globalisation » de l'économie ou des marchés financiers ?

Certes, ce nouvel universel contient une forte dose de global et de planétaire, mais il ne s'y limite pas. L'« universel par contact » est encore de l'universel, au sens le plus profond, *parce qu'il est indissociable de l'idée d'humanité*. Même les plus farouches contempteurs du cyberespace rendent hommage à cette dimension lorsqu'ils regrettent, à juste titre, que le plus grand nombre en soit exclu ou que l'Afrique y ait si peu de part. Que révèle la revendication de

« l'accès à tous » ? Elle montre que la participation à cet espace qui relie chaque être humain à n'importe quel autre, qui peut faire communiquer les communautés entre elles et avec elles-mêmes, qui supprime les monopoles de diffusion et autorise chacun à émettre pour qui est concerné ou intéressé, cette revendication révèle, dis-je, que la participation à cet espace relève d'un droit, et que sa construction s'apparente à une sorte d'impératif moral.

En somme, *la cyberculture donne forme à une nouvelle espèce d'universel* : l'universel sans totalité. Et, répétons-le, c'est encore d'universel qu'il s'agit, accompagné de toutes les résonances que l'on voudra avec la philosophie des lumières, parce qu'il entretient un profond rapport avec l'idée d'humanité. En effet, le cyberespace n'engendre pas une culture de l'universel parce qu'il est partout *en fait*, mais parce que sa forme ou son idée impliquent *en droit* l'ensemble des êtres humains.

Plus c'est universel, moins c'est totalisable

Par l'intermédiaire des ordinateurs et des réseaux, les gens les plus divers peuvent entrer en contact, se tenir la main tout autour du monde. Plutôt que de se construire sur l'identité du sens, le nouvel universel s'éprouve par *immersion*. Nous sommes tous dans le même bain, dans le même déluge de communication. Il n'est donc plus question de clôture sémantique ou de totalisation.

Une nouvelle écologie des médias s'organise autour de l'extension du cyberespace. Je peux maintenant énoncer son paradoxe central : *plus c'est universel (étendu, interconnecté, interactif), moins c'est totalisable.* Chaque connexion supplémentaire ajoute encore de l'hétérogène, de nouvelles sources d'information, de nouvelles lignes de fuite, si bien que le sens global est de moins en moins lisible, de plus en plus difficile à circonscrire, à clore, à maîtriser. Cet universel donne accès à une jouissance du mondial, à l'intelligence collective en acte de l'espèce. Il nous fait participer plus intensément à l'humanité vivante, mais sans que cela soit contradictoire, au contraire, avec la multiplication des singularités et la montée du désordre.

Plus se concrétise ou s'actualise le nouvel universel et moins il est totalisable. On est tenté de dire qu'il s'agit enfin du véritable universel, parce qu'il ne se confond plus avec une dilatation du local ni avec l'exportation forcée des produits d'une culture particulière. Anarchie ? Désordre ? Non. Ces mots ne reflètent que la nostalgie de la clôture. *Accepter de perdre une certaine forme de maîtrise, c'est se donner une chance de rencontrer le réel.* Le cyberespace n'est pas désordonné, il exprime la diversité de l'humain. Qu'il faille inventer les cartes et les instruments de navigation de ce nouvel océan, voilà ce dont chacun peut convenir. Mais il n'est pas nécessaire de figer, de structurer *a priori*, de bétonner un paysage par nature fluide et varié : une excessive volonté de maîtrise ne peut avoir de prise durable sur le cyberespace. Les tentatives de fermeture deviennent pratiquement impossibles ou trop évidemment abusives.

Pourquoi inventer un « universel sans totalité » quand nous disposons déjà du riche concept de postmodernité ? C'est qu'il ne s'agit justement pas de la même chose. La philosophie postmoderne a bien décrit l'éclatement de la totalisation. La fable du progrès linéaire et garanti n'a plus cours, ni en art, ni en politique, ni en aucun domaine. Quand il n'y a plus « un » sens de l'histoire mais une multitude de petites propositions luttant pour leur légitimité, comment organiser la cohérence des événements, où est l'avant-garde ? Qui est en avance ? Qui est progressiste ? En trois mots, et pour reprendre l'expression de Jean-François Lyotard, la postmodernité proclame la fin des « grands récits » totalisants. La multiplicité et l'enchevêtrement radical des époques, des points de vue et des légitimités, trait distinctif du post-moderne, sont d'ailleurs nettement accentués et encouragés dans la cyberculture. Mais la philosophie postmoderne a confondu l'universel et la totalisation. Son erreur fut de jeter le bébé de l'universel avec l'eau sale de la totalité.

Qu'est-ce que l'universel ? C'est la présence (virtuelle) à soi-même de l'humanité. Quant à la totalité, on peut la définir comme le rassemblement stabilisé du sens d'une pluralité (discours, situation, ensemble d'événements, système, etc.). Cette identité globale peut se boucler à l'horizon d'un processus complexe, résulter du déséquilibre dynamique de la vie, émerger des oscillations et contradictions de la pensée. Mais quelle que soit la complexité de ses modalités, la totalité reste encore sous l'horizon du *même*.

Or la cyberculture montre précisément qu'il existe une autre manière d'instaurer la présence virtuelle à soi de l'humanité (l'universel) que par l'identité du sens (la totalité).

CHAPITRE VII

LE MOUVEMENT SOCIAL
DE LA CYBERCULTURE

Il peut sembler étrange de parler de « mouvement social » à propos d'un phénomène habituellement considéré comme « technique ». Voici pourtant la thèse que je vais tenter de soutenir : l'émergence du cyberespace est le fruit d'un véritable mouvement social, avec son groupe *leader* (la jeunesse métropolitaine éduquée), ses mots d'ordre (interconnexion, création de communautés virtuelles, intelligence collective) et ses aspirations cohérentes.

Technique et désir collectif :
l'exemple de la voiture automobile

Même en deçà de la notion de mouvement social, on peut – en manière de préliminaire – reconnaître l'existence de rapports parfois très étroits entre certains développements techno-industriels et de forts courants culturels ou des phénomènes de mentalité collective. Le cas de la voiture est particulièrement parlant à cet égard. On ne peut mettre uniquement sur le compte de l'industrie automobile et des multinationales du pétrole l'impressionnant développement de la voiture individuelle depuis un siècle, avec toutes ses conséquences sur la structuration du territoire, la ville, la démographie, la pollution sonore et atmosphérique, etc. La voiture a répondu à un immense besoin d'autonomie et de puissance individuelle. Elle a été investie de fantasmes, d'émotions, de jouissances et de frustrations. Le dense réseau des garages et des stations-service, les industries associées, les clubs, les revues, les compétitions sportives, la mythologie de la route constituent un univers pratique et mental passionnément investi par des millions et des millions de gens. Si elle n'avait pas rencontré de désirs qui lui répondent et la fassent vivre, l'industrie automobile n'aurait pu, de ses propres forces, faire surgir cet univers. Le désir est moteur. Les formes économiques et institutionnelles donnent forme au désir, le canalisent, le raffinent et, inévitablement, le dévoient ou le transforment.

L'infrastructure n'est pas le dispositif : l'exemple de la poste

Si la montée de la marée automobile qui caractérise le XXᵉ siècle correspond principalement à un désir de puissance individuelle, la croissance du cyberespace, elle, correspondrait plutôt à un désir de communication réciproque et d'intelligence collective. À cet égard, l'erreur commune est de confondre l'autoroute électronique et le cyberespace. Le cyberespace n'est pas une infrastructure technique de télécommunication particulière mais une certaine manière de se servir des infrastructures existantes, imparfaites et disparates soient-elles. L'autoroute électronique renvoie à un ensemble de normes logicielles, de câbles de cuivre ou de fibres optiques, de liaisons par satellite, etc. Le cyberespace, en revanche, vise, au moyen de liaisons physiques quelconques, *un type particulier de relation entre des gens*. Une analogie historique pourra nous éclairer sur ce point capital. Les techniques matérielles et organisationnelles de la *poste à relais* existaient en Chine depuis la plus haute antiquité. Maîtrisées également par l'Empire romain, elles furent oubliées en Europe au cours du haut Moyen Âge. La poste à relais a été empruntée à la Chine par l'immense empire mongol du XIIIe siècle [1]. Les peuples de la steppe en ont transmis l'exemple et les principes à un Occident qui les avait oubliés depuis des centaines d'années. Dès le XVe siècle, certains États européens mettent en place des systèmes de poste à relais au service du gouvernement central. Ces réseaux de communication servent à recevoir des nouvelles fraîches de tous les points du royaume et à envoyer des ordres le plus rapidement possible. Aussi bien dans l'Empire romain qu'en Chine, la poste à relais n'avait jamais servi à autre chose. Or la véritable innovation sociale, celle qui affecte les relations entre les gens, n'arrive qu'au XVIIe siècle, avec l'utilisation de la technique postale au profit de la distribution du courrier point à point, d'individu à individu éloigné, et non plus seulement du centre vers la périphérie et de la périphérie vers le centre. Cette évolution résulte d'une poussée sociale qui déborde progressivement le dispositif initial centre/périphérie, d'abord dans le détournement et l'illégalité (une illégalité tolérée, voir encouragée par l'État), puis de manière de plus en plus ouverte et officiellement admise. C'est ainsi que vont fleurir les correspondances économiques et administratives, la littérature épistolaire, la république européenne des esprits (réseaux de savants, de philosophes) et les lettres d'amour... La poste, comme système social de communication, est intimement liée à la montée des idées et des pratiques valorisant la liberté d'expression et la notion de libre contrat entre individus. On voit bien sur ce cas comment une infrastructure de communication peut être investie par un courant culturel qui va, du même

---

1. Voir Didier Gazagnadou, *La Poste à relais. La diffusion d'une technique de pouvoir à travers l'Eurasie*, Paris, Kimé, 1994.

mouvement, transformer sa signification sociale et stimuler son évolution technique et organisationnelle. Notons-le en passant, dès que la poste à relais passe au service du public au lieu d'être monopolisée par l'État, elle tend à devenir une activité économique rentable, exploitée par des entrepreneurs privés. Il faudra attendre le XIXᵉ siècle pour une généralisation à l'ensemble de la population européenne, notamment rurale. La poste à relais comme infrastructure technique existait depuis des siècles, mais les Européens de l'âge classique, en inventant la nouvelle pratique de la correspondance nombreuse et normale entre individus, lui ont conféré une portée de civilisation, l'ont investie d'une profonde signification humaine.

Cyberespace et mouvement social

Dans le même ordre d'idée, le mouvement social californien Computers for the People avait voulu mettre la puissance de calcul des ordinateurs entre les mains des individus, tout en les libérant de la tutelle des informaticiens. Résultat pratique de ce mouvement « utopique », dès la fin des années soixante-dix, le prix des ordinateurs était à la portée des personnes privées, et des néophytes pouvaient apprendre à s'en servir sans spécialisation technique. La signification sociale de l'informatique était transformée de fond en comble. Que l'aspiration du mouvement originel ait été récupérée et utilisée par l'industrie ne fait aucun doute. Mais il faut reconnaître que l'industrie a aussi *réalisé*, à sa manière, les objectifs du mouvement. Soulignons que l'informatique personnelle n'a pas été décidée, et encore moins prévue par un quelconque gouvernement ni par telle ou telle puissante multinationale. Son inventeur et principal moteur fut un mouvement social visant la réappropriation au profit des individus d'une puissance technique jusqu'alors monopolisée par de grandes institutions bureaucratiques.

La croissance de la communication à support informatique fut initiée par un mouvement international de jeunes métropolitains cultivés qui apparut au grand jour à la fin des années quatre-vingt. Les acteurs de ce mouvement explorent et construisent un espace de rencontre, de partage et d'invention collective. Si Internet constitue le grand océan de la nouvelle planète informationnelle, il ne faut pas oublier les innombrables fleuves qui l'alimentent : réseaux indépendants d'entreprises, d'associations, d'universités, sans oublier les médias classiques (bibliothèques, musées, journaux, télévision, etc.). C'est bel et bien l'ensemble de ce « réseau hydrographique », incluant le moindre BBS [1], qui constitue le cyberespace et non seulement Internet.

Ceux qui ont fait grandir le cyberespace sont majoritairement des anonymes, des bénévoles occupés à améliorer constamment les outils logiciels de communication et non pas les grands noms, chefs de gouvernement, dirigeants de grandes sociétés dont les médias nous rebattent les oreilles. Il faudrait parler des visionnaires de la première heure, comme Engelbart et Licklider qui, dès le début des années soixante, pensaient qu'on devait mettre les réseaux d'ordinateurs au service de l'intelligence collective, des techniciens qui ont fait fonctionner les premiers courriers électroniques et les premiers forums, des étudiants qui ont développé, distribué, amélioré des logiciels de communication entre ordinateurs, des milliers d'utilisateurs et d'administrateurs de BBS... Symbole et principal fleuron du cyberespace, Internet est un des plus fantastiques exemples de construction coopérative internatio-

---

1. Un BBS (Bulletin Board System), ou « babillard » en français, est un système de communication de groupe au moyen d'ordinateurs reliés par modems et réseau téléphonique.

nale, l'expression technique d'un mouvement parti d'en bas, constamment alimenté par une multitude d'initiatives locales.

Comme la correspondance interindividuelle avait fait surgir le « véritable » usage de la poste, le mouvement social que je viens d'évoquer invente probablement le « véritable » usage du réseau téléphonique et de l'ordinateur personnel : le cyberespace comme pratique de communication interactive, réciproque, communautaire et intercommunautaire, le cyberespace comme horizon de monde virtuel vivant, hétérogène et intotalisable auquel chaque être humain peut participer et contribuer. Toute tentative pour rabattre le nouveau dispositif de communication sur les formes médiatiques antérieures (schéma de diffusion « un-tous » d'un centre émetteur vers une périphérie réceptrice) ne peut qu'appauvrir la portée du cyberespace pour l'évolution de la civilisation, même si l'on comprend parfaitement – hélas – les intérêts économiques et politiques en jeu.

La croissance exponentielle des abonnés à Internet à la fin des années quatre-vingt précède nettement les projets industriels de « multimédia », elle précède également les mots d'ordre politiques d' « autoroutes de l'information » qui ont défrayé la chronique au début des années quatre-vingt-dix. Ces projets officiels représentent des tentatives de prise de pouvoir des gouvernements, des grandes industries et des médias sur un cyberespace émergent dont les véritables producteurs inventent – souvent délibérément – une civilisation fragile, menacée, qu'ils voudraient nouvelle et dont je vais maintenant préciser le programme.

Le programme de la cyberculture :
l'interconnexion

Du plus élémentaire au plus élaboré, trois principes
ont orienté la croissance initiale du cyberespace : l'interconnexion, la création de communautés virtuelles et l'intelligence collective.

L'une des idées, ou peut-être, devrait-on dire, l'une des
pulsions les plus fortes à l'origine du cyberespace est celle
de *l'interconnexion*. Pour la cyberculture, la connexion est
toujours préférable à l'isolement. La connexion est un bien
en soi. Comme Christian Huitema l'a fort bien exprimé [1],
l'horizon technique du mouvement de la cyberculture est la
communication universelle : chaque ordinateur de la planète, chaque appareil, chaque machine, de la voiture au
grille-pain, *doit* avoir une adresse Internet. Tel est l'impératif catégorique de la cyberculture. Si ce programme se réa-
lisait, le moindre artefact pourrait recevoir des informations de tous les autres et leur en envoyer, de préférence
sans fil. Jointe à la croissance des capacités de transmission, la tendance à l'interconnexion provoque une mutation dans la physique de la communication : on passe des
notions de canal et de réseau à une sensation d'espace
englobant. Les véhicules de l'information ne seraient plus
dans l'espace mais, par une sorte de retournement topolo-
gique, tout l'espace deviendrait canal interactif. La cyberculture pointe vers une civilisation de téléprésence généralisée. Au-delà d'une physique de la communication,
l'interconnexion constitue l'humanité en continuum sans
frontière, creuse un milieu informationnel océanique,
plonge les êtres et les choses dans le même bain de commu-

---

1. Christian Huitema, *Et Dieu créa l'Internet*, Paris, Eyrolles, 1996.

nication interactive. L'interconnexion tisse un universel par contact.

Le programme de la cyberculture : les communautés virtuelles

Le deuxième principe de la cyberculture prolonge évidemment le premier, puisque le développement des communautés virtuelles s'appuie sur l'interconnexion. Une communauté virtuelle se construit sur des affinités d'intérêts, de connaissances, sur le partage de projets, dans un processus de coopération ou d'échange, et cela indépendamment des proximités géographiques et des appartenances institutionnelles.

Précisons pour ceux qui ne les ont pas pratiquées que, loin d'être froides, les relations en ligne n'excluent pas les émotions fortes. D'autre part, ni la responsabilité individuelle ni l'opinion publique et son jugement ne disparaissent dans le cyberespace. Enfin, il est rare que la communication par les réseaux informatiques se substitue purement et simplement aux rencontres physiques : la plupart du temps, elle en est un complément ou un adjuvant.

Même si l'afflux de nouveaux arrivants la dilue parfois, les participants des commnunautés virtuelles ont développé une forte morale sociale, un ensemble de lois coutumières – non écrites – qui régissent leurs relations. Cette « netiquette » concerne avant toute la pertinence des informations. On ne doit pas déposer de message concernant un certain sujet dans une conférence électronique qui traite d'un autre sujet. Il est recommandé de consulter la mémoire de la conférence électronique avant de s'exprimer, et, en particulier, de ne pas poser de questions à la cantonade si les réponses sont déjà disponibles dans les archives de la communauté virtuelle. La publicité commerciale est non seulement déconseillée mais en général fermement découragée dans les forums électroniques. On voit que ces règles tendent principalement *à ne pas faire perdre de temps aux autres*. La morale implicite de la communauté virtuelle est en général celle de la réciprocité. Si l'on apprend en lisant les messages échangés, il faut aussi dispenser les renseignements dont on dispose lorsqu'une question posée en ligne y fait appel. La récompense (symbolique) vient alors de la réputation de compétence que l'on se forge sur le long terme dans « l'opinion publique » de la communauté virtuelle. Les attaques personnelles ou les propos désobligeants envers telle ou telle catégorie de personnes (nationalité, sexe, âge, profession, etc.) ne sont généralement pas admis. Ceux qui s'y livrent de manière répétée sont exclus par les administrateurs-systèmes sur requête des animateurs des conférences électroniques. À l'exception de ces cas particuliers, la plus large liberté de parole est encouragée, et les internautes sont dans l'ensemble opposés à toute forme de censure.

La vie d'une communauté virtuelle va rarement sans conflits, qui peuvent s'exprimer de manière assez brutale dans des joutes oratoires entre membres ou dans des *flames* au cours desquelles plusieurs membres « incendient » celui ou celle qui a enfreint les règles morales du groupe. Inversement, des affinités, des alliances intellectuelles, voire des amitiés peuvent se développer dans des groupes de discussion, exactement comme entre des personnes qui se rencontrent régulièrement pour converser. Pour leurs participants, les autres membres des communautés virtuelles sont on ne peut plus humains, car leur style d'écriture, leurs zones de compétences, leurs éventuelles prises de position laissent évidemment transparaître leurs personnalités.

Les manipulations et les tromperies sont toujours possibles dans les communautés virtuelles, mais elles le sont aussi partout ailleurs : à la télévision, dans les journaux de papier, au téléphone, par la poste ou dans n'importe quelle réunion « en chair et en os ».

La plupart des communautés virtuelles organisent l'expression signée de leurs membres devant des lecteurs attentifs et capables de répondre devant d'autres lecteurs attentifs. De ce fait, comme je le suggérais plus haut, loin d'encourager l'irresponsabilité liée à l'anonymat, *les communautés virtuelles explorent des formes nouvelles d'opinion publique*. On sait que le destin de l'opinion publique est intimement lié à celui de la démocratie moderne. La sphère du débat public émerge en Europe au XVIIIᵉ siècle, grâce à l'appui technique de l'imprimerie et des journaux. Au XXᵉ siècle, la radio (surtout dans les années trente et quarante) et la télévision (à partir des années soixante) ont déplacé, amplifié et confisqué tout à la fois l'exercice de l'opinion publique. N'est-il pas permis d'entrevoir aujourd'hui une nouvelle métamorphose, une nouvelle complication de la notion même de « public » puisque les communautés virtuelles du cyberespace offrent au débat collectif un champ de pratique plus ouvert, plus participatif, plus distribué que celui des médias classiques ?

Quant aux relations « virtuelles », elles ne se substituent pas purement et simplement aux rencontres physiques ni aux voyages, qu'elles aident bien souvent à préparer. C'est, en général, une erreur de penser les rapports entre anciens et nouveaux dispositifs de communication en termes de substitution. J'aborderai ce thème plus longuement dans un prochain chapitre, mais il faut dès maintenant esquisser les principaux arguments à l'appui de cette thèse. Le cinéma n'a pas éliminé le théâtre, il l'a déplacé. On se parle autant depuis que l'on écrit, mais différemment. Les lettres d'amour n'empêchent pas les amants de s'embrasser. Les personnes qui ont le plus de communications téléphoniques sont aussi celles qui rencontrent le plus de monde. Le développement des communautés virtuelles accompagne le développement général des contacts et des interactions de tous ordres. L'image de l'individu « isolé devant son écran » relève bien plus du fantasme que de l'enquête sociologique. En réalité, les abonnés à Internet (étudiants, chercheurs, universitaires, commerciaux toujours en déplacement, travailleurs intellectuels indépendants, etc.) voyagent probablement plus que la moyenne de la population. La seule baisse de la fréquentation des aéroports notée ces dernières années tenait à la guerre du Golfe : l'extension du cyberespace n'y était pour rien. Au contraire, à l'échelle du siècle et de la planète, la communication et les transports croissent de même. Ne nous laissons donc pas piéger par les mots. Une communauté virtuelle n'est pas irréelle, imaginaire ou illusoire, il s'agit simplement d'un collectif plus ou moins permanent qui s'organise au moyen de la nouvelle poste électronique mondiale.

Les amateurs de cuisine mexicaine, les fous du chat angora, les fanatiques de tel langage de programmation ou les interprètes passionnés de Heidegger, auparavant dispersés sur la planète, souvent isolés ou du moins sans contacts réguliers entre eux, disposent maintenant d'un lieu familier de rencontre et d'échange. On peut donc soutenir que lesdites « communautés virtuelles » accomplissent en fait une véritable actualisation (au sens d'une mise en contact effective) de groupes humains qui étaient seulement potentiels avant l'avènement du cyberespace. L'expression « communauté actuelle » serait au fond beaucoup plus propre à décrire les phénomènes de communication collective dans le cyberespace que celle de « communauté virtuelle » [1].

Avec la cyberculture s'exprime l'aspiration à la construction d'un lien social, qui ne serait fondé ni sur des appartenances territoriales, ni sur des relations institutionnelles, ni sur les rapports de pouvoir, mais sur la réu-

---

1. Selon la remarque pertinente de Paul Soriano sur le Babillard de l'Atelier, une des plus importantes communautés virtuelles en France.

nion autour de centres d'intérêts communs, sur le jeu, sur le partage du savoir, sur l'apprentissage coopératif, sur des processus ouverts de collaboration. L'appétit pour les communautés virtuelles rencontre un idéal de relation humaine déterritorialisée, transversale, libre. Les communautés virtuelles sont les moteurs, les acteurs, la vie diverse et surprenante de l'universel par contact.

Le programme de la cyberculture : l'intelligence collective

Un groupe humain quelconque n'a intérêt à se constituer en communauté virtuelle que pour approcher l'idéal du collectif intelligent, plus imaginatif, plus rapide, mieux capable d'apprendre et d'inventer qu'un collectif intelligemment dirigé. Le cyberespace n'est peut-être que l'indispensable détour technique pour atteindre l'intelligence collective.

Le troisième principe de la cyberculture, celui de l'intelligence collective, serait sa perspective spirituelle, sa finalité ultime. Ce projet fut porté par les visionnaires des années soixante : Engelbart (l'inventeur de la souris et des fenêtres des interfaces actuelles), Licklider (pionnier des conférences électroniques), Nelson (inventeur du mot et du concept de l'hypertexte). L'idéal de l'intelligence collective est aussi affiché par certains « gourous » actuels de la cyberculture comme Tim Berners Lee (l'inventeur du World Wide Web), John Perry Barlow (ex-parolier du groupe musical Grateful Dead, un des fondateurs et porte-parole de l'Electronic Frontier Fondation) ou Marc Pesce (coordinateur de la norme VRML). L'intelligence collective est aussi développée par des commentateurs ou philosophes de la cyberculture comme Kevin Kelly [1], Joël de Rosnay [2] ou moi-même [3]. Elle est surtout pratiquée en ligne par un nombre croissant de net-surfers, de participants aux *news groups* et aux communautés virtuelles de tous ordres.

L'intelligence collective constitue plus un champ de problèmes qu'une solution. Chacun reconnaît que le meilleur usage que l'on puisse faire du cyberespace est de mettre en synergie les savoirs, les imaginations, les énergies spirituelles de ceux qui s'y connectent. Mais dans quelle perspective ? Selon quel modèle ? S'agit-il de constituer des ruches ou des fourmilières humaines ? Veut-on que chaque réseau accouche d'un « gros animal » collectif ? Ou bien vise-t-on, tout au contraire, à valoriser les apports personnels de chacun et à mettre les ressources des groupes au service des individus ? L'intelligence collective est-elle un mode de coordination efficace dans lequel chacun peut se considérer comme un centre ? Ou bien veut-on subordonner les individus à un organisme qui les dépasse ? Le collectif intelligent est-il dynamique, autonome, émergent, fractal ? Ou bien défini et contrôlé par une instance qui le surplombe ? Chacun d'entre nous devient-il une sorte de neurone d'un méga-cerveau planétaire ou bien voulons-nous constituer une multitude de communautés virtuelles dans lesquelles des cerveaux nomades s'associent pour produire et partager du sens ? Ces alternatives, qui ne se recoupent que partiellement, définissent quelques-unes des lignes de fracture qui divisent de l'intérieur le projet et la pratique de l'intelligence collective.

L'extension du cyberespace transforme les contraintes qui avaient dicté à la philosophie politique, aux sciences de la gestion, aux traditions d'organisation en général les

---

1. Kevin Kelly, *Out of Control*, New York, Addison-Wesley, 1994.

2. Joël de Rosnay, *L'Homme symbiotique*, *op. cit.*

3. La question de l'intelligence collective est longuement débattue dans mes ouvrages : *L'Intelligence collective*, *op. cit.* et *Qu'est-ce que le virtuel ?*, *op. cit.*

éventails habituels de leurs solutions. Aujourd'hui, nombre
de contraintes ont disparu du fait de la disponibilité de
nouveaux outils de communication et de coordination, et
on peut envisager des modes d'organisation des groupes
humains, des styles de relations entre les individus et les
collectifs radicalement nouveaux, sans modèles dans l'histoire ni dans les sociétés animales. Répétons-le, plus
qu'une solution, l'intelligence collective, dont j'ai indiqué
toute l'ambivalence dans le chapitre premier sur
l' « impact », est un champ ouvert de problèmes et de
recherches pratiques.

Un programme sans but ni contenu

On l'aura compris, le mouvement social et culturel
qui porte le cyberespace, un mouvement puissant et de
plus en plus massif, ne converge pas sur un contenu particulier, mais sur une forme de communication non médiatique, interactive, communautaire, transversale, rhizoma-
tique. Ni l'interconnexion généralisée, ni l'appétit de
communautés virtuelles, ni l'exaltation de l'intelligence
collective ne constituent les éléments d'un programme
politique ou culturel au sens classique du terme. Et cependant, tous trois sont peut-être secrètement animés par
deux « valeurs » essentielles : l'autonomie et l'ouverture à
l'altérité.

L'interconnexion pour l'interactivité est prétendue
bonne, quels que soient les terminaux, les individus, les
lieux et les moments qu'elle fait se rejoindre. Les communautés virtuelles sont réputées un excellent moyen (entre
cent autres) de faire société, que leurs finalités soient
ludiques, économiques ou intellectuelles, que leurs centres
d'intérêt soient sérieux, frivoles ou scandaleux. L'intel-

ligence collective, enfin, serait le mode d'accomplissement de l'humanité que favorise heureusement le réseau numérique universel, sans que l'on sache *a priori* vers quels résultats tendent les organisations qui mettent en synergie leurs ressources intellectuelles.

En somme, le programme de la cyberculture est l'universel sans totalité. Universel, car l'interconnexion doit être non seulement mondiale, mais elle veut encore atteindre la compatibilité ou l'interopérabilité générale. Universel, puisque, à la limite idéale du programme de la cyberculture, n'importe qui doit pouvoir accéder de n'importe quel lieu aux diverses communautés virtuelles et à leurs produits. Universel, enfin, puisque le programme de l'intelligence collective s'applique aussi bien aux entreprises qu'aux écoles, et tout autant aux régions géographiques qu'aux associations internationales. Le cyberespace apparaît comme l'outil d'organisation de communautés de toutes sortes et de toutes tailles en collectifs intelligents mais aussi comme l'instrument qui permet aux collectifs intelligents de s'articuler entre eux. Ce sont dorénavant les mêmes outils logiciels et matériels qui supportent la politique intérieure et la politique extérieure de l'intelligence collective : Internet et Intranet [1].

Interconnexion générale, communautés virtuelles, intelligence collective, autant de figures d'un universel par contact, un universel qui croît comme une population, qui pousse ici et là ses filaments, un universel qui se répand comme le lierre.

Chacune des trois figures forme la condition nécessaire de la suivante : pas de communauté virtuelle sans interconnexion, pas d'intelligence collective à grande échelle sans virtualisation ou déterritorialisation des

---

1. Je rappelle que le mot Intranet désigne l'usage des protocoles techniques (TCP/IP) et des services et logiciels typiques d'Internet (Web, messagerie, forums, transfert de fichier, etc.) *à l'intérieur* d'une organisation ou d'un réseau d'organisations.

communautés dans le cyberespace. L'interconnexion conditionne la communauté virtuelle, qui est une intelligence collective en puissance.

Mais ces formes sont *a priori* vides, aucune finalité extérieure, aucun contenu particulier ne viennent clore ou totaliser le programme de la cyberculture qui est tout entier dans le processus inachevé d'interconnexion, de développement de communautés virutelles et d'intensification d'une intelligence collective fractale, reproductible à toutes les échelles et partout différente. Le mouvement continu d'interconnexion en vue d'une communication interactive de tous avec tous est en lui-même un indice fort que la totalisation n'aura pas lieu, que les sources seront toujours plus hétérogènes, que les dispositifs mutagènes et les lignes de fuite vont se multiplier.

CHAPITRE VIII

LE SON DE LA CYBERCULTURE

L'objet de ce chapitre comme du suivant est d'explorer la dimension artistique ou esthétique de la cyberculture. À partir d'une analyse des configurations de communication et d'intéraction qui émergent dans le milieu technosocial de la cyberculture, mon propos est d'analyser les *nouvelles modalités de production et de réception* des œuvres de l'esprit. La question artistique sera donc abordée sous l'angle bien particulier de la *pragmatique* de la création et de l'appréciation.

Les arts du virtuel

Les genres propres à la cyberculture sont fort divers : compositions automatiques de partitions ou de textes, musiques « techno » issues d'un travail récursif d'échantillonnage et d'arrangement à partir de musiques déjà existantes, systèmes de vie artificielle ou de robots autonomes, mondes virtuels, sites Web à visée d'intervention esthétique ou culturelle, hypermédias, événements fédérés par le réseau ou impliquant les participants au moyen de dispositifs numériques, hybridations

diverses du « réel » et du « virtuel », installations interactives, etc. [1].

Malgré cette variété, il est possible de dégager
quelques grands traits de l'art de la cyberculture qui, s'ils
ne sont pas tous présents dans chaque œuvre particulière,
sont néanmoins représentatifs de ses principales
tendances.

Un des caractères les plus constants du cyberart est la
participation aux œuvres de ceux qui les goûtent, les interprètent, les explorent ou les lisent. Il ne s'agit pas là seulement d'une participation à la construction du sens mais bel
et bien d'une coproduction de l'œuvre puisque le « spectateur » est appelé à intervenir directement dans l'actualisation (la matérialisation, l'affichage, l'édition, le déroule-
ment effectif ici et maintenant) d'une séquence de signes
ou d'événements.

Plus ou moins liée selon les cas au caractère précédent,
l'organisation de processus de création collective est
également typique des arts du virtuel : collaboration entre
initiateurs (artistes) et participants, mise en réseau
d'artistes concourant à la même production, enregistrements de traces d'interactions ou de parcours qui finissent
par constituer l'œuvre, collaboration entre artistes et
ingénieurs...

Aussi bien la création collective que la participation
des interprètes vont de pair avec un troisième trait caractéristique du cyberart : la création continue. L'œuvre vir-

---

1. De nombreuses manifestations, expositions et colloques sont
consacrés aux arts du virtuel. Signalons deux des manifestations internationales annuelles parmi les plus importantes : Ars Electronica, qui se
tient tous les ans à Linz, en Autriche, et ISEA (International Symposium
of Electronic Arts, organisé par l'International Society for Electronic
Arts) qui se tient tous les ans dans une ville différente (par exemple Hel-
sinki en 1994, Montréal en 1995, Rotterdam en 1996, Chicago en 1997,
etc.) Les catalogues des expositions et les actes des colloques de ces
manifestations constituent de bonnes introductions aux œuvres, aux
auteurs et aux théories des arts du virtuel.

tuelle est « ouverte » par construction. Chaque actualisation en révèle un nouvel aspect. Bien plus, certains dispositifs ne se contentent pas de décliner une combinatoire mais suscitent au cours des interactions l'émergence de formes absolument imprévisibles. Ainsi, l'événement de la création n'est plus limité au moment de la conception ou de la réalisation de l'œuvre : le dispositif virtuel propose une machine à faire surgir des événements.

La musique techno puise son matériau dans la grande réserve des sons échantillonnés. N'étaient les problèmes juridico-financiers qui brident leurs producteurs, les hypermédias seraient souvent construits à partir d'images et de textes déjà disponibles. Des programmes informatiques assemblent des textes « originaux » en recombinant des fragments de corpus préexistants. Les sites Web renvoient les uns aux autres, leur structure hypertextuelle ménage une interpénétration des messages, un plongement réciproque des espaces virtuels. C'est ainsi la question des limites de l'œuvre ou de son cadre qui, à la suite des avant-gardes du xxe siècle, est reposée autrement, et avec une acuité particulière, par le cyberart.

Tous les traits que je viens d'énumérer : participation active des interprètes, création collective, œuvre-événement, œuvre-processus, interconnexion et brouillage des limites, œuvre émergeant – comme une Aphrodite virtuelle – d'un océan de signes numériques, tous ces traits convergent vers le déclin (mais non la disparition pure et simple) des deux figures qui ont jusqu'à présent garanti l'intégrité, la substantialité et la totalisation possible des œuvres : l'auteur et l'enregistrement. Un grand art du virtuel est possible et souhaitable, même si ces figures passent au second plan. Mais le cyberart appelle de nouveaux critères d'appréciation et de conservation qui entrent souvent en contradiction avec les mœurs actuelles du marché de l'art, la formation des critiques et les pratiques des musées. Cet art, qui retrouve la tradition du jeu et du rituel,

demande aussi l'invention de nouvelles formes de collaboration entre les artistes, les ingénieurs et les mécènes, tant
publics que privés.

La thèse défendue ici peut s'exposer en une phrase : la
forme de l'universel sans totalité, caractéristique de la civilisation des réseaux numériques en général, permet aussi
de rendre compte de la spécificité des genres artistiques
propres à la cyberculture. Je développerai dans ce chapitre
le cas particulier de la musique (et notamment de la
musique techno), et généraliserai cette thèse à d'autres arts
au chapitre suivant.

La mondialisation de la musique

La musique populaire d'aujourd'hui est à la fois mondiale, éclectique et changeante, sans système unificateur.
On y reconnaît immédiatement certains traits caractéristiques de l'universel sans totalité. À l'échelle historique, cet
état est fort récent. La première étape vers une musique
universelle sans totalisation a été franchie grâce à l'enregistrement sonore et à la diffusion radiophonique. Lorsque
l'on étudie les premiers catalogues de disques, qui datent
du début du XXe siècle, on découvre un paysage musical
bien plus morcelé et figé que celui qui nous est aujourd'hui
familier. À cette époque, les gens n'avaient pas l'oreille faite
à l'écoute de musiques venant de lointains horizons et vou-
laient entendre ce qu'ils avaient toujours connu. Chaque
pays, voire chaque région ou microrégion, avait donc ses
chanteurs, ses chansons dans son dialecte, appréciait des
airs et des instruments spécifiques. Quasiment tous les
disques de musique populaire étaient enregistrés par des
musiciens locaux, pour un public local. Seuls les disques
enregistrant la musique savante de la tradition écrite occidentale possédèrent d'emblée un auditoire international.

Près d'un siècle plus tard, la situation a radicalement changé puisque la musique populaire enregistrée est bien souvent « mondiale ». De plus, elle est en variation permanente puisqu'elle ne cesse d'intégrer les apports de traditions locales originales ainsi que les expressions de nouveaux courants culturels et sociaux.

Deux séries entremêlées de mutations expliquent le passage d'un état à l'autre du paysage musical international : l'une fait intervenir les transformations générales de l'économie et de la société (mondialisation, développement des voyages, extension d'un style de vie urbain et suburbain international, mouvements culturels et sociaux de la jeunesse, etc.) sur laquelle je n'insisterai pas ici ; l'autre concerne les conditions économiques et techniques de l'enregistrement, de la distribution et de l'écoute de la musique.

La diffusion des enregistrements provoqua sur la musique populaire des phénomènes de standardisation comparables à ceux de l'imprimerie sur les langues. En effet, au xve siècle, dans des pays comme la France, l'Angleterre et l'Italie, il existait autant de « parlers » que de micro-régions rurales. Or un livre devait viser un marché suffisamment étendu pour que son impression fût rentable. Comme on imprimait des ouvrages en langue vernaculaire, et non plus seulement en latin, il fallait choisir parmi les parlers locaux pour en extraire « la » langue nationale. Le toscan, le dialecte de Touraine, l'anglais de la cour devinrent l'italien, le français et l'anglais, reléguant, avec l'aide des administrations royales, les autres parlers au rang de patois. Dans sa traduction de la Bible, Luther amalgama différents dialectes germaniques et contribua ainsi à forger « la » langue allemande, c'est-à-dire l'allemand écrit.

Pour des raisons analogues, l'évolution des catalogues de disques de musique populaire depuis le début du xxe siècle montre qu'il se crée progressivement, à partir de la fragmentation initiale, des musiques nationales et internationales. Cette mutation est particulièrement sensible dans les pays non occidentaux, où l'urbanisation et l'influence culturelle d'un État central étaient encore relativement limitées au début du siècle. Le fait que la musique soit indépendante des langues (à l'exception notable des paroles des chansons) a évidemment facilité ce phénomène de désenclavement. Si l'écriture décontextualise la musique, son enregistrement et sa reproduction créent progressivement un contexte sonore mondial... et les oreilles qui lui correspondent.

Tant que la qualité des enregistrements n'eut pas dépassé un certain seuil, la radio ne diffusa que des morceaux joués en direct. Lorsque les stations à modulation de fréquence, qui ne se répandirent qu'après la Seconde Guerre mondiale, commencèrent à diffuser des disques de bonne qualité sonore, le phénomène de la musique mondiale de masse prit son essor, avec notamment le rock et la pop dans les années soixante et soixante-dix.

On aurait pu imaginer que la mondialisation de la musique amènerait une homogénéisation définitive, une sorte d'entropie musicale où les styles, les traditions et les différences finiraient par se fondre dans une même masse uniforme. Or, si la « soupe » est bien présente, fort heureusement, la musique populaire du monde ne s'y réduit pas. Certaines zones du paysage musical, on pense notamment à celles qu'irrigue la circulation des cassettes dans le tiers monde, restent protégées ou déconnectées du marché international. La musique mondiale continue à s'alimenter de ces isolats imperceptibles mais très vivants, des anciennes traditions locales, ainsi que d'une créativité poétique et musicale intarissable et largement distribuée. De nouveaux genres, de nouveaux styles, de nouveaux sons apparaissent constamment, recréant les différences de potentiels qui agitent l'espace musical planétaire.

La dynamique de la musique populaire mondiale est

une illustration de l'universel sans totalité. Universel par la diffusion d'une musique et d'une écoute planétaire; sans totalité puisque les styles mondiaux sont multiples, en voie de transformation et de renouvellement constants.

Mais la figure exemplaire du nouvel universel n'apparaît dans toute sa précision qu'avec la numérisation, et plus particulièrement avec la musique techno : le son de la cyberculture. Afin de bien saisir l'originalité de la musique techno, qui tient à son processus de création et de circulation, nous devons, de nouveau, faire un détour par les modes antérieurs de transmission et de renouvellement de la musique.

Musique orale, écrite, enregistrée

Dans les sociétés de culture orale, la musique se reçoit par écoute directe, se diffuse par imitation, évolue par réinvention de thèmes et de genres immémoriaux. La plupart des airs n'ont pas d'auteurs identifiés, ils appartiennent à la tradition. Certes, poètes et musiciens sont capables d'inventer des chansons, et même de gagner en leur propre nom des prix ou des concours. Le rôle créateur des individus n'est donc pas ignoré. Il reste que la figure du grand *interprète*, celui qui transmet une tradition en lui insufflant une vie nouvelle, est plus répandue dans les cultures orales que celle du grand « compositeur ».

L'écriture de la musique autorise une nouvelle forme de transmission, non plus de corps à corps, de l'oreille à la bouche et de la main à l'oreille, mais par le texte. Si l'interprétation, c'est-à-dire l'actualisation sonore, continue à faire l'objet d'une initiation, d'une imitation et d'une réinvention continues, la part écrite de la musique, sa composition, est désormais fixée, détachée du contexte de la réception.

Fondé sur l'écriture et sur une combinatoire de sons aussi neutre que possible (détachée d'adhérences magiques, religieuses ou cosmologiques), le système musical occidental se présente comme universel et il est d'ailleurs enseigné comme tel dans les conservatoires du monde entier.

L'apparition d'une tradition écrite renforce la figure du *compositeur* qui signe une partition et prétend à l'originalité. Plutôt que la dérive insensible des genres et des thèmes, typique de la temporalité orale, l'écriture conditionne une évolution *historique*, où chaque innovation se détache nettement des formes précédentes. Chacun peut constater le caractère intrinsèquement historique de la tradition savante occidentale : à la simple écoute d'un morceau, il est possible de le dater approximativement, même si l'on n'en connaît pas l'auteur.

Pour clore cette évocation des effets de la notation, soulignons le lien entre l'écriture statique et ces trois figures culturelles : l'universalité, l'histoire, l'auteur.

L'écriture a entraîné la musique de tradition orale dans un autre cycle culturel. De même, *l'enregistrement* fixe les styles d'interprétation de la musique écrite, en même temps qu'il règle leur évolution. En effet, ce n'est plus seulement la structure abstraite d'un morceau qui peut être transmise et décontextualisée, mais également son actualisation sonore. L'enregistrement prend en charge à sa manière l'archivage et la mise en histoire de musiques qui étaient restées dans l'orbite de la tradition orale (ethnographie musicale). Enfin, certains genres musicaux, comme le jazz ou le rock, n'existent aujourd'hui que par une véritable « tradition d'enregistrement ».

Vers la fin des années soixante, le studio d'enregistrement multipiste devient le grand intégrateur, l'instrument principal de la création musicale. À partir de cette époque, pour un nombre croissant de morceaux, *la référence originale devient le disque enregistré en studio*, que la performance en concert ne parvient pas toujours à reproduire. Parmi les premiers exemples de cette situation paradoxale où l'original devient l'enregistrement, citons certaines chansons de l'album *Sergent Pepper*, des Beatles, dont la complexité requiert des techniques de mixage impossibles à mettre en œuvre en concert.

La musique techno

Comme en leur temps la notation et l'enregistrement, la numérisation instaure une nouvelle pragmatique de la création et de l'écoute musicales. Je relevais plus haut que le studio d'enregistrement était devenu le principal instrument, ou méta-instrument, de la musique contemporaine. Or un des premiers effets de la numérisation est de mettre le studio à portée de la bourse individuelle de n'importe quel musicien. Parmi les principales fonctions du studio numérique, piloté par un simple ordinateur personnel, citons le *séquenceur* pour l'aide à la composition, *l'échantillonneur* pour la numérisation du son, les logiciels de *mixage* et d'*arrangement* du son numérisé et le *synthétiseur* qui produit du son à partir d'instructions ou de codes numériques. Ajoutons que la norme Midi [1] (Musical Instrument Digital Interface) permet à une séquence d'instructions musicales produite dans un studio numérique quelconque de se « jouer » sur n'importe quel synthétiseur de la planète.

Les musiciens peuvent dorénavant contrôler personnellement l'ensemble de la chaîne de production de la musique et mettre éventuellement sur le réseau les produits de leur créativité *sans passer par les intermédiaires*

---

1. Signalons que Midi ne code pas le son mais (de manière plus économe en mémoire) les commandes des synthétiseurs.

qu'avaient introduits les régimes de la notation et de l'enregistrement (éditeurs, interprètes, grands studios, magasins). En un sens, on retourne ainsi à la simplicité et à l'appropriation personnelle de la production musicale qui étaient le propre de la tradition orale.

Quoique la reprise d'autonomie du musicien soit un élément important de la nouvelle écologie de la musique, c'est surtout dans la dynamique de création et d'écoute collective que les effets de la numérisation sont le plus originaux.

Il est de plus en plus fréquent que des musiciens produisent leur musique à partir de l'échantillonnage (*sampling* en anglais) et du réarrangement de sons, voire de morceaux entiers, prélevés sur le stock des enregistrements disponibles. Ces musiques faites à partir d'échantillonnages peuvent elles-mêmes faire à leur tour l'objet de nouveaux échantillonnages, de mixages et de transformations diverses de la part d'autres musiciens, et ainsi de suite. Cette pratique est particulièrement répandue parmi les différents courants de la musique techno. À titre d'exemple, le genre jungle ne pratique que l'échantillonnage, l'acid jazz est produit à partir du *sampling* de vieux morceaux de jazz enregistrés, etc.

La musique techno a inventé une nouvelle modalité de la tradition, c'est-à-dire une façon originale de tisser le lien culturel. Ce n'est plus, comme dans la tradition orale ou d'enregistrement, une répétition ou une inspiration à partir d'une écoute. Ce n'est pas non plus, comme dans la tradition écrite, le rapport d'interprétation qui se noue entre la partition et son exécution, ni la relation de référence, de progression et d'invention compétitive qui se joue entre compositeurs. Dans la techno, chaque acteur du collectif de création prélève de la matière sonore sur un flux en circulation dans un vaste réseau technosocial. Cette matière est mélangée, arrangée, transformée, puis réinjectée sous forme de pièce « originale » au flot de musique numérique en circulation. Ainsi, chaque musicien ou groupe de musiciens fonctionne comme un opérateur sur un flux en transformation permanente dans un réseau cyclique de co-opérateurs. Jamais, comme dans ce type de tradition numérique, les créateurs n'ont été en relation aussi intime les uns avec les autres puisque le lien est tracé par la circulation du matériau musical et sonore lui-même, et non seulement par l'écoute, l'imitation ou l'interprétation.

L'enregistrement a cessé de constituer le but ou la référence musicale ultimes. Il n'est plus que la trace éphémère (destinée à être échantillonnée, déformée, mélangée) d'un acte particulier au sein d'un processus collectif. Cela ne veut pas dire que l'enregistrement n'a plus aucune importance, ni que les musiciens techno sont totalement indifférents au fait que leurs productions fassent référence. Mais il est plus important de « faire événement » dans le circuit (par exemple au cours d'une *rave party*) que d'ajouter un *item* mémorable aux archives de la musique.

La cyberculture est fractale. Chacun de ses sous-ensembles laisse apparaître une forme semblable à celle de sa configuration globale. On peut retrouver dans la musique techno les trois principes du mouvement social de la cyberculture dégagés plus haut.

L'interconnexion est évidente, par la standardisation technique (norme Midi), l'usage d'Internet, mais aussi par le flux continu de matière sonore qui circule entre les musiciens et la possibilité de numériser et de traiter n'importe quel morceau (interconnexion virtuelle). Notons bien que cette circulation dans un réseau d'échantillonnage récursif où chaque opérateur nodal contribue à produire le tout est valorisée pour elle-même : c'est *a priori* une « bonne forme ».

La musique techno s'accorde avec le principe de *communauté virtuelle* puisque les événements musicaux sont souvent produits au cours de *rave parties* et prennent sens dans des communautés plus ou moins éphémères de musiciens ou de *disc-jockeys*.

Enfin, quand un musicien offre une œuvre finie à la communauté, il ajoute en même temps au stock à partir duquel les autres vont travailler. Chacun est donc à la fois producteur de matière première, transformateur, auteur, interprète et auditeur dans un circuit instable et auto-organisé de création coopérative, et d'appréciation concurrente. Ce processus d'*intelligence collective musicale* s'étend constamment et intègre progressivement l'ensemble du patrimoine musical enregistré.

La musique techno et, en général, la musique à matière première numérique illustrent la singulière figure de l'universel sans totalité. L'universalité résulte certes de la compatibilité ou de l'interopérabilité technique et de la facilité de circulation des sons dans le cyberespace. Mais l'universalité de la musique numérique prolonge aussi la *mondialisation musicale* favorisée par l'industrie du disque et la radio à modulation de fréquence. Toutes sortes de musiques ethniques, religieuses, classiques ou autres sont échantillonnées, arrachées à leur situation d'origine, mixées, transformées et finalement offertes à une écoute engagée dans un apprentissage permanent. Le genre trans-global underground, par exemple, participe intensément au processus en cours d'universalisation du contenu par contact et mélange. Il intègre des musiques tribales ou liturgiques à des sons électroniques, voire « industriels », sur des rythmes planants ou frénétiques qui visent à provoquer des effets de transe. Contrairement à ce qui fut un moment la vocation de la musique savante occidentale à base écrite, le nouvel universel musical n'instaure pas le même système partout : il répand un universel par contact, transversal, éclectique, constamment mutant. Un flux musical en transformation constante invente progressivement l'espace qu'il étend. Ce flux est également universel dans la mesure où, suivant l'avancée de la numérisation, il s'alimente du « tout » ouvert de la musique, de la plus moderne à la plus archaïque.

Et cet universel se passe effectivement de totalisation puisqu'il ne repose sur aucun système particulier d'écriture ou de combinatoire des sons. Les deux principaux modes de *clôture* de la musique que sont la *composition* et l'*enregistrement* n'ont certes pas disparu, mais ils apparaissent nettement secondaires eu égard au processus récursif et continu de l'échantillonnage et du réarrangement au sein d'un flux continu de matière sonore.

Nous retrouvons avec la musique techno la formule dynamique qui définit l'essence de la cyberculture : plus c'est universel, moins c'est totalisable.

CHAPITRE IX

L'ART DE LA CYBERCULTURE

L'adéquation entre les formes esthétiques de la cyberculture et ses dispositifs technosociaux

Le genre canonique de la cyberculture est le *monde virtuel*. N'entendons pas ce terme au sens étroit de la simulation informatique d'un univers tridimensionnel exploré par l'intermédiaire d'un casque stéréoscopique et de gants de données. Appréhendons plutôt le concept plus général d'une réserve numérique de virtualités sensorielles et informationnelles qui ne s'actualisent que dans l'interaction avec des êtres humains. Selon les dispositifs, cette actualisation est plus ou moins inventive, imprévisible, et laisse une part variable aux initiatives de ceux qui s'y plongent. Les mondes virtuels peuvent éventuellement être enrichis et parcourus collectivement. Ils deviennent dans ce cas un lieu de rencontre et un média de communication entre leurs participants.

L'ingénieur de mondes apparaît alors comme l'artiste majeur du XXIᵉ siècle. Il pourvoit aux virtualités, architecture les espaces de communication, aménage les équipements collectifs de la cognition et de la mémoire, structure l'interaction sensori-motrice avec l'univers des données.

Le World Wide Web, par exemple, est un monde virtuel favorisant l'intelligence collective. Ses inventeurs

– Tim Berners Lee et tous ceux qui ont programmé les interfaces permettant d'y naviguer – sont des ingénieurs de mondes. Les inventeurs de logiciels pour le travail ou l'apprentissage coopératif, les concepteurs de jeux vidéo, les artistes qui explorent les frontières des dispositifs interactifs ou des systèmes de télévirtualité sont également des ingénieurs de mondes.

On peut distinguer deux grands types de mondes virtuels :

– ceux qui sont limités et éditorialisés, comme les CD-Rom ou les installations d'artistes « fermées » *(off line)*,

– ceux qui sont accessibles par réseau et indéfiniment ouverts à l'interaction, à la transformation et à la connexion sur d'autres mondes virtuels *(on line)*.

Il n'y a aucune raison *d'opposer on line* et *off line* comme on le fait parfois. Complémentaires, ils s'alimentent et s'inspirent réciproquement.

Les œuvres *off line* peuvent offrir de manière commode une projection partielle et temporaire de l'intelligence et de l'imagination collectives qui se déploient dans les réseaux. Elles peuvent aussi tirer avantage de contraintes techniques plus favorables. En particulier, elles ne connaissent pas les limitations dues à l'insuffisance des débits de transmission. Elles travaillent enfin à constituer des isolats originaux ou créatifs hors du flux continu de la communication.

Symétriquement, les mondes virtuels accessibles en ligne peuvent s'alimenter de données produites *off line* et les nourrir en retour. Ce sont essentiellement des milieux de communication interactive. Le monde virtuel fonctionne alors comme dépôt de messages, contexte dynamique accessible à tous et mémoire communautaire collectivement alimentée en temps réel.

Le développement de l'infrastructure technique du cyberespace ouvre la perspective d'une interconnexion de tous les mondes virtuels. La réunion progressive des textes numérisés de la planète en un seul immense hypertexte [1] n'est que le prélude d'une interconnexion plus générale, qui joindra l'ensemble des informations numérisées, et notamment les films et les environnements tridimensionnels interactifs [2]. Ainsi, le réseau donnera accès à un gigantesque métamonde virtuel hétérogène qui accueillera le pullulement des mondes virtuels particuliers avec leurs liens dynamiques, les passages qui les connecteront comme autant de puits, de couloirs ou de terriers du *wonderland* numérique. Ce métamonde virtuel ou cyberespace deviendra le principal lieu de communication, de transactions économiques, d'apprentissage et de divertissement des sociétés humaines. C'est aussi là que l'on goûtera la beauté déposée dans la mémoire des anciennes cultures, comme celle qui naîtra des formes propres à la cyberculture. De même que le cinéma n'a pas remplacé le théâtre mais constitua un genre nouveau avec sa tradition et ses codes originaux, les genres émergents de la cyberculture comme la musique techno ou les mondes virtuels ne remplaceront pas les anciens. Ils s'ajouteront au patrimoine de la civilisation tout en réorganisant l'économie de la communication et le système des arts. Les traits que j'ai déjà soulignés, comme le déclin de la figure de l'auteur et de l'archive enregistrée, ne concernent donc pas l'art ou la culture en général mais seulement les œuvres qui se rattachent spécifiquement à la cyberculture.

Même *off line*, l'œuvre interactive demande l'implication de ceux qui la goûtent. L'interactant participe à la structuration du message qu'il reçoit. Autant que celles des ingénieurs de mondes, les mondes virtuels multiparticipants sont des créations collectives de leurs explorateurs. Les témoignages artistiques de la cyberculture sont des œuvres-flux, des œuvres-processus, voire des œuvres-

---

1. Grâce à la norme HTML qui a cours sur le World Wide Web.
2. Toujours sur le WWW, grâce à des outils comme la norme VRML et le langage de programmation Java.

événements qui se prêtent mal à l'archivage et à la conservation. Enfin, dans le cyberespace, chaque monde virtuel est potentiellement relié à tous les autres, les enveloppe et est contenu par eux suivant une topologie paradoxale enchevêtrant l'intérieur et l'extérieur. Déjà, beaucoup d'œuvres de la cyberculture n'ont pas de limites nettes. Ce sont des « œuvres ouvertes [1] », non seulement parce qu'elles admettent une multitude d'interprétations, mais surtout parce qu'elles sont physiquement accueillantes à l'immersion active d'un explorateur et matériellement entremêlées aux autres œuvres du réseau. Le degré de cette ouverture est évidemment variable selon les cas; or, plus l'œuvre exploite les possibilités offertes par l'interaction, l'interconnexion et les dispositifs de création collective, plus elle est typique de la cyberculture... et moins il s'agit d'une « œuvre » au sens classique du terme.

L'œuvre de la cyberculture atteint une certaine forme d'universalité par présence ubiquitaire dans le réseau, par connexion aux autres œuvres et coprésence, par ouverture matérielle, et non plus nécessairement par signification partout valable ou conservée. Or cette forme d'universalité par contact va de pair avec une tendance à la détotalisation. En effet, le garant de la totalisation de l'œuvre, c'est-à-dire de la clôture de son sens, est l'auteur. Même si la signification de l'œuvre est réputée ouverte ou multiple, un auteur doit encore être présupposé si l'on veut *interpréter* des intentions, décoder un projet, une expression sociale, voire un inconscient. L'auteur est la condition de possibilité de tout horizon de sens stable. Or il est devenu banal de dire que la cyberculture remet fortement en question l'importance et la fonction du signataire. L'ingénieur de mondes ne signe pas une œuvre finie mais un environnement par essence inachevé dont il revient aux explorateurs de construire non seulement le sens variable, multiple,

---

1. Umberto Eco, *L'Œuvre ouverte*, Paris, Seuil, 1965.

inattendu, mais également l'ordre de lecture et les formes sensibles. De plus, la métamorphose continue des œuvres adjacentes et du milieu virtuel qui supporte et pénètre l'œuvre contribue à déposséder un éventuel auteur de ses prérogatives de garant du sens.

Fort heureusement, sensibilité, talents, capacités, efforts individuels de création sont toujours à l'ordre du jour. Mais ils peuvent qualifier l'interprète, le « performeur », l'explorateur, l'ingénieur de mondes, chaque membre de l'équipe de réalisation aussi bien et peut-être mieux qu'un auteur de moins en moins cernable.

Après l'auteur, la seconde condition à la totalisation ou à la clôture du sens est la fermeture physique jointe à la fixité temporelle de l'œuvre. L'enregistrement, l'archive, la pièce susceptible d'être conservée dans un musée sont des messages *achevés*. Un tableau, par exemple, objet de conservation, est à la fois l'œuvre elle-même et l'archive de l'œuvre. Mais l'œuvre-événement, l'œuvre-processus, l'œuvre interactive, l'œuvre métamorphique, connectée, traversée, indéfiniment co-construite de la cyberculture peut difficilement s'enregistrer en tant que telle, même si l'on photographie un moment de son procès ou si l'on capte quelque trace partielle de son expression. Et surtout, faire œuvre, enregistrer, archiver, cela n'a plus, cela ne peut plus avoir le même sens qu'avant le déluge informationnel. Lorsque les dépôts sont rares, ou du moins circonscriptibles, faire trace revient à entrer dans la mémoire longue des hommes. Mais si la mémoire est pratiquement infinie, en flux, débordante, alimentée à chaque seconde par des myriades de capteurs et des millions de gens, *entrer dans les archives de la culture ne suffit plus à différencier*. Alors l'acte de création par excellence consiste à faire événement, ici et maintenant, pour une communauté, voire à constituer le collectif pour qui l'événement adviendra, c'est-à-dire à réorganiser partiellement le métamonde virtuel, l'instable paysage de sens qui abrite les humains et leurs œuvres.

Ainsi, la pragmatique de la communication dans le cyberespace estompe les deux grands facteurs classiques de totalisation des œuvres : totalisation *en intention* par l'auteur, totalisation *en extension* par l'enregistrement.

Avec le rhizome et le plan d'immanence, Deleuze et Guattari [1] ont philosophiquement décrit un schéma abstrait qui comprend :

– la prolifération, sans limites *a priori*, de connexions entre nœuds hétérogènes et la multiplicité mobile des centres dans un réseau ouvert,

– le grouillement des hiérarchies enchevêtrées, les effets holographiques d'enveloppements partiels et partout différents d'ensembles dans leurs parties,

– la dynamique autopoïétique et auto-organisatrice de populations mutantes qui étendent, créent, transforment un espace qualitativement varié, un paysage ponctué de singularités.

Ce schéma s'actualise *socialement* par la vie des communautés virtuelles, *cognitivement* par les processus d'intelligence collective, *sémiotiquement* sous la forme du grand hypertexte ou du métamonde virtuel du Web.

L'œuvre de la cyberculture participe à ces rhizomes, à ce plan d'immanence du cyberespace. Elle est donc d'emblée creusée de tunnels ou de failles qui l'ouvrent sur un extérieur inassignable et connectée par nature (ou en attente de connexion) à des gens, à des flux de données.

Voici l'hypertexte global, le métamonde virtuel en métamorphose perpétuelle, le flux musical ou iconique en crue. Chacun est appelé à devenir un opérateur singulier, qualitativement différent, dans la transformation de l'hyperdocument universel et intotalisable. Entre l'ingénieur et le visiteur de mondes virtuels, tout un continuum s'étend. Ceux qui se contentent d'arpenter ici concevront peut-être des systèmes ou sculpteront des données là-bas.

---

1. Voir Gilles Deleuze, Félix Guattari, *Mille Plateaux*, Paris, Minuit, 1980 et, des mêmes auteurs, *Qu'est-ce que la philosophie ?*, Paris, Minuit, 1992.

Cette réciprocité n'est en rien garantie par l'évolution technique, ce n'est qu'une possibilité favorable ouverte par de
nouveaux dispositifs de communication. Aux acteurs
sociaux, aux activistes culturels de la saisir afin de ne pas
reproduire dans le cyberespace la mortelle dissymétrie du
système des médias de masse.

L'universel sans totalité :
texte, musique et image

Pour chaque grande modalité du signe, texte alphabétique, musique ou image, la cyberculture fait émerger une
forme et une manière d'interagir nouvelles. Le *texte* se plie,
se replie, se divise et se recolle par bouts et fragments ; il
mute en hypertexte, et les hypertextes se connectent pour
former le plan hypertextuel indéfiniment ouvert et mobile
du Web.

La *musique* peut certes se prêter à une navigation dis-
continue par hyperliens (on passe alors de bloc sonore en
bloc sonore selon les choix de l'auditeur), mais elle y gagne
beaucoup moins que le texte. Sa mutation majeure dans le
passage au numérique se définirait plutôt par le processus
récursif ouvert de l'échantillonnage, du mixage et de l'arrangement, c'est-à-dire par l'extension d'un océan musical virtuel alimenté et transformé continuellement par la communauté des musiciens.

Quant à l'*image*, elle perd son extériorité de spectacle
pour s'ouvrir à l'immersion. La représentation fait place à la
visualisation interactive d'un modèle, la simulation succède
à la ressemblance. Le dessin, la photo ou le film se creusent,
accueillent l'explorateur actif d'un modèle numérique, voire
une collectivité de travail ou de jeu engagée dans la
construction coopérative d'un univers de données.

Nous avons donc trois formes principales :
- le dispositif hyperdocumentaire de lecture-écriture en réseau pour le texte,
- le processus récursif de création et de transformation d'une mémoire-flux par une communauté de coopérateurs différenciés, dans le cas de la musique,
- l'interaction sensori-motrice avec un ensemble de données qui définit l'état virtuel de l'image.

Or aucune de ces trois formes n'est exclusive des autres. Mieux, chacune d'elles actualise différemment la même structure abstraite de l'universel sans totalité, si bien qu'en un certain sens chacune contient les deux autres.

On navigue dans un monde virtuel comme dans un hypertexte, et la pragmatique de la techno suppose, elle aussi, un principe de navigation virtuel et différé dans la mémoire musicale. Par ailleurs, certaines performances musicales en temps réel mettent en œuvre des dispositifs de type hypermédia.

Dans mon analyse des nouvelles tendances de la musique numérique, j'ai mis en évidence *la transformation coopérative et continue d'une réserve informationnelle qui tient lieu à la fois de canal et de mémoire commune.* Or ce type de situation concerne aussi bien les hypertextes collectifs et les mondes virtuels de la communication que la musique techno. Ajoutons que les images et les textes font, de plus en plus, l'objet de pratiques d'échantillonnage et de réarrangement. Dans la cyberculture, toute image est potentiellement matière première d'une autre image, tout texte peut constituer le fragment d'un plus grand texte composé par un « agent » logiciel intelligent à l'occasion d'une recherche particulière.

Enfin, l'interaction et l'immersion, typiques des réalités virtuelles, illustrent un *principe d'immanence du message à son récepteur* qui s'applique à toutes les modalités du numérique : l'œuvre n'est plus à distance mais à portée de main. Nous y participons, nous la transformons, nous en sommes partiellement les auteurs.

L'immanence des messages à leurs récepteurs, leur ouverture, la transformation continue et coopérative d'une mémoire-flux des groupes humains, tous ces traits actualisent le déclin de la totalisation.

Quant au nouvel universel, il se réalise dans la dynamique d'interconnexion de l'hypermédia en ligne, dans le partage de l'océan mnémonique ou informationnel, dans l'ubiquité du virtuel au sein des réseaux qui le portent. En somme, l'universalité vient de ce que nous baignons tous dans le même fleuve d'informations et la perte de la totalité de sa crue diluvienne. Non content de couler toujours, le fleuve d'Héraclite a maintenant débordé.

L'auteur en question

Comme nous venons de le voir, l'auteur et l'enregistrement garantissent la totalisation des œuvres, ils assurent les conditions d'une compréhension englobante et d'une stabilité du sens. Si la cyberculture trouve son essence dans l'universel sans totalité, nous devons examiner, ne fût-ce qu'à titre d'hypothèse, les guises d'un art et d'une culture pour qui ces deux figures passeraient au second plan. En effet, je ne pense pas qu'après être passé par un état de civilisation où l'archive mémorable et le génie créateur sont si prégnants nous puissions imaginer (sauf catastrophe culturelle) une situation où l'auteur et l'enregistrement aient entièrement disparu. En revanche, nous devons envisager un état futur de la civilisation où ces deux verrous de la totalisation déclinante ne tiendraient plus qu'une place modeste dans les préoccupations de ceux qui produisent, transmettent et goûtent les œuvres de l'esprit.

La notion d'auteur en général comme les différentes conceptions de l'auteur en particulier sont fortement liées à

certaines configurations de communication, à l'état des
relations sociales sur les plans économique, juridique et
institutionnel.

Dans les sociétés où le principal mode de transmission
des contenus culturels explicites est la parole, la notion
d'auteur apparaît mineure, voire inexistante. Les mythes,
les rites, les formes plastiques ou musicales traditionnelles
sont immémoriaux et on ne leur associe généralement pas
de signature, ou bien celle d'un auteur mythique. Notons au
passage que le concept même de signature, comme celui de
style personnel, implique l'écriture. Les artistes, chanteurs,
bardes, conteurs, musiciens, danseurs, sculpteurs, etc., sont
plutôt considérés comme des *interprètes* d'un thème ou d'un
motif venu de la nuit des temps et appartenant au patrimoine de la communauté considérée. Parmi la diversité des
époques et des cultures, la notion d'interprète (avec la capacité de distinguer et d'apprécier les grands interprètes) se
trouve beaucoup plus répandue que la notion d'auteur.

Celle-ci prend évidemment quelque relief avec l'apparition et l'usage de l'écriture. Cependant, jusqu'à la fin du
Moyen Âge, on ne considérait pas nécessairement comme
auteur toute personne rédigeant un texte original. Le terme
était réservé à une source d' « autorité », comme, par
exemple, Aristote, tandis que le commentateur ou le copiste
glosant ne méritaient pas cette appellation. Avec l'imprimerie, donc avec l'industrialisation de la reproduction des textes, il devint nécessaire de définir précisément le statut
économique et juridique des rédacteurs. C'est alors, tandis
que se précise progressivement son « droit », que prend
forme la notion moderne d'auteur. Parallèlement, la Renaissance voit se développer la conception de l'artiste comme
créateur démiurgique, inventeur ou concepteur, et non plus
seulement comme artisan, ou passeur plus ou moins inven-
tif d'une tradition.

Y a-t-il de grandes œuvres, de grandes créations culturelles *sans auteur* ? Sans aucune ambiguïté, la réponse est

oui. La mythologie grecque, par exemple, est un des joyaux du patrimoine culturel de l'humanité. Or c'est incontestablement *une création collective*, sans auteur, venue d'un fond immémorial, polie et enrichie par des générations de retransmetteurs inventifs. Homère, Sophocle ou Ovide, en tant qu'interprètes célèbres de cette mythologie, lui ont évidemment donné un lustre particulier. Mais Ovide est l'auteur des *Métamorphoses* non de la mythologie ; Sophocle a écrit *Œdipe roi*, il n'a pas inventé la saga des rois de Thèbes, etc.

La Bible est un autre cas exemplaire d'une œuvre majeure du fonds spirituel et poétique de l'humanité qui n'a pourtant pas d'auteur assignable. Hypertexte avant la lettre, sa constitution résulte d'une sélection (d'un échantillonnage !) et d'un amalgame tardif d'un grand nombre de textes de genres hétérogènes rédigés à diverses époques. L'origine de ces textes peut se trouver en d'anciennes traditions orales du peuple juif (la Genèse, l'Exode), mais aussi bien dans l'influence des civilisations mésopotamienne et égyptienne (certaines parties de la Genèse, les livres de sagesse), dans la brûlante réaction morale à une certaine actualité politique et religieuse (livres prophétiques), dans un épanchement poétique ou lyrique (Psaumes, Cantique des cantiques), dans une volonté de codification législative et rituelle (Lévitique) ou de préservation d'une mémoire historique (Chroniques, etc.) On considère pourtant à juste titre la Bible comme *une* œuvre, porteuse d'un message religieux complexe et de tout un univers culturel.

Pour en rester à la tradition juive, notons que telle interprétation d'un docteur de la Loi ne prend véritablement autorité que lorsqu'elle devient anonyme, quand la mention de son auteur est effacée et qu'elle s'intègre au patrimoine commun. Les talmudistes citent constamment les avis et les commentaires des sages qui les ont précédés, contribuant ainsi à une manière d'immortalité du plus précieux de leur pensée. Mais, paradoxalement, le plus haut accomplissement du sage consiste à ne plus être cité nommément, et donc à disparaître comme auteur afin que son apport se fonde et s'identifie à l'immémorial de la tradition collective.

La littérature n'est pas le seul domaine où des œuvres majeures sont anonymes. Les thèmes des ragas [1], les peintures de Lascaux, les temples d'Angkor ou les cathédrales gothiques ne sont pas plus signés que *La Chanson de Roland*.

Ainsi, il y a de grandes œuvres sans auteur. En revanche, réaffirmons qu'il semble difficile de goûter de belles œuvres sans l'intervention de grands interprètes, c'est-à-dire sans des individus talentueux qui, se plaçant sur le fil d'une tradition, la réactivent et lui donnent un éclat particulier. Or les interprètes peuvent être connus, mais ils peuvent tout aussi bien n'avoir pas de visage. Qui fut l'architecte de Notre-Dame de Paris ? Qui sculpta les portails des cathédrales de Chartres ou de Reims ?

La figure de l'auteur émerge d'une écologie des médias et d'une configuration économique, juridique et sociale bien particulière. Il n'est donc pas étonnant qu'elle puisse passer au second plan lorsque le système des communications et des rapports sociaux se transforme, déstabilisant le terreau culturel qui avait vu grandir son importance. Mais cela n'est peut-être pas si grave, puisque la prééminence de l'auteur ne conditionne ni l'épanouissement de la culture ni la créativité artistique.

Le déclin de l'enregistrement

Je disais plus haut que faire œuvre, faire trace, enregistrer n'ont plus le même sens, la même valeur, qu'avant le

---

1. Genre musical indien.

déluge informationnel. La dévaluation des informations suit naturellement de leur inflation. Dès lors, le propos du travail artistique se déplace sur l'événement, c'est-à-dire vers la réorganisation du paysage de sens qui, fractalement, à toutes les échelles, habite l'espace de communication, les subjectivités de groupe et la mémoire sensible des individus. *Il se passe quelque chose* dans le réseau des signes comme dans le tissu humain.

Évitons les malentendus. Il ne s'agit certes pas de prévoir un déplacement d'un « réel » qui serait lourdement matériel et conservé dans des musées vers un « virtuel » labile du cyberespace. A-t-on vu que l'irrésistible montée du *Musée imaginaire* chanté par Malraux, c'est-à-dire la multiplication des catalogues, des livres et des films d'art, ait fait diminuer la fréquentation des musées ? Au contraire. Plus se sont répandus les éléments recombinables du musée imaginaire et plus on a fondé de bâtiments ouverts au public dont la vocation était d'abriter et d'exposer la présence physique des œuvres. Il reste que, si l'on étudiait le destin de tel ou tel tableau célèbre, on trouverait qu'il a été goûté plus souvent en reproduction qu'en original. De même, les musées virtuels ne feront probablement jamais concurrence aux musées réels, ils en seront plutôt l'extension publicitaire. Ils représenteront cependant la principale interface du public avec les œuvres. Un peu comme le disque a mis plus de gens en contact avec Beethoven ou les Beatles que le concert. L'idée fausse de *substitution* du prétendu « réel » par un « virtuel » ignoré et déprécié a donné lieu à une multitude de malentendus. J'y reviendrai dans le chapitre XV sur la critique de la substitution.

Ce qui précède vaut évidemment pour les arts plastiques « classiques ». Quant aux propositions spécifiques de la cyberculture, elles trouvent dans le virtuel leur lieu naturel tandis que les musées en dur ne peuvent en accueillir qu'une imparfaite projection. On n'« expose » pas un CD-Rom ni un monde virtuel : on doit y naviguer, s'y immerger, interagir, participer à des processus qui demandent du temps. Renversement inattendu : pour les arts du virtuel, les « originaux » sont des faisceaux d'événements dans le cyberespace tandis que les « reproductions » se goûtent à grand-peine dans les musées.

Les genres de la cyberculture sont de l'ordre de la *performance*, comme la danse et le théâtre, comme les improvisations collectives du jazz, de la *commedia dell'arte* ou des concours de poésie de la tradition japonaise. Dans la lignée des *installations*, ils demandent l'implication active du récepteur, son déplacement dans un espace symbolique ou réel, la participation consciente de sa mémoire à la constitution du message. Leur centre de gravité est un processus subjectif, ce qui les délivre de toute clôture spatio-temporelle.

Organisant la *participation à des événements* plutôt que des spectacles, les arts de la cyberculture retrouvent la grande tradition du jeu et du rituel. Le plus contemporain boucle ainsi sur le plus archaïque, sur l'origine même de l'art dans ses fondements anthropologiques. Le propre des ruptures majeures ou des vrais « progrès » n'est-il d'ailleurs pas – tout en opérant la critique en acte de la tradition avec laquelle ils rompent – de revenir paradoxalement au commencement ? Aussi bien dans le jeu que dans le rituel, ni l'auteur ni l'enregistrement ne sont importants, mais plutôt l'acte collectif ici et maintenant.

Ingénieur de mondes avant la lettre, Léonard de Vinci organisait des fêtes princières, que des foules ont animées de leurs costumes, de leurs danses, de leurs vies ardentes, et dont il ne reste rien. Qui ne voudrait y avoir participé ? D'autres fêtes se préparent pour demain.

CHAPITRE X

LE NOUVEAU RAPPORT AU SAVOIR

Éducation et cyberculture

Toute réflexion sur le devenir des systèmes d'éducation et de formation dans la cyberculture doit se fonder sur une analyse préalable de la mutation contemporaine du rapport au savoir. À cet égard, le premier constat concerne la vitesse d'apparition et de renouvellement des savoirs et savoir-faire. Pour la première fois dans l'histoire de l'humanité, la plupart des compétences acquises par une personne au début de son parcours professionnel seront obsolètes à la fin de sa carrière. Le deuxième constat, fortement lié au premier, concerne la nouvelle nature du travail, dont la part de transaction de connaissances ne cesse de croître. Travailler revient de plus en plus à apprendre, à transmettre des savoirs et à produire des connaissances. Troisième constat : le cyberespace supporte des technologies intellectuelles qui amplifient, extériorisent et modifient nombre de fonctions cognitives humaines : mémoire (bases de données, hyperdocuments, fichiers numériques de tous ordres), imagination (simulations), perception (capteurs numériques, téléprésence, réalités virtuelles), raisonnements (intelligence artificielle, modélisation de phénomènes complexes). Ces technologies intellectuelles favorisent :

– de nouvelles formes d'accès à l'information : navigation hyperdocumentaire, chasse au renseignement par
moteurs de recherche, *knowbots* ou agents logiciels, exploration contextuelle par cartes dynamiques de données,

– de nouveaux styles de raisonnement et de connaissance, telle que la simulation, véritable industrialisation de
l'expérience de pensée, qui ne relève ni de la déduction
logique ni de l'induction à partir d'expérience.

Du fait que ces technologies intellectuelles, et notamment les mémoires dynamiques, sont *objectivées* dans des
documents numériques ou des logiciels disponibles sur
réseau (ou facilement reproductibles et transférables), elles
peuvent être *partagées* entre un grand nombre d'individus
et accroissent donc le potentiel d'intelligence collective des
groupes humains.

Le savoir-flux, le travail-transaction de connaissance,
les nouvelles technologies de l'intelligence individuelle et
collective changent profondément les données du problème de l'éducation et de la formation. Ce qu'il faut
apprendre ne peut plus être planifié ni précisément défini à
l'avance. Les parcours et profils de compétences sont tous
singuliers et peuvent de moins en moins se canaliser dans
des programmes ou cursus valables pour tout le monde.
Nous devons nous construire de nouveaux modèles de
l'espace des connaissances. À une représentation en
échelles linéaires et parallèles, en pyramides structurées
par « niveaux », organisées par la notion de prérequis et
convergeant vers des savoirs « supérieurs », il nous faut
dorénavant préférer l'image d'espaces de connaissances
émergents, ouverts, continus, en flux, non linéaires, se
réorganisant selon les objectifs ou les contextes et sur lesquels chacun occupe une position singulière et évolutive.

Dès lors, deux grandes réformes sont requises des systèmes d'éducation et de formation. Premièrement, l'accli-
matation des dispositifs et de l'esprit de l'AOD (apprentissage ouvert et à distance) dans le quotidien et l'ordinaire de

l'éducation. L'AOD exploite certes certaines techniques de l'enseignement à distance, y compris les hypermédias, les réseaux de communication interactifs et toutes les technologies intellectuelles de la cyberculture. Mais l'essentiel réside dans un nouveau style de pédagogie, qui favorise à la fois les apprentissages personnalisés et l'apprentissage coopératif en réseau. Dans ce cadre, l'enseignant est appelé à devenir un animateur de l'intelligence collective de ses groupes d'élèves plutôt qu'un dispensateur direct de connaissances.

La deuxième réforme concerne la reconnaissance des acquis. Si les gens apprennent dans leurs expériences sociales et professionnelles, si l'école et l'université perdent progressivement le monopole de la création et de la transmission de la connaissance, les systèmes d'éducation publics peuvent du moins se donner la nouvelle mission d'orienter les parcours individuels dans le savoir et de contribuer à la reconnaissance de l'ensemble des savoir-faire détenus par les personnes, y compris les savoirs non académiques. Les outils du cyberespace permettent d'envisager de vastes systèmes de tests automatisés accessibles à tout moment et des réseaux de transactions entre offre et demande de compétence. Organisant la communication entre employeurs, individus et ressources d'apprentissage de tous ordres, les universités de l'avenir contribueraient ainsi à l'animation d'une nouvelle économie de la connaissance.

Ce chapitre et le suivant développent les idées qui viennent d'être exposées et proposent pour finir certaines solutions pratiques (les « arbres de connaissances »).

L'articulation d'une multitude
de points de vue

Dans un de mes cours à l'université de Paris-VIII, intitulé « Technologies numériques et mutations culturelles », je demande à chaque étudiant de faire à la classe un exposé de dix minutes. La veille de l'exposé, il doit me rendre une synthèse de deux pages, avec une bibliographie, qui pourra éventuellement être photocopiée par les autres étudiants désireux d'approfondir le sujet.

En 1995, l'un d'eux me tend ses deux pages de résumé en me disant d'un air un peu mystérieux : « Tenez ! Il s'agit d'un exposé virtuel ! » J'ai beau feuilleter son travail sur les instruments de musique numériques, je ne vois pas ce qui le distingue des synthèses habituelles : un titre en gras, des sous-titres, des mots soulignés dans un texte plutôt bien articulé, une bibliographie. S'amusant de mon scepticisme, il m'entraîne vers la salle des ordinateurs, et, suivis par quelques autres étudiants, nous nous installons autour d'un écran. Je découvre alors que les deux pages de résumé que j'avais parcourues sur du papier étaient la projection imprimée de pages Web.

Au lieu d'un texte localisé, figé sur un support de cellulose, à la place d'un petit territoire avec un auteur propriétaire, un début, une fin, des marges formant frontières, j'étais confronté à un document dynamique, ouvert, ubiquitaire, me renvoyant à un corpus pratiquement infini. Le même texte avait changé de nature. On parle de « page » dans les deux cas, mais la première page est un *pagus*, un champ borné, approprié, semé de signes enracinés, l'autre est une unité de flux, soumise aux contraintes du débit dans les réseaux. Même si elle se réfère à des articles ou à des livres, la première page est physiquement close. La seconde, en revanche, nous connecte techniquement et immédiatement à des pages d'autres documents, dispersées partout sur la planète, qui renvoient elles-mêmes indéfiniment à d'autres pages, à d'autres gouttes du même océan mondial de signes fluctuants.

À partir de l'invention d'une petite équipe du CERN, le World Wide Web s'est propagé parmi les utilisateurs d'Internet comme une traînée de poudre pour devenir en quelques années un des principaux axes de développement du cyberespace. Cela n'exprime peut-être qu'une tendance provisoire. Je fais cependant l'hypothèse que l'irrépressible croissance du Web nous indique quelques traits essentiels d'une culture qui veut naître. Gardons cela en mémoire et poursuivons notre analyse.

La page Web est un élément, une partie du corpus insaisissable de l'ensemble des documents du World Wide Web. Mais par les liens qu'elle lance vers le reste du réseau, par les carrefours ou les bifurcations qu'elle propose, elle constitue aussi une sélection organisatrice, un agent structurant, un filtrage de ce corpus. Chaque élément de cette pelote incirconscriptible est à la fois un paquet d'informations et un instrument de navigation, une partie du stock et un point de vue original sur ledit stock. Sur une face, la page Web forme la gouttelette d'un tout fuyant, sur l'autre face, elle propose un filtre singulier de l'océan d'information.

Sur le Web, tout est sur le même plan. Et cependant tout est différencié. Il n'y a pas de hiérarchie absolue, mais chaque site est un agent de sélection, d'aiguillage ou de hiérarchisation partielle. Loin d'être une masse amorphe, le Web articule une multitude ouverte de points de vue, mais cette articulation s'opère transversalement, en rhizome, sans point de vue de Dieu, sans unification surplombante. Que cet état de fait engendre de la confusion, chacun en convient. De nouveaux instruments d'indexation et de recherche doivent être inventés, comme en témoigne la richesse des travaux actuels sur la cartographie dynamique des espaces de données, les « agents » intelligents ou le filtrage coopératif des informations.

Le deuxième déluge
et l'inaccessibilité du tout

Sans clôture sémantique ou structurelle, le Web n'est pas non plus figé dans le temps. Il enfle, bouge et se transforme en permanence. Le World Wide Web est un flux. Ses sources innombrables, ses turbulences, son irrésistible montée offrent une saisissante image de la crue d'information contemporaine. Chaque réserve de mémoire, chaque groupe, chaque individu, chaque objet peuvent devenir émetteur et gonfler le flot. À ce sujet, Roy Ascott parle, d'une manière imagée, du *deuxième déluge*. Le déluge d'informations. Pour le meilleur ou pour le pire, ce déluge-là ne sera suivi d'aucune décrue. Nous devons nous habituer à cette profusion et à ce désordre. Sauf catastrophe culturelle, aucune grande remise en ordre, aucune autorité centrale ne nous ramènera à la terre ferme ni aux paysages stables et bien balisés d'avant l'inondation.

Le point de basculement historique du rapport au savoir se situe sans doute à la fin du xviiie siècle, en ce moment d'équilibre fragile où l'ancien monde jetait ses plus beaux feux tandis que les fumées de la révolution industrielle commençaient à changer la couleur du ciel. Quand Diderot et d'Alembert publiaient leur *Encyclopédie*. Jusqu'à ce temps, un petit groupe d'hommes pouvait espérer maîtriser l'ensemble des savoirs (ou tout au moins les principaux) et proposer aux autres l'idéal de cette maîtrise. La connaissance était encore totalisable, sommable. À partir du xixe siècle, avec l'élargissement du monde, la découverte progressive de sa diversité, la croissance toujours plus rapide des connaissances scientifiques et techniques, le projet de maîtrise du savoir par un individu ou par un petit groupe devint de plus en plus illusoire. Aujourd'hui, il est devenu évident, tangible pour tous, que la connaissance est définitivement passée du côté de l'intotalisable, de l'immaîtrisable.

L'émergence du cyberespace ne signifie nullement que « tout » est enfin accessible, mais bien plutôt que le Tout est définitivement hors d'atteinte. Que sauver du déluge ? Penser que nous pourrions construire une arche contenant « le principal » serait justement céder à l'illusion de la totalité. Nous avons tous besoin, institutions, communautés, groupes humains, individus, de construire du sens, de nous aménager des zones de familiarité, d'apprivoiser le chaos ambiant. Mais, d'une part, chacun doit reconstruire des totalités partielles à sa manière, suivant ses propres critères de pertinence. D'autre part, ces zones de signification appropriées devront forcément être mobiles, changeantes, en devenir. Si bien qu'à l'image de la grande arche nous devons substituer celle d'une flottille de petites arches, barques ou sampans, une myriade de petites totalités, différentes, ouvertes et provisoires, sécrétées par filtrage actif, perpétuellement remises sur le métier par les collectifs intelligents qui se croisent, se hèlent, se heurtent ou se mêlent sur les grandes eaux du déluge informationnel.

Les métaphores centrales du rapport au savoir sont donc aujourd'hui la navigation et le surf, qui impliquent une capacité d'affronter les vagues, les remous, les courants et les vents contraires sur une étendue plane, sans frontières et toujours changeante. En revanche, les vieilles métaphores de la pyramide (gravir la pyramide du savoir) de l'échelle ou du *cursus* (déjà tout tracé) fleurent bon les hiérarchies immobiles de jadis.

Qui sait ? La réincarnation du savoir

Les pages Web expriment les idées, les désirs, les savoirs, les offres de transaction de personnes et de groupes humains. Derrière le grand hypertexte grouillent la multitude et ses rapports. Dans le cyberespace, le savoir ne peut plus être conçu comme quelque chose d'abstrait ou de transcendant. Il devient d'autant plus visible – et même tangible en temps réel – qu'*il exprime une population*. Les pages Web sont non seulement signées, comme les pages de papier, mais elles débouchent souvent sur une communication directe, interactive, par courrier numérique, forum électronique ou autres formes de communication par mondes virtuels comme les MUDs ou les MOOs. Ainsi, contrairement à ce que laisse croire la vulgate médiatique sur la prétendue « froideur » du cyberespace, les réseaux numériques interactifs sont des facteurs puissants de personnalisation ou d'incarnation de la connaissance.

Inlassablement, il faut rappeler l'inanité du schème de la substitution. De même que la communication par téléphone n'a pas empêché les gens de se rencontrer physiquement, puisqu'on se téléphone pour prendre rendez-vous, la communication par messages électroniques prépare bien souvent des voyages physiques, des colloques ou des réunions d'affaires. Même lorsqu'elle ne s'accompagne pas de rencontre, l'interaction dans le cyberespace reste une forme de communication. Mais, entend-on parfois argumenter, certaines personnes restent des heures « devant leur écran », s'isolant ainsi des autres. Les excès ne doivent certes pas être encouragés. Mais dit-on de quelqu'un qui lit qu'il « reste des heures devant du papier » ? Non. Parce que la personne qui lit n'est pas en rapport avec une feuille de cellulose, elle est en contact avec un discours, une voix, un univers de signification qu'elle contribue à construire, à habiter par sa lecture. Que le texte s'affiche sur un écran ne change rien. Il s'agit toujours de lecture, même si, comme nous l'avons vu, avec les hyperdocuments et l'interconnexion générale, les modalités de la lecture tendent à se transformer.

Quoique les supports d'information ne déterminent pas automatiquement tel ou tel contenu de connaissance, ils contribuent cependant à structurer fortement l'« écologie cognitive » des sociétés. Nous pensons avec et dans des groupes et des institutions qui tendent à reproduire leur idiosyncrasie en nous imprégnant de leur climat émotionnel et de leurs fonctionnements cognitifs. Nos facultés de connaître travaillent avec des langues, des systèmes de signes et des procédés intellectuels fournis par une culture. On ne multiplie pas de la même manière avec des cordes à nœuds, des cailloux, des chiffres romains, des chiffres arabes, des bouliers, des règles à calcul ou des calculettes. Les vitraux des cathédrales et les écrans de télévision ne nous offrant pas les mêmes images du monde, ils ne suscitent pas les mêmes imaginaires. Certaines représentations ne peuvent survivre longtemps dans une société sans écriture (chiffres, tableaux, listes) tandis que l'on peut les archiver aisément dès qu'on dispose de mémoires artificielles. Pour coder leurs savoirs, les sociétés sans écriture ont développé des techniques de mémoire reposant sur le rythme, le récit, l'identification, la participation du corps et l'émotion collective. En revanche, avec la montée de l'écriture, le savoir a pu se détacher partiellement des identités personnelles ou collectives, devenir plus « critique », viser une certaine objectivité et une portée théorique « universelle ». Ce ne sont pas seulement les modes de connaissances qui dépendent des supports d'information et des techniques de communication. Ce sont aussi, par l'intermédiaire des écologies cognitives qu'ils conditionnent, les valeurs et les critères de jugement des sociétés. Or ce sont précisément les critères d'évaluation du savoir (au sens le plus large de ce terme) qui sont mis en jeu par l'extension de la cyberculture, avec le déclin probable, déjà observable, des valeurs qui avaient cours dans la civilisation structurée par l'écriture statique. Non que ces valeurs soient appelées à disparaître, mais plutôt elles vont devenir secondaires, perdre leur pouvoir de commandement.

Peut-être plus important encore que les genres de connaissances et les critères de valeur qui les polarisent, chaque écologie cognitive favorise certains acteurs, placés au centre des processus d'accumulation et d'exploitation du savoir. Ici, la question n'est plus « comment ? », ni « selon quels critères ? » mais « qui ? ».

Dans les sociétés d'avant l'écriture, le savoir pratique, mythique et rituel est incarné par *la communauté vivante*. Quand un *vieillard* meurt c'est une bibliothèque qui brûle.

Avec la venue de l'écriture, le savoir est porté par *le livre*. Le livre, unique, indéfiniment interprétable, transcendant, censé tout contenir : la Bible, le Coran, les textes sacrés, les classiques, Confucius, Aristote... C'est ici *l'interprète* qui maîtrise la connaissance.

Depuis l'invention de l'imprimerie, un troisième type de connaissance est hanté par la figure du *savant*, du *scientifique*. Ici, le savoir n'est plus porté par le livre mais par la bibliothèque. L'*Encyclopédie* de Diderot et d'Alembert est moins un livre qu'une bibliothèque. Le savoir est structuré par un réseau de renvois, hanté déjà peut-être par l'hypertexte. Alors le concept, l'abstraction ou le système servent à condenser la mémoire et à garantir une maîtrise intellectuelle que l'inflation des connaissances met déjà en danger.

La déterritorialisation de la bibliothèque à laquelle nous assistons aujourd'hui n'est peut-être que le prélude à l'apparition d'un quatrième type de relation à la connaissance. Par une sorte de retour en spirale à l'oralité des origines, le savoir pourrait être de nouveau porté par *les collectivités humaines vivantes* plutôt que par des supports

séparés servis par des interprètes ou des savants. Seulement, cette fois-ci, contrairement à l'oralité archaïque, le
porteur direct du savoir ne serait plus la communauté physique et sa mémoire charnelle, mais le *cyberespace*, la
région des mondes virtuels, par l'intermédiaire duquel les
communautés découvrent et construisent leurs objets et se
connaissent elles-mêmes comme collectifs intelligents.

Désormais, les systèmes et les concepts abstraits
cèdent du terrain aux cartes fines des singularités, à la description détaillée des grands objets cosmiques, des phénomènes de la vie ou des manières humaines. Que l'on
prenne tous les grands projets technoscientifiques contemporains : physique des particules, astrophysique, génome
humain, espace, nanotechnologies, surveillance des écologies et des climats... ils sont tous dépendants du cyberespace et de ses outils. Les bases de données d'images, les
simulations interactives et les conférences électroniques
assurent une meilleure connaissance du monde que l'abstraction théorique, passée au second plan. Ou, plutôt, elles
définissent la nouvelle norme de la connaissance. De plus,
ces outils permettent une *coordination* efficace des producteurs de savoir quand théories et systèmes suscitaient plutôt l'*adhésion* ou le *conflit*.

Il est frappant de constater que certaines expériences
scientifiques réalisées dans les grands accélérateurs de particules mobilisent tant de ressources, sont si complexes et
si difficiles à interpréter qu'elles n'ont quasiment lieu
qu'une seule fois. Chaque expérience est presque singulière. Cela semble contredire l'idéal de reproductibilité de
la science classique. Pourtant, ces expériences sont encore
universelles, mais autrement que par la possibilité de
reproduction. Y participent, en effet, une multitude de
scientifiques de tous pays qui forment une sorte de microcosme ou de projection de la communauté internationale.
Mais, surtout, le contact direct avec l'expérience a quasiment disparu au profit de la production massive de don-

nées numériques. Or ces données peuvent être consultées et traitées dans un grand nombre de laboratoires dispersés grâce aux instruments de communication et de traitement du cyberespace. Ainsi, l'ensemble de la communauté scientifique peut participer à ces expériences très particulières, qui sont autant d'*événements*. L'universalité repose alors sur l'interconnexion en temps réel de la communauté scientifique, sa participation coopérative mondiale aux événements qui la concernent plutôt que sur la dépréciation de l'événement singulier qui caractérisait l'ancienne universalité des sciences exactes.

La simulation, un mode de connaissance propre à la cyberculture

Parmi les nouveaux modes de connaissance portés par la cyberculture, la simulation occupe une place centrale. D'un mot, il s'agit d'une technologie intellectuelle qui démultiplie l'imagination individuelle (augmentation de l'intelligence) et permet à des groupes de partager, de négocier et de raffiner des modèles mentaux communs, quelle que soit la complexité de ces modèles (augmentation de l'intelligence collective). Pour augmenter et transformer certaines capacités cognitives humaines (la mémoire, l'imagination, le calcul, le raisonnement expert), l'informatique *extériorise partiellement ces facultés* sur des supports numériques. Or, dès que de tels processus cognitifs sont extériorisés et réifiés, ils deviennent *partageables* et renforcent donc les processus d'intelligence collective... si du moins les techniques sont utilisées à bon escient.

Même les systèmes experts (ou systèmes à base de connaissances), traditionnellement rangés sous la rubrique « intelligence artificielle », devraient être considérés comme des techniques de communication et de mobilisation rapide des savoir-faire pratiques dans les organisations plutôt que comme des doubles d'experts humains. Aussi bien sur le plan cognitif que sur celui de l'organisation du travail, les technologies intellectuelles doivent être pensées en termes d'articulation et de mise en synergie plutôt que selon le schème de la substitution.

Les techniques de simulation, en particulier celles qui mettent en jeu des images interactives, ne remplacent pas les raisonnements humains mais prolongent et transforment les capacités d'imagination et de pensée. En effet, notre mémoire à long terme peut emmagasiner une très grande quantité d'informations et de connaissances. En revanche, notre mémoire à court terme, celle qui contient les représentations mentales auxquelles nous prêtons une attention délibérée, consciente, a des capacités fort limitées. Il nous est impossible, par exemple, de nous représenter clairement et distinctement plus d'une dizaine d'objets en interaction.

Si nous pouvons évoquer mentalement l'image du château de Versailles, nous ne parvenons pas à compter ses fenêtres « dans notre tête ». Le degré de résolution de l'image mentale n'est pas suffisant. Pour aller à ce niveau de détail, nous avons besoin d'une mémoire auxiliaire extérieure (gravure, peinture, photo) grâce à laquelle nous allons nous livrer à de nouvelles opérations cognitives : compter, mesurer, comparer, etc. La simulation est une aide pour la mémoire à court terme qui concerne, non pas des images fixes, des textes ou des tableaux de chiffres, mais des *dynamiques complexes*. La capacité de faire varier facilement les paramètres d'un modèle et d'observer immédiatement et visuellement les conséquences de cette variation constitue une véritable amplification de l'imagination.

La simulation joue aujourd'hui un rôle croissant dans les activités de recherche scientifique, de conception industrielle, de gestion, d'apprentissage, mais également dans le

jeu et le divertissement (notamment dans les jeux interactifs sur écran). Ni théorie ni expérience, manière d'industrialisation de l'expérience de pensée, la simulation est un
mode spécial de connaissance, propre à la cyberculture
naissante. Dans la recherche, son principal intérêt n'est évidemment pas de remplacer l'expérience ni de tenir lieu de
réalité, mais de permettre la formulation et l'exploration
rapides d'un grand nombre d'hypothèses. Du point de vue
de l'intelligence collective, elle permet la mise en image et
le *partage* de mondes virtuels et d'univers de signification
d'une grande complexité.

Les savoirs sont désormais codés dans des bases de
données accessibles en ligne, dans des cartes alimentées en
temps réel par les phénomènes du monde et dans des simulations interactives. L'efficience, la fécondité heuristique, la
puissance de mutation et de bifurcation, la pertinence temporelle et contextuelle des modèles supplantent les anciens
critères d'objectivité et d'universalité abstraite. Mais on
retrouve *une forme plus concrète d'universalité* par les capacités de connexion, le respect de standards ou de formats,
la compatibilité ou l'interopérabilité planétaire.

De l'interconnexion chaotique
à l'intelligence collective

Le savoir, détotalisé, fluctue. Il en résulte un violent
sentiment de désorientation. Faut-il se crisper sur les
procédés et les schémas qui assuraient l'ordre ancien du
savoir? Ne faut-il pas au contraire sauter le pas et pénétrer de plain-pied dans la nouvelle culture, qui offre des
remèdes spécifiques aux maux qu'elle engendre. L'interconnexion en temps réel de tous avec tous est certes la
cause du désordre. Mais c'est aussi la condition d'exis-

tence de solutions pratiques aux problèmes d'orientation et d'apprentissage dans l'univers du savoir en flux. En effet, cette interconnexion favorise les processus d'intelligence collective dans les communautés virtuelles grâce à quoi l'individu se trouve moins démuni face au chaos informationnel.

Précisément, l'idéal mobilisateur de l'informatique n'est plus l'intelligence artificielle (rendre une machine aussi intelligente, voire plus intelligente qu'un homme), mais *l'intelligence collective*, à savoir la valorisation, l'utilisation optimale et la mise en synergie des compétences, des imaginations et des énergies intellectuelles, quelle que soit leur diversité qualitative et où qu'elle se situe. Cet idéal de l'intelligence collective passe évidemment par la mise en commun de la mémoire, de l'imagination et de l'expérience, par une pratique banalisée de l'échange des connaissances, par de nouvelles formes d'organisation et de coordination souples et en temps réel. Si les nouvelles techniques de communication favorisent le fonctionnement des groupes humains en intelligence collective, répétons qu'elles ne le déterminent pas automatiquement. La défense de pouvoirs exclusifs, des rigidités institutionnelles, l'inertie des mentalités et des cultures peuvent évidemment pousser à des utilisations sociales des nouvelles technologies beaucoup moins positives selon des critères humanistes.

Le cyberespace, interconnexion des ordinateurs de la planète, tend à devenir l'infrastructure majeure de la production, de la gestion et de la transaction économiques. Il constituera bientôt le principal équipement collectif international de la mémoire, de la pensée et de la communication. En somme, dans quelques dizaines d'années, le cyberespace, ses communautés virtuelles, ses réserves d'images, ses simulations interactives, son irrépressible foisonnement de textes et de signes, sera le médiateur essentiel de l'intelligence collective de l'humanité. Avec ce nouveau sup-

port d'information et de communication émergent des
genres de connaissances inouïs, des critères d'évaluation
inédits pour orienter le savoir, de nouveaux acteurs dans la
production et le traitement des connaissances. Toute politique d'éducation devra en tenir compte.

CHAPITRE XI

LES MUTATIONS DE L'ÉDUCATION ET L'ÉCONOMIE DU SAVOIR

L'apprentissage ouvert et à distance

Les systèmes éducatifs sont aujourd'hui soumis à de nouvelles contraintes de quantité, de diversité et de vitesse d'évolution des savoirs. Sur un plan purement quantitatif, la demande de formation n'a jamais été aussi massive. C'est désormais, dans de nombreux pays, la *majorité* d'une classe d'âge qui suit un enseignement secondaire. Les universités débordent. Les dispositifs de formation professionnelle et continue sont saturés. Environ la moitié de la société est, ou voudrait être, à l'école.

On ne pourra pas augmenter le nombre d'enseignants *proportionnellement à la demande de formation* qui est, dans tous les pays du monde, de plus en plus diverse et massive. La question du coût de l'enseignement se pose notamment dans les pays pauvres. Il faudra donc bien se résoudre à trouver des solutions faisant appel à des techniques capables de démultiplier l'effort pédagogique des professeurs et des formateurs. Audiovisuel, « multimédia » interactif, enseignement assisté par ordinateur, télévision éducative, câble, techniques classiques de l'enseignement à distance reposant essentiellement sur l'écrit, tutorat par téléphone, fax ou Internet... toutes ces possibilités techniques, plus ou moins pertinentes selon le contenu, la situation et les besoins de « l'apprenant », peuvent être envisagées et ont déjà été amplement testées et expérimentées. Tant sur le plan des infrastructures matérielles que des coûts de fonctionnement, les écoles et universités « virtuelles » *coûtent moins cher* que les écoles et les universités en dur délivrant un enseignement en « présentiel ».

La demande de formation ne connaît pas seulement une énorme croissance quantitative, elle subit aussi une profonde mutation qualitative dans le sens d'un besoin croissant de *diversification* et de *personnalisation*. Les individus supportent de moins en moins de suivre des *cursus* uniformes ou rigides qui ne correspondent pas à leurs besoins réels et à la spécificité de leur trajet de vie. Une réponse à la croissance de la demande par une simple massification de l'offre serait une réponse « industrialiste » à l'ancienne, inadaptée à la flexibilité et à la diversité désormais requises.

On voit comment le nouveau paradigme de la *navigation* (opposé à celui du « cursus ») qui se développe dans les pratiques de prélèvement d'information et d'apprentissage coopératif au sein du cyberespace montre la voie d'un accès à la connaissance *à la fois massif et personnalisé*.

Les universités et, de plus en plus, les écoles primaires et secondaires offrent aux étudiants la possibilité de naviguer sur l'océan d'information et de connaissance accessible par Internet. Des programmes éducatifs peuvent être suivis à distance sur le World Wide Web. Les courriers et conférences électroniques servent au *tutoring* intelligent et sont mis au service de dispositifs d'apprentissage coopératif. Les supports hypermédias (CD-Rom, bases de données multimédia interactives en ligne) permettent des accès intuitifs rapides et attrayants à de vastes ensembles d'informations. Des systèmes de *simulation* permettent aux apprenants de se familiariser à faible coût avec la pratique de phénomènes complexes sans pour autant se soumettre à des situations dangereuses ou difficiles à contrôler.

Les spécialistes du domaine reconnaissent que la distinction entre enseignement « en présentiel » et enseignement « à distance » sera de moins en moins pertinente puisque l'usage des réseaux de télécommunication et des supports multimédias interactifs s'intègre progressivement aux formes plus classiques d'enseignement [1]. L'apprentissage à distance a longtemps été la « roue de secours » de l'enseignement ; il va bientôt en devenir, sinon la norme, au moins la tête chercheuse. En effet, les caractéristiques de l'AOD sont semblables à celles de la société de l'information dans son ensemble (société de réseau, de vitesse, de personnalisation, etc.). De plus, ce type d'enseignement est en synergie avec les « organisations apprenantes » qu'une nouvelle génération de managers cherche à mettre en place dans les entreprises.

L'apprentissage coopératif et le nouveau rôle des enseignants

Le point essentiel est ici le changement *qualitatif* dans les processus d'apprentissage. On cherche moins à transférer des cours classiques dans des formats hypermédias interactifs ou à « abolir la distance » qu'à mettre en œuvre de nouveaux paradigmes d'acquisition des connaissances et de constitution des savoirs. La direction la plus prometteuse, qui traduit d'ailleurs la perspective de l'intelligence collective dans le domaine éducatif, est celle de *l'apprentissage coopératif*.

Certains dispositifs informatisés d'apprentissage de groupe sont spécialement conçus pour le partage de

---

1. *Open and Distance Learning. Critical Success Factors. Accès à la formation à distance. Clés pour un développement durable,* Proceedings, International conference, Genève, 10-12 octobre 1994, Gordon Davies & David Tinsley.

diverses bases de données et l'usage de conférences et de messageries électroniques. On parle alors d'apprentissage coopératif assisté par ordinateur (en anglais : Computer Supported Cooperative Learning ou CSCL). Dans les nouveaux « campus virtuels », les professeurs et les étudiants mettent en commun les ressources matérielles et informationnelles dont ils disposent. Les professeurs apprennent en même temps que les étudiants et ils mettent à jour continuellement aussi bien leurs savoirs « disciplinaires » que leurs compétences pédagogiques. (La formation continue des enseignants est une des applications les plus évidentes des méthodes de l'apprentissage ouvert et à distance.)

Les dernières informations à jour deviennent facilement et directement accessibles *via* les bases de données en ligne et le World Wide Web. Les étudiants peuvent participer à des conférences électroniques déterritorialisées où interviennent les meilleurs chercheurs de leur discipline. Dès lors, la fonction majeure de l'enseignant ne peut plus être une diffusion des connaissances désormais assurée plus efficacement par d'autres moyens. Sa compétence doit se déplacer du côté de la provocation à apprendre et à penser. L'enseignant devient un *animateur de l'intelligence collective* des groupes dont il a la charge. Son activité se centrera sur l'accompagnement et la gestion des apprentissages : l'incitation à l'échange des savoirs, la médiation relationnelle et symbolique, le pilotage personnalisé des parcours d'apprentissage, etc.

Vers une régulation publique
de l'économie de la connaissance

Les réflexions et les pratiques sur l'incidence des nouvelles technologies dans l'éducation se sont développées selon des axes divers. De nombreux travaux, par exemple, ont été menés sur le multimédia comme support d'enseignement ou sur les ordinateurs comme inlassables *substituts* des professeurs (enseignement assisté par ordinateur ou EAO). Dans cette vision – on ne peut plus classique –, *l'informatique offre des machines à enseigner.* Selon une autre approche, les ordinateurs sont considérés comme des *instruments* de communication, de recherche d'information, de calcul, de production de messages (textes, images, son) à mettre entre les mains des « apprenants ».

La perspective adoptée ici est encore différente. L'usage croissant des technologies numériques et des réseaux de communication interactive accompagne et amplifie une profonde mutation du rapport au savoir, dont j'ai tenté de brosser les grandes lignes dans le précédent chapitre. En prolongeant certaines capacités cognitives humaines (mémoire, imagination, perception), les technologies intellectuelles à support numérique redéfinissent leur portée, leur signification, et parfois même leur nature. Les nouvelles possibilités de création collective distribuée, d'apprentissage coopératif et de collaboration en réseau offertes par le cyberespace remettent en question le fonctionnement des institutions et les modes habituels de division du travail aussi bien dans les entreprises que dans les écoles.

Comment maintenir les pratiques pédagogiques en phase avec ces nouveaux processus de transaction de connaissance ? Il ne s'agit pas ici d'utiliser à tout prix les technologies mais d'*accompagner consciemment et délibérément un changement de civilisation* qui remet profondément en cause les formes institutionnelles, les mentalités et la culture des systèmes éducatifs traditionnels et notamment les rôles de professeur et d'élève.

Le grand enjeu de la cyberculture, tant sur le plan de la baisse des coûts que de l'accès de tous à l'éducation, n'est pas tant le passage du « présentiel » à la « distance », ni de l'écrit et de l'oral traditionnels au « multimédia ». C'est la transition entre une éducation et une formation strictement institutionnalisées (l'école, l'université) et une situation d'échange généralisé des savoirs, d'enseignement de la société par elle-même, de reconnaissance autogérée, mobile et contextuelle des compétences. Dans ce cadre, le rôle des pouvoirs publics devrait être :

– de garantir à chacun une formation élémentaire de qualité [1],

– de permettre à tous un accès ouvert et gratuit à des médiathèques, à des centres d'orientation, de documentation et d'autoformation, à des points d'entrée dans le cyberespace, sans négliger l'indispensable *médiation humaine* de l'accès à la connaissance,

– de réguler et d'animer une nouvelle *économie de la connaissance* dans laquelle chaque individu, chaque groupe, chaque organisation seront considérés comme des ressources d'apprentissage potentielles au service de parcours de formation continus et personnalisés.

Savoir-flux et dissolution des séparations

Depuis la fin des années soixante, nous avons commencé à expérimenter un rapport à la connaissance et

---

1. Les spécialistes des politiques d'éducation reconnaissent tous le rôle essentiel de la qualité et de l'universalité de l'enseignement élémentaire pour le niveau général d'éducation d'une population. De plus, l'enseignement élémentaire touche tous les enfants, tandis que l'enseignement secondaire et surtout supérieur ne concerne qu'une partie des jeunes. Or le secondaire et le supérieur publics, qui coûtent beaucoup plus cher que l'enseignement élémentaire, sont financés par l'ensemble des contribuables. Il y a là une source d'inégalité particulièrement criante dans les pays pauvres. Voir notamment Sylvain Lourié, *École et tiers monde*, Paris, Flammarion, 1993.

au savoir-faire inconnu de nos ancêtres. En effet, auparavant, les compétences acquises au cours de la jeunesse
étaient généralement encore en usage à la fin de la vie
active. Ces compétences étaient même transmises quasiment à l'identique aux jeunes ou aux apprentis. Certes, de
nouveaux procédés, de nouvelles techniques apparais-
saient. Mais, à *l'échelle d'une vie humaine*, la plus grande
partie des savoir-faire utiles était pérenne. Aujourd'hui, la
majorité des savoirs acquis au début d'une carrière sont
obsolètes à la fin d'un parcours professionnel, voire avant.
Les désordres de l'économie comme le rythme précipité
des évolutions scientifique et technique déterminent une
accélération générale de la temporalité sociale. De ce fait,
les individus et les groupes ne sont plus confrontés à des
savoirs stables, à des classifications de connaissances
léguées et confortées par la tradition mais à un savoir-flux
chaotique, au cours difficilement prévisible dans lequel il
s'agit désormais d'apprendre à naviguer. Le rapport intense
à l'apprentissage, à la transmission et à la production de
connaissances n'est plus réservé à une élite mais concerne
désormais la masse des gens dans leur vie quotidienne et
dans leur travail.

Le vieux schéma selon lequel on apprend dans sa jeunesse un métier que l'on exerce le reste de sa vie est donc
dépassé. Les individus sont appelés à changer de profession plusieurs fois dans leur carrière, et la notion même de
métier devient de plus en plus problématique. Il vaudrait
mieux raisonner en termes de *compétences* variées dont
chacun possède une collection singulière. Les personnes
ont alors à charge d'entretenir et d'enrichir leur collection
de compétences tout au long de leur vie. Cette approche
remet en question la division classique entre période
d'apprentissage et période de travail (puisqu'on apprend
tout le temps) ainsi que le métier comme mode principal
d'identification économique et sociale des personnes.

Par la formation continue, la formation en alternance,

les dispositifs d'apprentissage en entreprise, la participation à la vie associative, syndicale, etc., il est en train de se constituer un *continuum* entre temps de formation, d'une part, et temps d'expérience professionnelle et sociale, d'autre part. Au sein de ce *continuum*, toutes les modalités d'acquisition de compétences (y compris l'autodidaxie) viennent prendre place.

Pour une proportion croissante de la population, le travail n'est plus l'exécution répétitive d'une tâche prescrite mais une activité complexe où la résolution inventive de problèmes, la coordination au sein d'équipes et la gestion de relations humaines tiennent des places non négligeables. La transaction d'informations et de connaissances (production de savoirs, apprentissage, transmission) fait partie intégrante de l'activité professionnelle. Utilisant des hypermédias, des systèmes de simulation et des réseaux d'apprentissage coopératifs de plus en plus souvent *intégrés aux postes de travail*, la formation professionnelle dans les entreprises tend à s'intégrer à la production.

L'ancien rapport à la compétence était substantiel et territorial. Les individus étaient reconnus par leurs diplômes, eux-mêmes rattachés à des disciplines. Les employés étaient identifiés par des postes, qui déclinaient des métiers, qui remplissaient des fonctions. À l'avenir, il s'agira beaucoup plus de gérer des processus : *trajets* et *coopérations*. Les compétences diverses acquises par les individus selon leurs parcours singuliers viendront alimenter des *mémoires collectives*. Accessibles en ligne, ces mémoires dynamiques à support numérique serviront en retour les besoins concrets, ici et maintenant, d'individus et de groupes en situation de travail ou d'apprentissage (c'est tout un). Ainsi, à la virtualisation des organisations et des entreprises « en réseau » correspondra bientôt une *virtualisation du rapport à la connaissance*.

La reconnaissance des acquis

C'est évidemment à ce nouvel univers du travail que l'éducation doit préparer. Mais, symétriquement, il faut aussi admettre le caractère éducatif ou formateur de nombre d'activités économiques et sociales, ce qui pose assurément le problème de leur reconnaissance ou de leur validation officielle, le système des diplômes apparaissant de moins en moins adéquat. Par ailleurs, le temps nécessaire à homologuer de nouveaux diplômes et à constituer les cursus qui y mènent n'est plus en phase avec le rythme d'évolution des connaissances.

Il peut paraître banal d'affirmer que tous les types d'apprentissage et de formation doivent pouvoir donner lieu à une qualification ou à une validation socialement reconnue. Pourtant, nous sommes actuellement très loin du compte. Un grand nombre de processus d'apprentissage ayant cours dans des dispositifs formels de formation continue, pour ne pas parler des compétences acquises au cours des expériences sociales et professionnelles des individus, ne donnent aujourd'hui lieu à aucune qualification. Le rapport au savoir émergent, dont j'ai esquissé les grands traits, remet en question l'association étroite entre deux fonctions des systèmes éducatifs : l'enseignement et la reconnaissance des savoirs.

Les individus apprenant de plus en plus en dehors des filières académiques, il revient aux systèmes d'éducation de mettre en place des procédures de reconnaissance des savoirs et savoir-faire acquis dans la vie sociale et professionnelle. À cet effet, des services publics exploitant à grande échelle les technologies du multimédia (tests automatisés, examens sur simulateurs) et du réseau interactif (possibilité de passer des tests ou de faire reconnaître ses

acquis avec l'aide d'orientateurs, de tuteurs et d'examina-
teurs en ligne) pourraient décharger les enseignants et les
institutions éducatives classiques d'une tâche de contrôle
et de validation moins « noble » – mais tout aussi nécessaire – que l'accompagnement des apprentissages. Grâce à
ce grand service décentralisé et ouvert de reconnaissance et
de validation des savoirs, tous les processus, tous les dispositifs d'apprentissage, même les moins formels, pourraient
être sanctionnés par une qualification des individus.

L'évolution du système de *formation* ne peut être disso-
ciée de celle du système de *reconnaissance* des savoirs qui
l'accompagne et le pilote. À titre d'exemple, on sait bien
que ce sont les *examens* qui structurent, en aval, les *programmes d'enseignement*. Utiliser toutes les technologies
nouvelles dans l'éducation et la formation sans rien changer aux mécanismes de validation des apprentissages
revient à gonfler les muscles de l'institution scolaire tout en
bloquant le développement de ses sens et de son cerveau.

Une dérégulation contrôlée du système actuel de
reconnaissance des savoirs pourrait favoriser le développement des formations en alternance et de toutes les *formations accordant une large place à l'expérience professionnelle*.
En autorisant l'invention de modes de validation originaux,
cette dérégulation encouragerait également les *pédagogies
par l'exploration collective*, et toutes les formes d'initiatives
à mi-chemin entre l'expérimentation sociale et la formation explicite.

Une telle évolution ne manquerait pas de produire
d'intéressants effets-retour sur certains modes de formation de type scolaire, souvent bloqués dans des styles de
pédagogie peu aptes à mobiliser l'initiative, uniquement
orientés vers la sanction finale du diplôme.

Dans une perspective encore plus vaste, la dérégulation contrôlée de la reconnaissance des savoirs évoquée ici
stimulerait *une socialisation des fonctions classiques de
l'école*. En effet, elle permettrait à toutes les forces

disponibles de concourir à l'accompagnement de trajets d'apprentissage personnalisé, adaptés aux objectifs et aux besoins divers des individus et des communautés concernés.

Les performances industrielles et commerciales des compagnies, des régions, des grandes zones géopolitiques, sont étroitement corrélées à des *politiques de gestion du savoir*. Connaissances, savoir-faire, compétences sont aujourd'hui la principale source de la richesse des entreprises, des grandes métropoles, des nations. Or on connaît aujourd'hui d'importantes difficultés dans la gestion de ces compétences, tant à l'échelle de petites communautés qu'à celle des régions. Du côté de la demande, on constate une inadéquation croissante entre les compétences disponibles et la demande économique. Du côté de l'offre, un grand nombre de compétences ne sont ni reconnues ni identifiées, et notamment parmi ceux qui n'ont pas de diplôme. Ces phénomènes sont particulièrement sensibles dans les situations de reconversions industrielles ou de retard de développement de régions entières. Parallèlement aux diplômes, *il faut imaginer des modes de reconnaissance des savoirs qui puissent se prêter à une mise en visibilité sur réseau de l'offre de compétence et à un pilotage dynamique rétroactif de l'offre par la demande*. La communication par le cyberespace peut être à cet effet d'un grand secours.

Une fois admis le principe suivant lequel toute acquisition de compétence doit pouvoir donner lieu à une reconnaissance sociale explicite, les problèmes de la gestion des compétences, tant dans l'entreprise qu'à l'échelle des collectivités locales, seront, sinon en voie d'être résolus, au moins atténués.

Je donnerai l'exemple, au chapitre suivant, d'une approche globale de la gestion des compétences qui met en œuvre la philosophie qu'on vient d'exposer en utilisant les ressources des nouveaux instruments de communication interactifs.

CHAPITRE XII

LES ARBRES DE CONNAISSANCES, UN INSTRUMENT POUR L'INTELLIGENCE COLLECTIVE DANS L'ÉDUCATION ET LA FORMATION

Apprentissages permanents et personnalisés par navigation, orientation des apprenants dans un espace du savoir fluctuant et détotalisé, apprentissages coopératifs, intelligence collective au sein de communautés virtuelles, déréglementation partielle des modes de reconnaissance des savoirs, gestion dynamique des compétences en temps réel... ces processus sociaux mettent en acte le nouveau rapport au savoir. Michel Authier et moi-même avons imaginé un dispositif informatisé en réseau qui tend à accompagner, à intégrer et à mettre en synergie de manière positive ces différents processus. Les arbres de connaissances [1] sont une méthode informatisée pour la gestion globale des compétences dans les établissements d'enseignement, les entreprises, les bassins d'emplois, les collectivités locales et les associations. Elle est aujourd'hui expérimentée sur plusieurs terrains en Europe, et particulièrement en France, dans des grandes entreprises comme Électricité de France et PSA (Peugeot et Citroën), dans des entreprises moyennes, des universités, des écoles de

---

1. Les arbres de connaissances, ou arbres de compétences sont une *marque déposée* de la société Trivium SA. Ils poussent grâce au logiciel Gingo ™, développé par cette même société. Voir Michel Authier, Pierre Lévy, *Les Arbres de connaissances*, préface de Michel Serres, Paris, La Découverte, 1992, nouvelle édition 1996, augmentée d'une postface, en poche, chez le même éditeur.

commerce, des collectivités locales (municipalités, région Poitou-Charentes), des cités HLM, etc.

Grâce à cette approche, chaque membre d'une communauté peut faire reconnaître la diversité de ses compétences, même celles qui ne sont pas validées par les systèmes scolaires et universitaires classiques. *Poussant à partir des autodescriptions des individus, un arbre de connaissances rend visible la multiplicité organisée des compétences disponibles dans une communauté.* Il s'agit d'une carte dynamique, consultable sur écran, qui possède effectivement l'aspect d'un arbre, chaque communauté faisant pousser un arbre d'une forme différente.

J'entends par compétences aussi bien les habiletés comportementales (savoir être) que les savoir-faire ou les connaissances théoriques. Chaque compétence élémentaire est reconnue aux individus par l'obtention d'un « brevet », en fonction d'une procédure (test, cooptation par les pairs, fourniture de preuve, etc.) exactement spécifiée.

Lisible sur écran, la carte dynamique des savoir-faire d'un groupe ne résulte pas d'une quelconque classification *a priori* des savoirs : produite *automatiquement* par un logiciel, elle est l'expression, évoluant en temps réel, des parcours d'apprentissage et d'expérience des membres de la collectivité. L'arbre d'une communauté pousse et se transforme au fur et à mesure de l'évolution des compétences de la communauté elle-même.

Ainsi, les brevets des savoirs de base se placeront dans le « tronc ». Les brevets des savoirs très spécialisés de fin de cursus formeront les « feuilles ». Les « branches » réuniront les compétences presque toujours associées dans les listes individuelles de compétences des individus, etc. Mais l'organisation du savoir exprimée par un arbre n'est pas fixée une fois pour toutes, elle reflète l'expérience collective d'un groupe humain et va donc évoluer avec cette expérience. Par exemple, un brevet qui se trouve sur une feuille au temps « t » peut être descendu dans une branche au temps « t+n ». L'arbre, différent pour chaque communauté, ne reflète pas les divisions habituelles en disciplines, en niveaux, en cursus ou selon des découpages institutionnels. Au contraire, le dispositif d'indexation dynamique et de navigation qu'il propose produit un espace du savoir sans séparations, en réorganisation permanente suivant les contextes et les usages.

La représentation en arbre de connaissances permet de repérer par simple inspection la position occupée par tel savoir à un moment donné et les itinéraires d'apprentissages possibles pour accéder à telle ou telle compétence. Chaque individu a une image personnelle (une distribution originale de brevets) dans l'arbre, image qu'il peut consulter à tout moment. Nous avons appelé cette image le « blason » de la personne, pour marquer que la véritable noblesse d'aujourd'hui était conférée par la compétence. Les gens gagnent ainsi une meilleure appréhension de leur situation dans « l'espace du savoir » des communautés auxquelles ils participent et peuvent élaborer, en connaissance de cause, leurs propres stratégies d'apprentissage.

Des *messageries* électroniques « adressées par la connaissance » mettent en relation l'ensemble des offres et des demandes de savoir-faire au sein de la communauté et signalent les disponibilités de formations et d'échange pour chaque compétence élémentaire. Il s'agit donc d'un instrument au service du lien social par l'échange des savoirs et l'emploi des compétences. Toutes les transactions et interrogations enregistrées par le dispositif contribuent à déterminer en permanence la *valeur* (toujours contextuelle) des compétences élémentaires en fonction de différents critères économiques, pédagogiques et sociaux. Cette évaluation continue par l'usage est un mécanisme essentiel d'autorégulation.

Au niveau d'une localité, le système des arbres de compétences peut contribuer à lutter contre l'exclusion et le chômage en reconnaissant les savoir-faire de ceux qui n'ont aucun diplôme, en favorisant une meilleure adaptation de la formation à l'emploi, en stimulant un véritable « marché de la compétence ». Au niveau de réseaux d'écoles et d'universités, le système permet de mettre en œuvre une pédagogie coopérative décloisonnée et personnalisée. Dans une organisation, les arbres de connaissances offrent des instruments de repérage et de mobilisation des savoir-faire, d'évaluation des formations, ainsi qu'une vision stratégique des évolutions et des besoins de compétences.

Permettant à tous les types de dispositifs d'apprentissage de déboucher sur une qualification, le dispositif des « arbres » autorise une meilleure gestion des compétences. De manière complémentaire, en évaluant les signes de compétence en temps réel, la gestion des compétences contribue à valider la qualification. Chaque personne qui s'est autodéfinie en obtenant un certain nombre de signes de compétence devient du même coup accessible sur le réseau. Elle est indexée sur l'espace de navigation et peut donc être contactée pour des échanges de savoirs ou des demandes de compétences. Une amélioration du processus de qualification a donc des effets positifs sur la sociabilité. Cet instrument rend visible en temps réel l'évolution rapide de compétences très diverses. Permettant l'expression de la diversité des compétences, il n'enferme pas les individus dans un métier ou une catégorie, favorisant ainsi le développement personnel continu.

Chaque pays connaît aujourd'hui un système de diplômes et de reconnaissance des savoirs différent. Par ailleurs, à l'intérieur d'un même pays, les diplômes – notoirement insuffisants à cet égard – sont le seul système de représentation des compétences commun à toutes les branches industrielles, à toutes les entreprises et à tous les milieux sociaux. Pour le reste, la plus grande hétérogénéité est de mise. Or le dispositif des arbres de connaissances peut traduire les autres systèmes de reconnaissance des savoirs et *mutualiser* les signes de compétences.

Nectar : un exemple d'utilisation internationale des arbres de connaissances

Au cours des années 1994 et 1995, un projet international utilisant les arbres de connaissances, soutenu par l'Union européenne, fut mené par les départements de Business Administration de cinq universités : l'université d'Aarhus au Danemark, celle de Sienne en Italie, celle de Limerick en Irlande, celle de Lancaster en Angleterre, celle de Genève en Suisse. Le projet, baptisé Nectar (Negociating European Credit Transfer and Recognition), visait à faciliter la circulation des étudiants en Europe par la construction coopérative d'un système commun de reconnaissance des savoirs. En effet, il est actuellement difficile d'établir des équivalences entre diplômes européens et encore plus entre des diplômes d'années, de semestres ou de modules différents. La démarche adoptée fut la suivante. On affecta un certain nombre de brevets à chacun des cours dispensés par les départements universitaires des cinq pays. Ces brevets correspondaient aux compétences normalement acquises par les étudiants ayant suivi l'enseignement avec succès. La « traduction » des cours en brevets, proposée par l'équipe internationale du projet, fut approuvée, et parfois modifiée par l'ensemble des professeurs concernés. On passait ainsi d'une logique de *l'enseignement* à une approche en termes de *compétences acquises* par les étudiants.

Une partie de la difficulté venait de ce que *les découpages disciplinaires, les intitulés des cours et leurs contenus étaient différents* dans les universités participant au projet, mais que *le langage de description des compétences au moyen des brevets* (plus fin, plus « microscopique » que celui des cours) *devait être le même partout.* De manière surprenante, cet objectif fut atteint sans trop de mal, notamment grâce à l'usage d'une conférence électronique en ligne reliant tous les partenaires. Une fois réalisée la transposition des cours en brevets, il fut aisé de faire pousser les arbres de connaissances des universités à partir des enregistrements des résultats de leurs étudiants. L'arbre de chacune des cinq universités pouvait être visualisé indépendamment, mais un « grand arbre » réunissait les étudiants des cinq institutions. Ainsi, chaque étudiant pouvait :

– communiquer avec d'autres étudiants en fonction de leur profil de compétences et des cours qu'ils avaient suivis,

– observer sa position personnelle sur l'arbre commun,

– déterminer le profil de compétence supplémentaire qu'il désirait acquérir,

– consulter en temps réel la description de tous les cours (des cinq universités) *qui lui permettraient le plus aisément de se rapprocher du profil qu'il visait.*

On remarque que l'étudiant est d'abord incité à s'interroger sur les compétences qu'il souhaite acquérir (aidé en cela par l'arbre) et ensuite seulement à consulter les informations sur les enseignements qu'il pourra suivre pour acquérir ces compétences. C'est donc en connaissance de cause qu'il peut choisir de se rendre, par exemple, à Sienne ou à Aarhus, ou de rester à Lancaster le semestre suivant. La messagerie électronique lui permet de demander aux étudiants ayant suivi les cours d'une autre université des renseignements de première main. L'étudiant peut ensuite préparer son voyage en *visualisant la position qu'aura son blason dans sa future université d'accueil.* Les blasons des étudiants ont généralement une position « normale » sur l'arbre de leur université d'origine mais « excentrique » sur l'arbre de l'université d'accueil, auquel ils apportent souvent des compétences nouvelles.

Au cours de ce projet, l'équipe internationale a pu mesurer à quel point les notions de prérequis sont relatives. Par exemple, dans les universités de tradition intellectuelle anglo-saxonne, les brevets signalant les compétences théoriques ou historiques sont généralement en haut de l'arbre (acquises assez tard dans les cursus), tandis que les savoir-faire pratiques et les études de cas se situent plutôt dans les troncs (acquises au début des cursus). Les positions respectives des brevets correspondant à ces compétences étaient inversées dans les arbres des universités de tradition intellectuelle « latine ».

Un des principaux avantages de l'approche validée par le projet Nectar est évidemment l'effet de décloisonnement international et d'optimisation des ressources universitaires. Le même langage (les brevets signalant les compétences) est utilisé partout, mais la spécificité de chaque environnement culturel et institutionnel est respectée, puisque chaque université fait croître un arbre différent, reflétant l'originalité de son organisation des savoirs.

La mobilité est encouragée. Chaque étudiant peut passer d'une collectivité à l'autre, d'un pays à l'autre, en conservant toujours la même liste de brevets qui définit ses compétences : cette liste (éventuellement enrichie par des expériences successives) prendra automatiquement dans chaque arbre une figure et une valeur différentes.

Un système universel sans totalité

Ce qui a pu se faire dans un projet international regroupant cinq pays peut se réaliser a fortiori dans un seul pays ou, encore plus facilement, au sein d'une université, avec les mêmes effets de mise en visibilité globale, d'optimisation des ressources, de décloisonnement, d'incitation aux coopérations transversales et à la mobilité. Il est également possible d'ajouter au blason des étudiants les compétences issues de leur expérience sociale ou professionnelle, de connecter des employeurs sur les arbres des universités, etc. C'est ce qu'ont compris les écoles de commerce et les établissements de recherche et d'enseignement supérieur qui ont opté pour les arbres de connaissances.

On voit tout l'intérêt d'un tel système dans une perspective internationale : il ne s'agit pas d'une normalisation ou d'une réglementation autoritaire des diplômes puisque, dans chaque communauté particulière, les mêmes brevets, les mêmes profils (ensemble de brevets) pourront avoir des positions et des valeurs variables, correspondant aux caractéristiques d'usage et à la culture locale. Et, cependant, chacun pourra passer d'une collectivité à l'autre, d'un pays à l'autre, en conservant toujours la même liste de brevets qui définit ses compétences : cette liste prendra automatiquement dans chaque arbre une figure et une valeur différentes.

Il est possible de fusionner, de diviser, de connecter des arbres, de plonger des petits arbres dans des grands, etc. L'espace des signes de compétences ici proposé peut être généralisé progressivement, par extension et connexion, sans jamais imposer de normes *a priori*. À l'image de la naissante cyberculture, les arbres de connaissances proposent une approche *universelle* (le même dispositif virtuellement utilisable partout et autorisant toutes les formes de coordination, tous les transferts, passages et parcours imaginables), *mais sans totalisation* puisque la nature, l'organisation et la valeur des connaissances ne sont pas figées et restent entre les mains des diverses communautés.

La perspective ici tracée ne nécessite nullement l'appui de décisions centrales et concertées à grande échelle. Tel projet local plus particulièrement centré sur la lutte contre l'exclusion et la socialisation par l'apprentissage peut se

développer ici, tel autre projet axé sur de nouveaux dispositifs de formation et de qualification être mis en place ailleurs. Là, ce sera une initiative concernant plus particulièrement l'indexation dynamique des ressources de
formation. Dans telle entreprise ou dans telle commune on
impulsera une expérience tendant à de nouvelles formes de
gestion des compétences... La convergence, progressive,
toujours fondée sur le volontariat et l'implication des
acteurs intéressés, est cependant assurée à terme par la
cohérence du schéma proposé et son adéquation avec les
figures émergentes du rapport au savoir.

CHAPITRE XIII

LE CYBERESPACE, LA VILLE
ET LA DÉMOCRATIE ÉLECTRONIQUE

Les urbanistes, les architectes et, plus généralement, toutes les personnes concernées par la gestion et l'animation des collectivités locales sont confrontés depuis quelques années à un problème inédit : celui de la prise en compte dans leur métier des nouveaux systèmes de communication interactive en ligne. Comment le développement du cyberespace affecte-t-il l'urbain et l'organisation des territoires ? Quelle démarche active, positive, quels types de projets peut-on mettre en œuvre afin d'exploiter au mieux les nouveaux instruments de communication ? Ces problèmes n'intéressent pas seulement les politiques, urbanistes et aménageurs du territoire : ils concernent au premier chef les citoyens.

Cybercités et démocratie électronique

Le développement du cyberespace sera-t-il l'occasion d'une déconcentration des grands centres urbains, de nouvelles formes de distribution des activités économiques ? À cet égard, il faut d'abord noter que le mouvement actuel vers la constitution et le renforcement de métropoles géantes a fort peu de chances de s'inverser durablement [1]. L'étude des statistiques montre que les plus grandes densités d'accès au cyberespace et d'usage des technologies numériques coïncident avec les principaux foyers mondiaux de la recherche scientifique, de l'activité économique et de la transaction financière. L'effet spontané de l'expansion du cyberespace est d'augmenter les capacités de contrôle stratégique des centres de pouvoir traditionnels sur des réseaux technologiques, économiques et humains de plus en plus vastes et dispersés. Néanmoins, une politique volontariste de la part de pouvoirs publics, de collectivités locales, d'associations de citoyens et de groupes d'entrepreneurs peut mettre le cyberespace au service du développement de régions déshéritées en exploitant au maximum son potentiel d'intelligence collective : mise en valeur des compétences locales, organisation des complémentarités entre ressources et projets, échanges de savoirs et d'expériences, réseaux d'entraide, participation accrue de la population aux décisions politiques, ouverture planétaire à diverses formes d'expertise et de partenariat, etc. Je souligne une nouvelle fois que cet usage du cyberespace ne découle pas automatiquement de la présence d'équipements matériels mais qu'il exige également une profonde réforme des mentalités, des modes d'organisation et des mœurs politiques.

Par ailleurs, plutôt que de se polariser sur le télétravail et la substitution des transports par les télécommunications, une nouvelle orientation des politiques d'aménagement du territoire dans les grandes métropoles pourrait prendre appui sur les potentialités du cyberespace afin d'encourager des dynamiques de reconstitution du lien social, débureaucratiser les administrations, optimiser en temps réel les ressources et les équipements de la ville, expérimenter de nouvelles pratiques démocratiques.

---

1. Voir le remarquable ouvrage de géographie économique de Pierre Veltz, *Mondialisation. Villes et territoires*, Paris, PUF, 1996.

Sur ce dernier point, qui prête souvent à malentendu, je précise que la diffusion des propagandes gouvernementales sur le réseau, le signalement des adresses électroniques des leaders politiques, ou l'organisation de référendums par Internet ne sont que des caricatures de démocratie électronique. La véritable démocratie électronique consiste à encourager autant que possible – grâce aux possibilités de communication interactive et collective offertes par le cyberespace – l'expression et l'élaboration des problèmes de la cité par les citoyens eux-mêmes, l'auto-organisation des communautés locales, la participation aux délibérations des groupes directement concernés par les décisions, la mise en transparence des politiques publiques et son évaluation par les citoyens.

Sur la question des rapports entre ville et cyberespace, plusieurs attitudes sont d'ores et déjà adoptées par différents acteurs, théoriciens comme praticiens. On peut les regrouper en quatre grandes catégories :

– la déclinaison des *analogies* entre les communautés territoriales et les communautés virtuelles,

– le raisonnement en termes de *substitution* ou remplacement des fonctions de la ville classique par les services et ressources techniques du cyberespace,

– *l'assimilation* du cyberespace à un équipement urbain ou territorial classique,

– l'exploration des différents types d'*articulation* entre le fonctionnement urbain et les formes nouvelles d'intelligence collective qui se développent dans le cyberespace.

Je vais critiquer successivement les trois premiers types d'attitude et tenter de montrer en quoi le quatrième, l'exploration des articulations, est le plus riche d'avenir.

L'analogie ou la cité digitale

Doit-on concevoir des communautés virtuelles *sur le modèle de la ville* ? Un des meilleurs exemples de cette pratique est la « cité digitale » d'Amsterdam, service *gratuit* installé sur Internet mais néerlandophone. On trouve dans cette cité digitale une sorte de redoublement des équipements et des institutions de la cité classique : renseignements administratifs, horaires d'ouverture des services municipaux, catalogue des bibliothèques, etc. Diverses associations d'habitants ont également le droit d'occuper un « emplacement » dans la cité digitale. Elles peuvent ainsi diffuser des informations et organiser des conférences électroniques. Des forums de discussion originaux et des sortes de journaux électroniques sont également apparus dans la cité digitale, où les questions de politique locale ne sont évidemment pas absentes. Enfin, il faut signaler que la cité digitale d'Amsterdam est ouverte sur tous les autres services d'Internet : World Wide Web, messagerie, groupes de discussion internationaux, etc. La cité digitale d'Amsterdam connaît depuis son ouverture une croissance ininterrompue et un remarquable succès populaire qui tient sans doute au caractère gratuit (à l'exception du temps de connexion téléphonique), néerlandophone (non anglophone) et *libre* de la communication.

Des dizaines et probablement bientôt des centaines de villes ou de régions dans le monde vont se livrer à des expériences du même type. La « cité virtuelle » d'Amsterdam vaut donc par son caractère exemplaire, et c'est à ce titre que je la discuterai. Les motivations des initiateurs sont de deux ordres. Tout d'abord, il s'agit de « sensibiliser » les dirigeants économiques et politiques aux nouvelles possibilités ouvertes par la communication numérique à grande échelle. Ensuite, le mot d'ordre implicitement mis en œuvre par le projet est celui de « l'accès à tous », sous-entendant lutte contre l'exclusion et compensation des déséquilibres entre les « info-riches » et les « info-pauvres ». Loin de moi l'idée de condamner ce type d'expérimentation et ses présupposés ! Et cependant, je ne peux me départir d'un certain malaise devant le redoublement systématique du territorial institutionnel dans le virtuel, que l'on observe d'ailleurs un peu partout.

Les « musées virtuels », par exemple, ne sont souvent que des mauvais catalogues sur Internet, alors que c'est la notion même de musée en tant que « fonds » que l'on « conserve », qui est mise en question par le développement d'un cyberespace où tout circule avec une fluidité croissante et où les distinctions entre original et copie n'ont évidemment plus cours. Plutôt que la reproduction des expositions classiques sur des « sites Web » ou des bornes interactives, on pourrait concevoir des parcours personnalisés ou bien constamment réélaborés par les navigations collectives dans des espaces totalement déliés de toute collection matérielle. Plus pertinent encore serait l'encouragement à de nouveaux types d'œuvres : espaces virtuels à investir et à actualiser par ses explorateurs.

De même, on trouve des magazines ou des journaux classiques sur des services en ligne, avec juste un peu plus d'informations que sur le papier, des indexations automatiques et des forums de discussion qui ne sont qu'une forme améliorée de courrier des lecteurs. Pourtant, c'est la structure même de la communication médiatique – un groupe d'émetteurs central et un public de récepteurs passifs et dispersés – qui devrait être remise en question dans le cyberespace. Si chacun peut émettre pour plusieurs, participer à des forums de débats entre experts et filtrer le déluge informationnel suivant ses propres critères (ce qui commence à devenir techniquement possible), est-il encore nécessaire, pour se tenir au courant, de faire appel à ces

spécialistes du rabotage au plus petit commun dénominateur que sont les journalistes classiques ?

Ainsi, la duplication des formes institutionnelles habituelles dans le cyberespace et « l'accès de tous » à ce reflet
ne peuvent tenir lieu de politique générale des relations
entre le cyberespace et le territoire. Même si des expériences comme celles de la cité digitale d'Amsterdam sont
indispensables, elles ne doivent être qu'une étape transi-
toire vers une remise en question des formes institutionnelles classiques de l'administration municipale, des
journaux locaux, des musées, des écoles, etc. Dans chaque
cas particulier, les instruments du cyberespace permettent
d'aller vers des formes qui atténuent la *séparation* entre
administrateurs et administrés, enseignants et enseignés,
commissaires d'exposition et visiteurs, auteurs et lecteurs,
etc. Ces nouvelles formes d'organisation coopérative,
aujourd'hui explorées dans de nombreux dispositifs locaux
ou internationaux du cyberespace, ont pour principal
caractère de *valoriser* et de *mutualiser* l'intelligence partout
distribuée dans les communautés connectées et de la
mettre en synergie en temps réel.

La substitution

Le thème de la *substitution* est aujourd'hui principalement mis en avant par les « aménageurs du territoire ».
L'argument est simple. Les nouveaux instruments de travail coopératif en ligne permettent de participer à la vie
économique internationale de chez soi ou à partir de
centres de proximité. Dès lors, pour un grand nombre
d'activités, il n'est plus nécessaire de se déplacer physiquement. Les bénéfices sont nombreux : désengorgement des
centres urbains, amélioration de la circulation automobile,

diminution de la pollution, meilleure répartition des populations sur les territoires, espoir d'une revivification des zones touchées par la désertification et le chômage de masse, amélioration de la qualité de vie. Un calcul économique élémentaire montre que le coût social global de la téléconférence est inférieur à celui du voyage effectif, qu'un poste de télétravail est moins onéreux que quelques mètres carrés de bureau en ville, etc.

Le raisonnement mené sur le travail peut également se tenir, en des termes presque identiques, sur l'éducation supérieure et la formation professionnelle. Pourquoi construire des universités en béton plutôt qu'encourager le développement de télé-universités et de systèmes d'apprentissage interactifs et coopératifs accessibles de tous les points du territoire ? J'ai moi-même développé de tels arguments dans le chapitre sur l'enseignement ouvert et à distance.

Je ne critiquerai pas les excellentes intentions qui président au thème du remplacement du transport et de la présence physiques par la téléprésence et la télécommunication interactive. Je voudrais en revanche attirer l'attention sur quelques faits.

Tout d'abord, une simple inspection des courbes montre que le développement des télécommunications est parallèle à celui des transports physiques : la relation entre les deux est directe au lieu d'être inverse. Autrement dit : plus on communique, plus on se déplace. Il existe évidemment de nombreux cas de substitutions, mais ils interviennent dans une dynamique de croissance globale des interactions et relations de toutes sortes, si bien qu'en fin de compte on voyage de plus en plus et que la longueur moyenne des déplacements augmente.

Les principaux télétravailleurs sont aujourd'hui les commerciaux, cadres supérieurs, scientifiques et intellectuels indépendants qui, grâce aux services du cyberespace et aux terminaux de communication et de traitement nomades dont ils disposent, *voyagent encore plus que par le passé* tout en restant en contact constant avec leurs bureaux, laboratoires, clients ou employeurs.

Quant à la perspective de vivre et de travailler au pays, il faut remarquer que la délocalisation croissante des activités économiques est, là encore, parallèle à un mouvement international d'augmentation du volume des migrations, qu'elles soient d'origine économique ou politique ou encore causées par des guerres. La croissance des flux migratoires touche autant les scientifiques que les travailleurs dits faiblement qualifiés. La mobilité des activités économiques et celle des populations participent de la même tendance historique lourde à la déterritorialisation : elles ne sont pas mutuellement substituables.

Eu égard aux espoirs mis dans un « aménagement du territoire » fondé sur le télétravail et l'apprentissage à distance, les phénomènes de délocalisation dus à l'usage croissant du cyberespace sont parfaitement ambivalents. En effet, les délocalisations peuvent se faire, par exemple, au profit de régions européennes touchées par la désindustrialisation ou l'exode rural, mais elles peuvent tout aussi bien accélérer les phénomènes de désertification de ces régions au profit de pays neufs dont les coûts de main-d'œuvre sont moindres et dont la législation sociale est peu contraignante. C'est ainsi que de nombreux travaux de saisie ou de programmation pour des entreprises des pays du Nord sont accomplis par des « télétravailleurs » asiatiques. Par ailleurs, les entreprises de formation à distance, les téléuniversités et les services de formation ou d'éducation en ligne visent désormais le marché international. Souvent originaires des pays du Nord, ces entreprises commencent à court-circuiter les systèmes d'éducation nationaux ou régionaux, avec toutes les implications économiques et culturelles que l'on imagine. Loin de rétablir les équilibres entre zones géographiques, l'usage croissant du cyberespace peut accentuer encore les disparités régionales.

Le cyberespace est effectivement un puissant facteur de déconcentration et de délocalisation, mais il n'élimine pas pour autant les « centres ». Spontanément, son principal effet serait plutôt de rendre les intermédiaires obsolètes et d'augmenter les capacités de contrôle et de mobilisation *directe* des noyaux de pouvoir sur les ressources, les compétences et les marchés, où qu'ils se trouvent.

Je fais l'hypothèse qu'un véritable rééquilibrage des régions ne s'atteindra que par un encouragement volontariste des initiatives et des dynamiques régionales qui soient *à la fois* endogènes et ouvertes sur le monde. De nouveau, la condition nécessaire est de valoriser et de mettre en synergie les compétences, les ressources et les projets locaux plutôt que de les soumettre unilatéralement aux critères, aux besoins et aux stratégies des centres géopolitiques et géoéconomiques dominants. L'aménagement du territoire passe par celui du lien social et de l'intelligence collective. Les réseaux de communication interactive ne sont que des outils au service d'une telle politique. Les instruments du cyberespace, s'ils renforcent tout naturellement le pouvoir des « centres », auxquels ils confèrent la faculté d'ubiquité, peuvent aussi supporter des stratégies fines de constitution de groupes régionaux en acteurs auto-organisés. Des dispositifs informatisés d'écoute mutuelle, de mise en visibilité des ressources, de coopération et d'évaluation en temps réel des décisions peuvent puissamment renforcer les mécanismes démocratiques et les initiatives économiques dans les régions défavorisées.

Quant aux problèmes contemporains de l'urbain, ce ne sont probablement pas les aimables projets de ville à la campagne ou de fixation plus ou moins autoritaire des populations sur des territoires ruraux quadrillés par des équipements de « télétravail » qui les résoudront. Les politiques de logements sociaux, d'aménagement des transports, de limitation de la circulation automobile, l'encouragement de la voiture électrique, la lutte contre les inégalités sociales, la misère et les ghettos restent indispensables, indépendamment de tout appel aux instruments du cyberespace. Je ne suis évidemment pas hostile à un télétravail qui finira par se développer même en l'absence d'incitation officielle. Mais, dans la perspective qui est la nôtre, les réseaux de communication interactive devraient plutôt servir en priorité la reconstitution de la sociabilité urbaine, l'autogestion de la cité par ses habitants et le pilotage en temps réel des équipements collectifs plutôt que se *substituer* à la diversité concentrée, aux rapprochements physiques et aux échanges humains directs qui constituent, plus que jamais, le principal attrait des villes.

L'assimilation,
critique des autoroutes de l'information

La troisième manière d'envisager les rapports entre le cyberespace et la ville est *l'assimilation* des réseaux de communication interactive au type d'infrastructure qui organise et « urbanise » déjà le territoire : voies ferrées, autoroutes, réseaux de transport de l'eau, du gaz, de l'électricité, réseaux de télévision par câble ou réseaux de téléphone. Une telle assimilation, qui soutient évidemment certains intérêts bien compris, est le fait d'une partie de la technocratie politico-administrative ainsi que des dirigeants et « communicateurs » des grandes entreprises industrielles concernées.

Dans cette perspective, les « autoroutes de l'information » ou « le multimédia » représentent essentiellement un nouveau *marché* d'équipement, de « contenus » et de services que se disputent âprement les industriels du téléphone, du câble, de la télévision, de l'édition et de l'informatique. Les journaux essaient désespérément de nous intéresser à ces batailles titanesques. Mais, s'il ne possède pas d'actions dans les entreprises en question, en quoi concernent-elles le citoyen ? Câble ou téléphone ? Télévision ou ordinateur ? Fibre optique ou sans-fil ? Il ne s'agit la plupart du temps que de savoir qui empochera les bénéfices et trop rarement d'un débat de société ou d'orientation culturelle.

L'expression « autoroute de l'information » a été employée d'abord au sujet du projet de National Information Infrastructure (NII) lancé par le gouvernement des États-Unis. Ce projet prévoit certes un investissement public modeste (quatre cents millions de dollars) pour la construction de réseaux en fibres optiques. Mais il veut d'abord créer les conditions légales et réglementaires nécessaires au développement de services de communication inédits dans le domaine de l'éducation et de la santé ; un cadre réglementaire capable surtout d'accompagner l'extension rapide d'un nouveau marché de la communication numérique interactive. En effet, les lois antitrust, les droits d'exploitation des réseaux, les diverses limitations imposées tant aux câblo-opérateurs de télévision qu'aux compagnies de téléphone à l'époque où les médias étaient nettement distingués, tout cela doit être mis à jour en fonction des nouvelles données techniques, dans la perspective contemporaine de convergence de la communication numérisée.

L'expression « autoroute de l'information » est malheureuse à plusieurs égards. Elle laisse entendre que le nouveau système de communication reste à construire, alors qu'il est déjà largement en usage, et ce parfois depuis le début des années quatre-vingt. L'accès à des banques de données, à des conférences électroniques, à l'enseignement à distance, le téléachat fonctionnent aujourd'hui quotidiennement sur Internet ou sur le Minitel français. Il est vrai que les canaux de communication devront suivre l'augmentation du trafic et de la demande (s'il y en a) de communication par image vidéo interactive. Mais cette augmentation des débits s'inscrit dans une tendance ancienne et continue. Le véritable événement, le passage du seuil est *antérieur* au lancement du projet gouvernemental américain : c'est le début de la croissance exponentielle des usagers Internet, qui se situe entre 1988 et 1991. Le projet du gouvernement américain doit être considéré comme une *réponse* à ce phénomène social d'extension de la « cyberculture », comparable à celui qui a porté la première explosion de la micro-informatique à la fin des années soixante-dix et au début des années quatre-vingt.

De plus, cette expression connote uniquement le débit de transmission, l'infrastructure physique de la communication, alors que, du point de vue social, culturel et politique qui nous importe ici, et qui intéresse prioritairement les citoyens, les *supports techniques* n'ont d'importance que dans la mesure où ils conditionnent les *pratiques* de communication. Les nouveaux modes de communication et d'accès à l'information se définissent par leur caractère différencié et personnalisable, leur réciprocité, un style de navigation transversal et hypertextuel, la participation à des communautés et à des mondes virtuels variés, etc. Rien de tout cela ne transparaît dans la métaphore de l'autoroute, qui n'évoque que le transport d'information, ou une communication de masse étroitement canalisée, plutôt que la relation interactive et la création de communauté.

Le terme de cyberespace, en revanche, indique clairement l'ouverture d'un espace de communication qualitativement différent de ceux que nous connaissions avant les années quatre-vingt. Il me semble linguistiquement et conceptuellement mieux venu que « multimédia » ou « autoroutes de l'information ». La compréhension de ce qu'est et de *ce que pourrait devenir* le cyberespace est le principal objet de ce rapport.

L'approche du cyberespace par assimilation à une infrastructure technique masque souvent ce fait capital que, pour la communication numérique interactive, les réseaux fonctionnels sont indépendants des réseaux physiques. Autrement dit, un système de communication interactive, parfaitement cohérent et fiable, peut passer par une quantité indéterminée de supports (hertzien, téléphonique classique, câble coaxial, etc.) et de systèmes de codage (numérique, analogique), moyennant les interfaces et traducteurs appropriés. Aujourd'hui, la communication numérique interactive croît exponentiellement en utilisant toute une gamme d'infrastructures hétérogènes *déjà existantes*. L'augmentation des capacités de transmission des canaux, qui se poursuit régulièrement, n'est qu'une des clés de la croissance du trafic. Les algorithmes de compression et décompression des données, qui font appel aux capacités de calcul autonomes des terminaux intelligents du réseau (les ordinateurs), représentent la seconde voie, complémentaire, de l'augmentation des débits de communication.

Le point capital est que le cyberespace, interconnexion des ordinateurs de la planète et dispositif de communication à la fois collectif et interactif, n'est pas une infrastructure : c'est une certaine manière de se servir des infrastructures existantes et d'en exploiter les ressources en faisant appel à une inventivité distribuée et incessante qui est indissociablement sociale et technique.

Certains opérateurs de réseaux s'imaginent avoir atteint le fin du fin de l'attitude éclairée en déclarant que « l'essentiel, ce sera le contenu ». Mais la séparation convenue entre les « tuyaux » et le « contenu » n'est évidemment qu'un partage du *marché* (vendez vos informations, nous facturons nos services). Internet, pour ne prendre que cet exemple illustre, s'est construit de manière progressive et interactive sans séparation du contenu et du réseau. Une part importante des fichiers circulant dans le réseau concernait des logiciels destinés à améliorer le système. Surtout, au-delà des tuyaux et des contenus, le principal objet du réseau était, est encore, la méga-communauté ou les innombrables microcommunautés qui le font vivre. Le nerf du cyberespace n'est pas la consommation d'informations ou de services interactifs mais la participation à un processus social d'intelligence collective.

En assimilant le cyberespace à une infrastructure, on recouvre un mouvement social par un programme industriel. Mouvement social, en effet, car la croissance de la communication numérique interactive n'a été décidée par aucune multinationale, aucun gouvernement. Certes, l'État américain a joué un rôle de support important, mais il n'a en aucun cas été le moteur du mouvement de jeunes citadins diplômés, spontané et international qui a explosé à la fin des années quatre-vingt. À côté de fonds publics et de services payants offerts par des société privées, l'extension du cyberespace repose largement sur le travail bénévole de milliers de personnes appartenant à des centaines d'institutions différentes et à des dizaines de pays, sur une base de fonctionnement coopératif.

La manière même dont il s'est développé nous suggère que le cyberespace n'est pas une infrastructure territoriale et industrielle classique, mais un processus technosocial auto-organisateur, finalisé à court terme par un impératif catégorique de connexion (l'interconnexion est un but en soi) qui vise plus ou moins clairement un idéal d'intelligence collective d'ores et déjà largement mis en pratique.

La relation entre le cyberespace et la ville, entre l'intelligence collective et le territoire, appelle prioritairement l'imagination politique.

L'articulation

Ni simple analogie, ni substitution, ni assimilation, la perspective que je propose consiste à penser *l'articulation* de deux espaces qualitativement très différents, celui du territoire et celui de l'intelligence collective.

Le territoire se définit par ses limites et son centre. Il est organisé par des systèmes de proximités physiques ou géographiques. En revanche, chaque point du cyberespace est en principe coprésent à n'importe quel autre, et les déplacements peuvent s'y faire à la vitesse de la lumière. Mais la différence entre les deux espaces ne tient pas seulement à des propriétés physiques et topologiques. Ce sont également des qualités de processus sociaux qui s'opposent. Les institutions territoriales sont plutôt hiérarchiques et rigides, tandis que les pratiques des cybernautes ont tendance à privilégier les modes de relation transversaux et la fluidité des structures. Les organisations politiques territoriales reposent sur la représentation et la délégation, alors que les possibilités techniques du cyberespace rendraient des formes inédites de démocratie directe à grande échelle aisément praticables, etc.

Afin de couper court immédiatement aux malentendus sur la « démocratie électronique », précisons de nouveau qu'il ne s'agit pas de faire voter instantanément des masses de gens *séparés* sur des propositions simples qui leur seraient soumises par quelque démagogue télégénique, mais d'inciter à l'élaboration collective et continue des problèmes et à leur résolution coopérative, concrète, au plus près des groupes concernés.

Articuler les deux espaces ne consiste pas à *éliminer* les formes territoriales pour les *remplacer* par un style de fonctionnement cyberspatial. Cela vise à compenser, autant que faire se peut, la lenteur, l'inertie, la rigidité inéliminable du territoire par sa mise en visibilité en temps réel dans le cyberespace et à permettre la résolution et surtout l'élaboration des problèmes de la ville par une mise en commun des compétences, des ressources et des idées.

Choisir l'intelligence collective ne demande pas seulement un changement de fonctionnement de la ville ou de la région et de leurs institutions, cela implique aussi que l'on aménage des fonctions du cyberespace spécialement conçues dans cette perspective. Voici quelques exemples en vrac, dont la liste n'est évidemment pas close :

– représentation dynamique des ressources et des flux de tous ordres,

– places virtuelles de rencontres entre offres de compétences, offres d'emplois et offres de formation,

– « tableaux de bord » écologiques, économiques, pédagogiques, sanitaires et autres, lisibles par tout un chacun et alimentés directement par les variables physiques ou les activités elles-mêmes grâce à des capteurs (respectant l'anonymat des usagers) largement distribués,

– pilotage des systèmes de transport et de communication basé sur la rétroaction en temps réel de l'ensemble des usagers,

– systèmes d'évaluation des équipements et des services par les usagers (fréquentation, avis, suggestions) accompagnés d'une mise en transparence des allocations budgétaires, ce qui revient à préférer la mesure de l'utilité sociale par la société plutôt que par des experts.

Chacun de ces instruments devrait être accompagné de conférences électroniques permettant la confrontation des interprétations contradictoires, la suggestion argumentée d'améliorations et l'échange d'informations et de services mutuels entre les habitants. Ce projet du cyberespace au profit de l'intelligence collective vise à rendre autant que possible les groupes humains *conscients de ce qu'ils font ensemble* et à leur donner des moyens pratiques de se coordonner afin de poser et de résoudre les problèmes dans une logique de proximité et d'implication.

Accès à tous, oui ! Mais il ne faut pas comprendre par là un « accès au matériel », le simple branchement technique qui, dans peu de temps, sera d'ailleurs fort bon marché, ni même un « accès au contenu » (consommation d'informations ou de connaissances diffusées par des spécialistes). Entendons plutôt un accès de tous aux processus d'intelligence collective, c'est-à-dire au cyberespace comme système ouvert d'autocartographie dynamique du réel, d'expression des singularités, d'élaboration des problèmes, de tissage du lien social par l'apprentissage réciproque et de libre navigation dans les savoirs. La perspective ici dessinée n'incite nullement à quitter le territoire pour se perdre dans le « virtuel », ni à ce que l'un des deux « imite » l'autre, mais plutôt à utiliser le virtuel pour habiter mieux encore le territoire, pour en devenir citoyens à part entière.

Nous « habitons » tous les milieux avec lesquels nous sommes en interaction. Nous habitons (ou habiterons) donc le cyberespace au même titre que la ville géographique et comme une part capitale de notre environnement global de vie. L'aménagement du cyberespace relève bien d'une forme particulière d'urbanisme ou d'architecture, non physique, dont l'importance ne fera que croître. Cependant, l'architecture suprême relève du politique : elle concerne l'articulation et le rôle respectif des différents espaces. Mettre l'intelligence collective au poste de commandement, c'est choisir de nouveau la démocratie, la réactualiser en exploitant les potentialités les plus positives des nouveaux systèmes de communication.

PROBLÈMES

CHAPITRE XIV

CONFLITS D'INTÉRÊTS
ET DIVERSITÉ DES POINTS DE VUE

En dehors des grandes tendances à la virtualisation et à l'universalisation qui ont déjà été évoquées, il n'y a pas d'« impact » automatique ou prédéterminé des nouvelles technologies sur la société et la culture. Outre l'indétermination foncière des processus socio-historiques, il faut remarquer que de nombreux intérêts et projets contradictoires s'affrontent sur le chantier de la cyberculture. Le thème des conflits, de la diversité des intérêts et des points de vue, des critiques et des contre-critiques de la cyberculture sera particulièrement développé dans cette troisième partie.

Les États s'affrontent entre eux afin de faire prévaloir leurs champions industriels et leurs cultures nationales. Ce conflit se double d'une opposition entre, d'une part, les intérêts propres des États, liés à leur souveraineté et à leur territorialité, et, d'autre part, le caractère déterritorialisant et ubiquitaire du cyberespace. Les enjeux de la censure et de la cryptographie – surtout depuis que tout un chacun peut chiffrer ses messages sur Internet de manière inviolable – mettent bien en évidence l'opposition entre la logique étatique et celle de la cyberculture.

On sait que le cyberespace constitue un immense champ de bataille pour les industriels de la communication et du logiciel. Mais la guerre qui oppose quelques grandes forces économiques ne doit pas masquer celle qui fait s'affronter une vision purement consommatoire du cyberespace, celle des industriels et des marchands – le réseau comme supermarché planétaire et télévision interactive –, et une autre vision, celle du mouvement social qui porte la cyberculture, inspirée par le développement des échanges de savoirs, des nouvelles formes de coopération et de création collective dans des mondes virtuels.

Le meilleur usage que l'on puisse faire des instruments de communication à support numérique est, à mon avis, la conjugaison efficace des intelligences et des imaginations humaines. L'intelligence collective est une intelligence variée, partout distribuée, sans cesse valorisée, mise en synergie en temps réel, qui aboutit à une mobilisation optimale des compétences. Telle que je l'entends, la finalité de l'intelligence collective est de mettre les ressources de larges collectivités au service des personnes et des petits groupes – et non l'inverse. C'est donc un projet fondamentalement humaniste, qui reprend à son compte, avec les instruments d'aujourd'hui, les grands idéaux d'émancipation de la philosophie des lumières. Néanmoins, plusieurs versions du projet de l'intelligence collective ont été défendues, qui ne vont pas toutes dans la direction que je viens d'esquisser. De plus, parce que son efficacité contribue à accélérer la mutation en cours et à isoler ou à exclure d'autant plus ceux qui n'y participeraient pas, l'intelligence collective est un projet ambivalent. Il reste néanmoins le seul programme général visant explicitement le bien public et le développement humain qui soit à la hauteur des enjeux de la naissante cyberculture.

Ouverture du devenir technologique

Je soutenais dans le chapitre sur l'« impact » prétendu des nouvelles technologies que, même si la société n'était pas déterminée par l'évolution des techniques, le destin de la cyberculture n'était pas non plus complètement disponible pour les interprétations et des projets d'acteurs souverains. D'une part, il est impossible pour un acteur, fût-il très puissant, de maîtriser, ou même de connaître l'ensemble des facteurs qui concourent à l'émergence de la technoculture contemporaine, et cela d'autant plus que de nouvelles idées, de nouvelles pratiques, de nouvelles techniques ne cessent de surgir des lieux les plus inattendus. D'autre part, le devenir de la cyberculture n'est tout simplement pas maîtrisable parce que, la plupart du temps, *plusieurs acteurs, plusieurs projets, plusieurs interprétations sont en conflit*.

L'accélération du changement, la virtualisation, l'universalisation sans clôture sont des tendances de fond, très probablement irréversibles, que nous devons intégrer à tous nos raisonnements et à toutes nos décisions. En revanche, la manière dont ces tendances vont s'incarner et se répercuter dans la vie économique, politique et sociale reste indéterminée.

La lutte des forces et des projets en présence nous interdit l'illusion de la disponibilité totale de la technique. En plus des contraintes économiques et matérielles qui les limitent, nos projets doivent composer avec *des projets rivaux*. Mais le fait même qu'il y ait conflit nous confirme le caractère *ouvert* du devenir technologique et de ses implications sociales.

On peut mettre en place un réseau de communication informatisé dans une entreprise de telle sorte que soit maintenu, ou même renforcé, un fonctionnement hiérarchique et cloisonné. Mais on peut aussi profiter de l'occasion pour favoriser les communications transversales, valoriser les compétences disponibles, initier de nouvelles formes de coopération, encourager l'accès de tous à l'expression publique et mettre en place des systèmes de « mémoire d'entreprise » incitant au cumul et au partage d'expériences. Tous deux techniquement faisables, les projets opposés seront portés par des groupes différents et donneront lieu à des luttes de pouvoir et à des compromis.

Dans une école, on peut limiter le réseau de communication à l'établissement et favoriser en priorité l'usage de logiciels d'enseignement assisté par ordinateur. On peut aussi ouvrir le réseau local sur Internet et encourager les achats matériels et logiciels propres à soutenir l'autonomie et les capacités de collaboration des élèves. Ici encore, des projets pédagogiques contradictoires (recouvrant peut-être des conflits de fractions au sein de l'institution) pourront se traduire par des configurations techniques différentes.

Le point de vue des commerçants et l'avènement du marché absolu

À grande échelle, le devenir du cyberespace est également l'enjeu de projets et d'intérêts en lutte. Pour les uns, ses inventeurs et premiers promoteurs, le réseau est un espace de libre communication interactive et communautaire, un instrument mondial d'intelligence collective. Pour d'autres, comme Bill Gates, le P-DG de Microsoft, le cyberespace doit devenir un immense marché planétaire et transparent de biens et de services. Ce projet poursuit l'avènement du « véritable libéralisme », tel qu'il a été imaginé par les pères de l'économie politique, puisqu'il exploiterait la possibilité technique de supprimer les intermédiaires et de rendre l'information sur les produits et les prix presque parfaite pour l'ensemble des acteurs du marché, producteurs et consommateurs.

Pour d'autres encore, vendeurs de « contenu » de tout acabit (majors d'Hollywood, chaînes de télévision, distributeurs de jeux vidéo, fournisseurs de données, etc.), le cyberespace aurait vocation à accueillir une sorte de banque de données universelle où l'on pourrait trouver et consommer, moyennant finance, tous les messages, toutes les informations, tous les programmes, toutes les images, tous les jeux imaginables.

Pour les grands acteurs économiques, opérateurs de télécommunication ou vendeurs d'informations, de programmes et de services, les grandes questions tournent autour du marché. Y a-t-il un public désireux de consommer tel service ? Quel sera le chiffre d'affaires global pour telle catégorie d'information ? À quelle date ? Les cabinets d'études, travaillant dans l'optique de leurs clients, ne posent quasiment que ce type de problèmes. Inutile de souligner l'étroitesse de ce point de vue, même s'il possède évidemment sa part de légitimité.

Si Bill Gates, avec d'autres, interprète le cyberespace comme un centre commercial à l'échelle mondiale réalisant le stade ultime du libéralisme économique, c'est évidemment parce qu'il vend des outils d'accès au supermarché virtuel et les instruments de transaction qui lui correspondent. Derrière l'interprétation marchande du cyberespace pointe le projet de redéfinition du marché au profit d'acteurs maîtrisant certaines technologies et au détriment (au moins dans le cyberespace) des intermédiaires économiques et financiers habituels, y compris les banques. Les petits producteurs et les consommateurs, qui peuvent trouver leur compte à la transparence du cybermarché, sont invités à partager à la fois ce projet et la lecture des phénomènes qu'il commande.

Le point de vue des médias : comment faire du sensationnel avec le Net ?

Un autre point de vue, un autre puissant pourvoyeur d'interprétations sur la cyberculture est le système des médias de masse. La télévision et la grande presse ont long-temps présenté le cyberespace en titrant sur son infiltra-tion par les services secrets et la mafia, en ameutant le public sur les réseaux de pornographie pédophile qu'il abrite, sur les incitations au terrorisme ou au nazisme qu'on trouve sur tel ou tel site Web, sans oublier de faire fantasmer sur le cybersexe. Arrêtons-nous un instant sur ce dernier point. On appelle « cybersexe » une relation sexuelle à distance par l'intermédiaire du réseau et de combinaisons de réalité virtuelle comprenant lunettes sté-réoscopiques, capteurs de mouvements et palpeurs sur les zones érogènes. Une sorte de télémasturbation réciproque utilisant des équipements d'allure sadomaso. Or, sauf dans quelques démonstrations au cours de salons tech-nologiques spécialisés ou dans certaines installations d'artistes, qui se déroulent d'ailleurs au moyen d'équipe-ments fort coûteux et toujours en public, *personne* ne pra-tique le cybersexe. Cela n'empêche pas les journalistes de continuer à en parler et quelques penseurs réputés de noir-cir à son sujet des dizaines de pages navrées. Contraire-ment au cybersexe, la mafia, les terroristes et les photos pour pédophiles existent bel et bien sur le réseau (comme ils existent ailleurs), même si c'est de manière très minori-taire. Mais les truands, les terroristes et les pédophiles uti-lisent les avions, les autoroutes et le téléphone (qui accroissent évidemment leur champ d'action) sans qu'on s'avise pour autant d'associer ces réseaux technologiques à la criminalité.

Le point de vue propagé par les médias est dicté par leur intérêt. Pour intéresser, ils doivent annoncer des nou-velles sensationnelles, montrer des images spectaculaires. Or le cyberespace s'y prête particulièrement mal puisqu'il abrite essentiellement des processus de lecture et d'écriture collectifs, distribués et asynchrones. Il n'y a rien à voir, rien à montrer. Filmez quelqu'un en train de lire puis, plus tard, une personne qui écrit, puis encore une autre personne qui lit, etc. : le spectateur a déjà zappé depuis longtemps. On ne peut comprendre ou goûter ce qui se trame dans le cyberespace qu'en y participant activement, ou alors en écoutant les récits de personnes intégrées dans des communautés virtuelles ou « surfant sur le Net » et qui raconteront leurs histoires de lecture et d'écriture. De la littérature épistolaire : voilà qui ne convient pas aux heures de grande écoute. La réalité n'étant pas assez sensationnelle, on parle donc de terrorisme, de mafia, de cybersexe, etc.

Mais la connotation négative ou angoissante de la présentation du réseau par certains médias vient aussi de ce que, comme je l'ai déjà souligné à maintes reprises, le cyberespace est précisément une *alternative* aux médias de masse classiques. En effet, il permet aux individus et aux groupes de trouver les informations qui les intéressent et de diffuser leur version des faits (y compris au moyen d'images) sans passer par l'intermédiaire des journalistes. Le cyberespace encourage un échange réciproque et communautaire alors que les médias classiques mettent en œuvre une communication unidirectionnelle où les récepteurs sont isolés les uns des autres. Il existe donc une sorte d'antinomie, ou d'opposition de principe, entre les médias et la cyberculture, qui explique le reflet déformé que l'un offre de l'autre au public. Cela n'empêche évidemment pas certains journalistes d'utiliser avec passion toutes les ressources d'Internet et n'interdit nullement à la plupart des grands médias de proposer une version en ligne de leurs services.

Le point de vue des États :
contrôle des flux transfrontières, cryptographie,
défense de l'industrie et de la culture nationales

Les États ont encore d'autres points de vue, plus ou moins vastes et compréhensifs, sur l'émergence du cyberespace. L'approche la plus étroite pose les problèmes en termes de souveraineté et de territorialité. En effet, le cyberespace est déterritorialisant par nature, tandis que l'État moderne repose notamment sur la notion de territoire. Par l'intermédiaire du réseau, des *biens* informationnels (programmes informatiques, données, renseignements, œuvres de toute nature) peuvent transiter instantanément d'un point à l'autre de la planète numérique sans être filtrés par la moindre douane. Des *services* financiers, médicaux, juridiques, d'éducation à distance, de conseil, de recherche et développement, de traitement de données peuvent également être rendus à des « nationaux » par des entreprises ou des institutions étrangères (ou *vice versa*) de manière instantanée, efficace et quasiment invisible. L'État perd ainsi le contrôle sur une part de plus en plus importante des flux économiques et informationnels transfrontières.

Par ailleurs, les législations nationales ne s'appliquent évidemment qu'à l'intérieur des frontières des États. Or le cyberespace permet de contourner très simplement les lois concernant l'information et la communication (censure, droits d'auteur, associations interdites, etc.). En effet, il suffit qu'un centre serveur délivrant les informations incriminées ou organisant la communication prohibée soit installé dans un quelconque « paradis de données », aux antipodes ou de l'autre côté de la frontière, pour être hors d'atteinte de la juridiction nationale. Comme les sujets d'un État peuvent se connecter à n'importe quel serveur dans le monde, pourvu qu'ils aient accès à un ordinateur branché sur une ligne de téléphone, tout se passe comme si les lois nationales concernant l'information et la communication devenaient inapplicables.

La cryptographie sur le réseau est un autre thème intéressant directement la souveraineté des États. En 1991, l'Américain aux convictions politiques anarchisantes Phil Zimmermann mettait au point le logiciel PGP (Pretty Good Privacy ou « plutôt bonne intimité »). PGP permet à deux correspondants du réseau de s'identifier à coup sûr et de chiffrer leurs messages de manière *inviolable* – même par les logiciels les plus perfectionnés tournant sur des super-calculateurs. PGP est peu onéreux et relativement facile à utiliser. Il intègre les derniers progrès en matière de cryptologie, qui est la science mathématique du chiffrement et du déchiffrement des messages. Diffusée sur le réseau, la première version (gratuite) du logiciel connut immédiatement un grand succès et fut copiée à des milliers d'exemplaires dans le monde en quelques jours. PGP met entre les mains de n'importe quel individu un pouvoir (le secret absolu de la communication) qui était auparavant le privilège exclusif des armées les plus puissantes. De plus, il soustrait les citoyens au contrôle des communications (ouverture des lettres, écoutes téléphoniques, interception de messages numériques) que toutes les polices, même celles des États les plus démocratiques, ont pratiqué et pratiquent encore, que ce soit pour des raisons politiques (terreur totalitaire, surveillance des opposants, lutte antiterroriste) ou afin de lutter contre le banditisme et le crime organisé.

Les États voient évidemment dans la « démocratisation » de puissants instruments de cryptage une atteinte à leur souveraineté et à leur sûreté. C'est ainsi que le gouvernement des États-Unis a tenté *d'imposer* comme standard un système de cryptage *dont ses agences de renseignement auraient la clé.* Devant la levée de boucliers suscitée par ce projet, le gouvernement fédéral a renoncé à rendre obligatoire le *Clipper Chip* sur tous les téléphones et ordinateurs américains. Plusieurs gouvernements, dont le français et le chinois, soumettent à autorisation préalable (très difficile à obtenir!) l'usage des technologies de cryptage. La loi considère que les milliers de Français qui se servent de PGP sans autorisation officielle détiennent des armes de guerre et pourraient porter atteinte à la sûreté de l'État.

De l'autre bord, les *cypherpunks* et *crypto-anarchistes* (dont Phil Zimmermann lui-même) se battent pour le développement et le maintien de ce qu'ils considèrent comme une importante conquête du citoyen arrachée au pouvoir des États. Mais la cryptographie pour tous possède également d'actifs défenseurs du côté des *forces économiques* qui projettent de faire des affaires sur le réseau ou de vendre des instruments de transaction en ligne. En effet, on ne peut concevoir la généralisation du commerce dans le cyberespace sans le cryptage des numéros de cartes de crédit, ou sans l'usage d'un quelconque des systèmes de « cybermonnaie » en concurrence – qui impliquent tous un module cryptographique dans leur cahier des charges technique. Sans cela, les risques de vol et de détournement d'argent seraient assez dissuasifs pour empêcher le décollage du commerce électronique. Remarquons enfin, pour terminer sur ce sujet, que l'interdiction des instruments de cryptage *dans un pays* n'empêche nullement son utilisation *partout* par le terrorisme et le crime organisé qui, n'étant pas à une illégalité près, peuvent très facilement se les procurer, notamment par l'intermédiaire du réseau. L'apparition de PGP en 1991 a créé une situation *irréversible* [1].

Je viens d'évoquer le point de vue défensif des États craignant de perdre une partie de leur souveraineté et de leurs moyens de surveillance habituels. Selon d'autres approches, plus positives, des experts travaillant pour les gouvernements ou les organismes internationaux

---

1. Voir à ce sujet Jean Guisnel, *Guerres dans le cyberespace*, Paris, La Découverte, 1995.

escomptent *un décollage de la croissance et de l'emploi* consécutif à l'émergence d'un nouveau secteur économique, le multimédia. Les États veulent alors encourager leurs « industries nationales » du logiciel, de l'image interactive ou des services en ligne afin que les retombées économiques et sociales positives ne bénéficient pas uniquement à d'autres pays, plus en avance. Certains gouvernements perçoivent aussi que la bataille pour la suprématie économique dans le multimédia se complique d'une lutte d'influence culturelle. Ils tentent donc d'affirmer leur présence linguistique, de valoriser leur fonds informationnel ou culturel traditionnel et de favoriser la création nationale originale sur le réseau.

Quoique beaucoup plus positive que l'orientation purement défensive, cette dernière approche prend pour acquises les notions de culture et d'identité collectives alors que, précisément, la cyberculture les remet en question... Il se pourrait également que le multimédia ou les services en ligne ne soient pas seulement le dernier secteur en date d'une économie inchangée mais qu'ils forment plutôt l'expression technologique visible d'une mutation profonde de l'économie elle-même, qui nous oblige à redéfinir aussi bien la notion de produit que celle d'entreprise, d'emploi, de travail et de commerce. Bien différents de ceux de l'industrie de masse, les produits de la nouvelle économie sont personnalisés, interactifs, actualisés, coconstruits ou coconçus par leurs consommateurs. L'entreprise est virtualisée, mondialisée, réduite à ses compétences-cœur et à ses pôles stratégiques, indissociable de son réseau de partenaires (qu'est-ce qu'une entreprise « nationale » dans le cyberespace ?). Le travail devient actualisation et renouvellement de compétences, aptitude à la coopération et non plus exécution d'une tâche prescrite. Le modèle du salariat à temps plein et de longue durée pour un seul employeur n'est plus que le résidu d'une époque révolue, alors que les nouvelles formes de travail indépendant ou de rémunération par la valeur des compétences en contexte ne se sont pas encore imposées. Quant au commerce en ligne, j'ai déjà évoqué la mutation des formes de concurrence et de consommation qu'il implique.

Le dynamisme économique dépend aujourd'hui de la capacité des individus, des institutions, des entreprises, des organisations en général à faire vivre des foyers autonomes d'intelligence collective (indépendance) et à s'alimenter de l'intelligence collective mondiale (ouverture). Il faut comprendre ici l'intelligence au sens de l'éducation, des facultés d'apprentissage (apprendre ensemble et les uns des autres!), des compétences acquises et mises en synergie, des réserves dynamiques de mémoire commune, des capacités à innover et à accueillir l'innovation. Mais il faut aussi entendre l'intelligence comme dans l'expression « vivre en bonne intelligence ». L'intelligence collective suppose donc aussi la capacité de créer et d'entretenir la confiance, l'aptitude à tisser des liens durables. Or le cyberespace propose un puissant support d'intelligence collective, aussi bien sur sa face cognitive que sur son versant social. J'ai déjà longuement évoqué le thème de l'intelligence collective dans ce rapport et je l'aborderai encore une dernière fois pour finir ce chapitre. C'est en s'engageant dans cette voie, qui représente ce que la cyberculture a de plus positif à offrir sur les plans économique, social et culturel, que les États pourront *regagner en puissance réelle et en défense des intérêts de leurs populations* ce qu'il perdent par la déterritorialisation et la virtualisation.

Le point de vue du « bien public » : pour l'intelligence collective

Ainsi, chaque point de vue sur le réseau, chaque interprétation de la cyberculture peuvent être rattachés à un ensemble d'intérêts et de projets. On peut même dire que toute expression publique d'un point de vue, toute description du cyberespace sont des actes qui tendent à accréditer une certaine version des faits et à faire advenir un des futurs possibles. Les experts, intellectuels et autres journalistes, en contribuant à construire la représentation que leurs contemporains se font de la réalité, ont donc une importante responsabilité. À cet égard, on remarquera que la plus importante source de descriptions et d'interprétations du réseau se trouve être le réseau lui-même. Le World Wide Web est un gigantesque document auto-référentiel où s'entremêlent et se répondent une multitude de points de vue (y compris les plus féroces critiques du Web). Innombrables également sont les conférences électroniques portant sur les différents aspects du réseau, des plus « idéologiques » aux plus « techniques ». Le cyberespace, comprenant ceux qui le peuplent, s'interroge à voix plurielle sur une identité actuellement insaisissable et plus insaisissable encore dans le futur. En s'autodécrivant, le réseau s'autoproduit. Chaque carte invoque un territoire à venir, et les territoires du cyberespace sont pavés de cartes retraçant d'autres cartes, en abîme.

Il n'existe pas d'approche neutre ou objective de la cyberculture, et ce rapport n'échappe pas à la règle. Quel est donc le projet qui sous-tend ma description ? Le lecteur connaît déjà ma religion. Je suis profondément convaincu que *permettre aux êtres humains de conjuguer leurs imaginations et leurs intelligences au service du développement et de l'émancipation des personnes* est le meilleur usage possible des technologies numériques. Cette approche a de nombreuses implications, notamment :

– économiques (pour l'avènement d'une économie des connaissances et d'un développement conçu comme valorisation et optimisation des qualités humaines),

– politiques (démocratie plus directe et plus participative, approche planétaire et communautaire des problèmes),

– culturelles (création collective, non-séparation entre production, diffusion, et interprétation des œuvres).

Le projet de l'intelligence collective est, en gros, celui des premiers concepteurs et défenseurs du cyberespace. C'est l'aspiration la plus profonde du mouvement de la cyberculture. En un sens, ce projet prolonge, tout en le dépassant, celui de la philosophie des lumières. Il ne s'agit en rien d'une « utopie technologique », mais de l'approfondissement d'un idéal ancien d'émancipation et d'exaltation de l'humain qui s'appuie sur les disponibilités techniques d'aujourd'hui. Ce projet reste raisonnable parce qu'il s'accompagne de trois propositions fortes, qu'on prendra comme autant de garde-fous.

Premièrement, l'intelligence collective et les dispositifs techniques qui la portent ne peuvent être décrétés ni imposés par un quelconque pouvoir central, ni par des administrateurs ou des experts *séparés*. Les bénéficiaires doivent être aussi les responsables. Son fonctionnement ne peut être que progressif, intégrateur, incluant et participatif. Il n'y a pas de consommateur ni de sujet soumis dans l'intelligence collective, ou alors il ne s'agit pas d'intelligence collective. De fait, depuis ses origines, la croissance du cyberespace a essentiellement relevé d'une activité de base, spontanée, décentralisée et participative. Bien entendu, les pouvoirs scientifiques, économiques ou politiques peuvent aider, favoriser ou du moins ne pas entraver son développement. C'est d'ailleurs ce qui a permis à Internet, comme à différents réseaux d'entreprise ou associatifs, de prendre l'essor qu'on connaît aujourd'hui.

Deuxièmement, l'intelligence collective est bien plus un problème ouvert – tant sur le plan pratique que sur le plan théorique – qu'une solution clé en main. Même si les expériences et les pratiques foisonnent, il s'agit d'une culture à inventer et non d'un programme à appliquer. D'ailleurs, différents théoriciens du réseau proposent aujourd'hui des versions parfois divergentes de ce projet [1], et j'ai déjà évoqué sa nature ambivalente, à la fois poison et remède.

Troisièmement, l'existence des supports techniques ne garantit en rien que s'actualiseront *seulement* leurs virtualités les plus positives du point de vue du développement humain. Conditionner n'est pas déterminer. Le conflit des projets et des intérêts ne sera pas conclu avant longtemps. Même si le cyberespace s'étend désormais de manière irréversible, l'avenir reste ouvert quant à son ultime signification pour notre espèce. Ajoutons que ce nouvel espace de communication est suffisamment vaste et tolérant pour que des projets apparemment exclusifs l'un de l'autre se réalisent simultanément ou se révèlent *aussi* complémentaires.

*
* *

Les obstacles au projet de l'intelligence collective sont nombreux. Certains d'entre eux tiennent aux malentendus et aux idées exagérément pessimistes répandus par une critique souvent infondée. C'est pourquoi je consacrerai les trois prochains chapitres à déconstruire, autant que possible, les principaux arguments de cette critique, et tout particulièrement l'idée fausse selon laquelle le virtuel tend à se substituer au réel, et la vérité seulement partielle suivant laquelle le cyberespace ne sert qu'à asseoir de nouvelles dominations.

---

1. Par exemple, Kevin Kelly propose, dans *Out of control, op. cit.*, une approche de l'intelligence collective sur le modèle des insectes sociaux. Joël De Rosnay, dans *L'Homme symbiotique, op. cit.*, dessine la perspective d'un être symbiotique rassemblé par le Réseau (le « cybionte »). Joseph Rheingold, dans *The Virtual Communities*, New York, Addison-Wesley, 1993, offre une approche plus politique et communautaire de l'intelligence collective ; dans *L'Intelligence collective, op. cit.*, je tente de montrer que la véritable intelligence collective valorise les singularités. L'intelligence collective devient le thème central d'un projet de civilisation humaniste, au service ultime de la personne.

CHAPITRE XV

CRITIQUE DE LA SUBSTITUTION

Une critique parfois mal fondée et souvent abusive de la technique inhibe l'engagement des citoyens, des créateurs, des pouvoirs publics et des entrepreneurs dans des démarches favorables au progrès humain. Ces réserves laissent malheureusement le champ libre à des projets uniquement orientés par la recherche du profit et du pouvoir qui, eux, ne s'embarrassent d'aucune critique intellectuelle, sociale ou culturelle. C'est pourquoi je souhaite analyser dans ce rapport certains des mauvais arguments de la critique. Je montrerai notamment que c'est une erreur de prétendre que le virtuel se substitue au réel, ou que les télécommunications et la téléprésence vont purement et simplement remplacer les déplacements physiques et les contacts directs. La perspective de la substitution néglige l'analyse des pratiques sociales effectives et semble aveugle à l'ouverture de nouveaux plans d'existence, qui ajoutent aux dispositifs antérieurs ou les complexifient plutôt qu'ils ne les remplacent.

Devant la montée rapide d'un phénomène mondial, déstabilisant, qui remet en question nombre de positions acquises, d'habitudes et de représentations, j'estime que mon rôle de penseur, d'expert ou d'enseignant n'est certainement pas d'aller dans le sens de la plus grande pente et d'attiser les angoisses et le ressentiment des personnes ou du public. Ce n'est apparemment pas l'option choisie par nombre d'intellectuels soi-disant « critiques ». La lucidité est indispensable, mais c'est précisément cette exigence qui nous impose de reconnaître que l'émergence de la cyberculture est un phénomène la fois irréversible et partiellement indéterminé. Dès lors, plutôt que de faire peur en insistant sur des aspects minoritaires (la cyber-criminalité, par exemple), partiels (le cyberespace au service de la mondialisation capitaliste, de l'hégémonie américaine, d'une nouvelle classe dominante) ou mal compris (le virtuel censé se substituer au réel, l'espace physique menacé de disparition), je préfère mettre en lumière ce que le mouvement de la cyberculture fait émerger de qualitativement nouveau et les occasions qu'il offre au développement humain. La frayeur n'incite pas à penser. Dénoncer et condamner ce qui porte visiblement une part majeure de l'avenir humain n'aide pas les choix responsables.

Remplacement ou complexification ?

Afin de prévenir de légitimes inquiétudes, je dois consacrer quelques lignes à réfuter les plus répandus des arguments émis par nos « intellectuels critiques ». L'une des idées les plus fausses, et peut-être celle qui a le plus la vie dure, représente la *substitution* pure et simple de l'ancien par le nouveau, du naturel par le technique ou du virtuel par le réel. Par exemple, on craint souvent, aussi bien le public cultivé que les décideurs économiques et politiques, que la montée de la communication par le cyberespace en vienne à *remplacer* le contact humain direct.

Il est très rare qu'un nouveau mode de communication ou d'expression supplante complètement les anciens.

Parle-t-on moins depuis l'invention de l'écriture ? Évidemment non. Cependant, la fonction de la parole vive a changé, une partie de ses missions dans les cultures purement orales ayant été remplie dès lors par l'écriture : transmission des connaissances et des récits, établissement de contrats, accomplissement d'actes rituels ou sociaux majeurs, etc. Des styles de connaissance (la connaissance « théorique », par exemple) et des genres nouveaux (le code de lois, le roman, etc.) ont surgi. L'écriture n'a pas fait disparaître la parole, elle a complexifié et réorganisé le système de la communication et de la mémoire sociale.

La photo a-t-elle remplacé la peinture ? Non, il existe toujours des peintres en activité. Les gens continuent plus que jamais à visiter musées, expositions et galeries, ils achètent les œuvres des artistes pour les accrocher chez eux. En revanche, il est vrai que les peintres, les dessinateurs, les graveurs, les sculpteurs ne sont plus – comme ils le furent jusqu'au XIXe siècle – les seuls fabricants d'images. L'écologie de l'icône ayant muté, les peintres ont dû réinventer la peinture – de l'impressionnisme au néo-expressionnisme en passant par l'abstraction et l'art conceptuel – pour qu'elle conquière une place originale, une fonction irremplaçable dans le nouvel environnement créé par les procédés industriels de production et de reproduction d'images.

Le cinéma a-t-il remplacé le théâtre ? Nullement. Le cinéma est un genre autonome, avec sa matière propre, l'histoire mouvementée de ses règles et de ses codes. Et il y a toujours des auteurs, des comédiens, des salles et des spectateurs pour le théâtre.

La montée de la télévision a certes affecté le cinéma, mais ne l'a pas tué. On voit des films sur les étranges lucarnes, et des chaînes de télé participent à la production de nouvelles œuvres cinématographiques.

Croissances parallèles des télécommunications et du transport

Le développement de la téléphonie a-t-il entraîné la diminution des contacts face à face et une récession des transports ? Non. Bien au contraire. Répétons que les développements du téléphone et de l'automobile se sont déroulés *parallèlement* et non pas au détriment l'un de l'autre. Plus on installait de postes de téléphone et plus le trafic urbain s'accroissait. Il existe bien, certes, un rapport de substitution puisque, si le réseau téléphonique tombait en panne dans votre ville, vous assisteriez probablement à une multiplication et à un allongement des embouteillages. Cependant, la tendance historique lourde est à l'accroissement *simultané* des instruments de télécommunication et de transport. Même à une échelle plus fine, des études sociologiques montrent que les personnes qui reçoivent et envoient le plus d'appels téléphoniques sont aussi celles qui se déplacent beaucoup et entretiennent de nombreux contacts directs. Ces études confirment notre appréhension intuitive du monde qui nous entoure. Sur son napperon de dentelle, le téléphone d'une personne âgée, isolée, à la mobilité réduite, ne sonne que rarement. En revanche, les hommes d'affaires, toujours en déplacement, sautant d'un rendez-vous à l'autre, ont bien souvent leur téléphone mobile collé à l'oreille, à l'arrière d'un taxi, dans le hall d'un aéroport, au coin d'une rue. Que le téléphone mobile ait connu un tel succès montre de manière éloquente que télécommunication et déplacement physique vont de pair.

Nous ne disposons pas encore pour le cyberespace de statistiques aussi abondantes que pour les télécommunications classiques. Rassemblons donc les indices à notre portée. Les utilisateurs du cyberespace sont majoritairement des gens jeunes, diplômés, vivant en milieu urbain, étudiants, enseignants, chercheurs, travaillant souvent dans les domaines de la science, de la haute technologie, des affaires, ou de l'art contemporain. Or ce type de population est justement parmi la plus mobile et la plus sociable. L'utilisateur typique du Net (qui est d'ailleurs de plus en plus souvent une utilisatrice) court d'un colloque international à l'autre et fréquente assidûment une ou plusieurs communautés professionnelles. Mon expérience personnelle et celle des cybernautes que je connais confirment amplement cette hypothèse. Ceux qui entretiennent une abondante correspondance électronique et surfent volontiers sur le Web sont les mêmes qui voyagent et font des rencontres. On prépare un colloque, une réunion ou une exposition « physiques » avec les outils fournis par Internet. On prolonge un séminaire par une conférence électronique. *Les classes branchées sur Internet sont celles qui sortent le plus volontiers de l'école.*

Reconnaissons que certains drogués du Net passent des nuits devant leur ordinateur, se livrant à des jeux de rôles en réseau, participant à des discussions en ligne ou surfant interminablement de page Web en page Web. Ces exceptions confirment la règle de non-substitution. L'image de l'homme-terminal à l'espace aboli, immobile, vissé à son écran, n'est qu'un fantasme dicté par la crainte et l'incompréhension des phénomènes en cours de déterritorialisation, d'universalisation et *d'augmentation générale des relations et contacts de toutes natures*.

L'hypothèse de la pure et simple substitution contredit l'ensemble des études empiriques et des statistiques disponibles [1]. Il est désolant de constater que les cinq derniers livres d'un penseur comme Paul Virilio tournent autour

---

1. Voir Marie-Hélène Massot, *Transport et Télécommunications*, Paris, INRETS-Paradigme, 1995. L'ouvrage propose une analyse bibliographique complète et internationale de la question des relations entre téléactivités et mobilité.

d'un fantasme que la simple observation de ce qui nous entoure dénonce comme irrémédiablement faux. Dans le même ordre d'idées, non plus un prophète de malheur mais un souriant spécialiste du marketing de la recherche *hi-tech*, cette fois-ci, Nicolas Négroponte, annonce dans son livre *L'Homme numérique* « le passage des atomes aux bits [1] », autrement dit la substitution de l'information à la matière, ou du virtuel au réel. Dans la sphère économique, qu'il suffise de signaler que le commerce international ne cesse d'augmenter *en tonnage* (donc en atomes !) depuis quinze ans, malgré la révolution des télécommunications et du cyberespace. Si Négroponte avait soutenu que le contrôle des informations et des compétences stratégiques, ou la capacité de traiter et de diffuser efficacement les données numériques, *commandait* désormais la production et la distribution des produits matériels, je l'aurais suivi. Mais le *passage* des atomes aux bits est une simplification si outrancière qu'elle confine à l'absurdité.

Augmentation des univers de choix : la montée du virtuel entraîne celle de l'actuel

Dans la sphère culturelle, examinons le cas souvent évoqué des musées. On craint (ou l'on souhaite) que les « musées virtuels » ne remplacent les musées « réels », c'est-à-dire que la fréquentation des services en ligne des musées ou des sites Web consacrés à l'art ne tarisse le flot des visiteurs dans les bâtiments qui abritent les œuvres originales. On répète, inquiet d'une possible désincarnation de l'art ou du rapport au monde en général, que jamais la pâle copie numérique accessible par Internet ne vaudra la

---

1. Un bit est l'unité élémentaire d'information dans la théorie mathématique de la communication.

richesse sensible de la pièce physiquement présente. Chacun peut convenir de cette évidence. Mais, si l'on examine l'histoire, on constate que la multiplication des reproductions imprimées, des revues et livres d'art, des catalogues de musées, des films ou des émissions de télévision sur la céramique, la peinture ou la sculpture n'a pas empêché et a même *encouragé*, au contraire, la fréquentation des musées.

On pourrait résumer la tendance historique de la manière suivante : plus les informations s'accumulent, circulent et prolifèrent, mieux elles sont exploitées (montée du virtuel), et plus croît la variété des objets et des lieux physiques avec lesquels nous sommes en contact (montée de l'actuel). Néanmoins, notre univers informationnel se dilate *plus rapidement* que notre univers d'interactions concrètes. Autrement dit, la montée du virtuel entraîne celle de l'actuel, mais le premier se développe plus vite que le second. D'où la sensation de déluge de données, de messages et d'images, notre impression de décalage entre le virtuel et le réel. Ainsi, la plupart d'entre nous ont contemplé *un plus grand nombre de reproductions que de tableaux originaux*. Pourtant, la circulation des grandes expositions, la multiplication des musées et la facilité des voyages nous ont permis de voir *plus d'originaux que les Européens ou les Américains du XIXᵉ siècle*. Les musées en ligne sur Internet ou les CD-Rom à thème artistique augmenteront nos possibilités de découvrir et de comprendre un vaste éventail d'œuvres, ce qui nous incitera à aller examiner sur place la matérialité des peintures ou des sculptures. Hélas, les débats récurrents sur la substitution font écran aux véritables ouvertures esthétiques et culturelles aujourd'hui en jeu, qui concernent les nouveaux modes de création et de réception, les genres artistiques en émergence qui prennent appui sur les outils du cyberespace.

On craint qu'en faisant « gagner du temps » les dispositifs de communication et d'interaction du virtuel ne fabriquent des générations de paresseux, entretenant avec la connaissance un rapport négligeant et pressé, oublieux de l'effort qu'exige une véritable découverte du monde « réel » et de sa richesse sensible. Hélas ! Des poncifs moralisants tiennent lieu d'observation et de pensée. Là encore, afin de dissiper quelques préjugés, considérons les conséquences effectives de quelques innovations technologiques censées « faire gagner du temps ». Les réfrigérateurs, congélateurs, lave-linge, lave-vaisselle, aspirateurs, robots ménagers, produits détergents perfectionnés et autres n'ont pas « libéré la femme ». On a calculé que le temps moyen passé par les femmes d'intérieur à faire le ménage et la cuisine restait à peu près *le même* après et avant l'électroménager. Les technologies domestiques n'ont pas fait « gagner du temps », *elles ont permis l'élévation des standards d'ordre, d'hygiène et de propreté.* Elles ont facilité aussi le travail des femmes à l'extérieur, ce qui a eu pour conséquence d'*augmenter* leur temps global de travail plutôt que de le diminuer.

Des études récentes en matière d'urbanisme et d'aménagement du territoire ont montré que les gains en *vitesse* de circulation n'amenaient presque jamais une diminution du *temps* de transport entre le domicile et le travail. Au contraire, le temps de transport moyen (entre vingt minutes et une demi-heure) reste remarquablement constant. En revanche, les personnes réaménagent la localisation physique de leur domicile de manière à *étendre leur univers de choix*. On mettra toujours une demi-heure pour aller travailler, mais on aura *en plus* accès rapidement à une zone de détente, à un établissement d'éducation, à une aire de consommation, à des lieux de rencontre.

Généralisons hardiment ce dernier exemple : on croit que la vitesse et la virtualisation d'origine technique font « gagner du temps ». En réalité, elles permettent d'occuper le même temps, voire une durée encore dilatée, par l'exploration ou l'exploitation d'espaces informationnels, relationnels ou concrets plus vastes. La vitesse (et le virtuel est au fond un mode de la vitesse) ne fait pas disparaître l'espace, elle métamorphose le système instable et compliqué des espaces humains. Chaque nouveau véhicule, chaque nouvelle qualité d'accélération inventent une topologie et une qualité d'espace qui s'ajoutent aux précédentes, s'y articulent et réorganisent l'économie globale des espaces. Il existe un espace des routes, une topologie engendrée par les chemins de fer, un réseau mondial de l'aviation et des aéroports, une cartographie spécifique de la téléphonie, chacune de ces strates spatio-temporelles engendre son système de proximité, ses zones de densité et ses trous noirs ou ses taches blanches. Ni les autoroutes, ni les avions, ni le téléphone, ni Internet n'ont fait *disparaître* les chemins vicinaux ou les sentiers de randonnée (qu'aucune loi n'interdit d'emprunter au marcheur), ils ont transformé leur fonction.

Nouveaux plans d'existence

La racine de l'idée de substitution dans l'interprétation du changement technique me semble être la difficulté à saisir, à imaginer, à conceptualiser l'apparition de *nouvelles formes* culturelles, de *dimensions inédites* du monde humain. Dans l'évolution biologique, quand *l'œil* est apparu, il a évidemment repris en charge certaines fonctions du toucher ou de l'odorat, mais il a surtout fait surgir – en développant la vague sensibilité à la lumière de certaines parties de la peau animale – l'univers auparavant inexistant des formes et des couleurs, *l'expérience de la vision*.

Comme l'apparition de nouveaux organes, les inventions techniques majeures ne permettent pas seulement de faire « la même chose », plus vite, plus fort ou à plus grande échelle. Elles autorisent surtout à faire, à sentir ou à s'organiser *autrement*. Elles mènent au développement de *nouvelles fonctions* tout en obligeant à réaménager le système global des fonctions antérieures. La problématique de la substitution empêche de penser, d'accueillir ou de faire advenir le qualitativement nouveau, c'est-à-dire *les nouveaux plans d'existence* virtuellement portés par l'innovation technique.

Reprenons l'exemple de la photographie. Le fait est que la photo n'a pas remplacé la peinture, même si elle a rendu la « prise optique » d'une scène plus facile et plus rapide qu'au moyen de pinceaux et de pâtes colorées ; même si elle a démocratisé la faculté de fixer une image, y compris pour ceux qui n'ont aucune habileté à dessiner. Il y a bien un aspect platement substitutif de la photographie : plus de gens font des images ressemblantes, aisément reproductibles, et cela plus vite et sans savoir-faire particulier. Mais, sur un autre versant, la photographie a permis le déploiement de nouvelles fonctions de l'image, et cela aussi bien dans l'espace qu'elle s'est ouvert en propre que – par des phénomènes d'échos et de différenciation – dans la peinture, à laquelle on aurait pu croire qu'elle se substituerait. À partir de l'invention de la photographie, les arts visuels connaissent une scission (photographie d'un côté et peinture de l'autre), annonciatrice d'autres embranchements (cinéma, cinéma d'animation, images interactives, réalités virtuelles), et un déploiement de nouveaux horizons d'images. Chaque bifurcation dans les techniques de l'image permet le développement de potentialités déjà présentes en germe dans les anciens arts visuels. Ne relit-on pas la peinture ancienne à partir de notre expérience de la photo, du cinéma et de la peinture contemporaine ou bien le cinéma à partir de la réalité virtuelle ? Il s'agit donc d'une continuité de croissance ou d'approfondissement, en même temps que d'un processus d'émergence et d'ouverture radicale.

De la perte

L'innovation technique entraîne des phénomènes de croissance, d'actualisation de virtualités latentes. Elle contribue aussi à la création de nouveaux plans d'existence. Elle complexifie le feuilletage des espaces esthétiques, pratiques et sociaux. Cela ne signifie cependant pas qu'elle ne provoque jamais de disparition. Il n'y a plus de maréchaux-ferrants dans chaque village, ni de crottin de cheval dans les rues des villes. Quelque chose a été perdu. Les habitudes, les savoir-faire, les modes de subjectivation des groupes et des personnes adaptés au monde ancien ne sont plus adéquats. Le changement technique entraîne donc presque nécessairement de la souffrance. Se raidir contre ce changement, le nier, le méconnaître, n'en relever que les aspects négatifs ne peuvent qu'ajouter à la part inévitable de peine. Comment limiter la souffrance ? En accompagnant lucidement la transformation, ou, mieux, en participant au mouvement, en s'engageant dans une démarche d'apprentissage, en saisissant les occasions de croissance et de développement humains.

Le développement du cyberespace ne va pas miraculeusement « changer la vie » ou résoudre les problèmes économiques et sociaux contemporains. Il ouvre cependant de nouveaux plans d'existence dans :

– *les modes de relation* : communication interactive et communautaire de tous avec tous au sein d'espaces informationnels collectivement et continuellement reconstruits,

– *les modes de connaissance, d'apprentissage et de pensée* : simulations, navigations transversales dans des espaces d'information ouverts, intelligence collective,

– *les genres littéraires et artistiques* : hyperdocuments, œuvres interactives, environnements virtuels, création collective distribuée.

Ni les dispositifs de communication, ni les modes de connaissances, ni les genres caractéristiques de la cyberculture ne vont purement et simplement se substituer aux modes et aux genres antérieurs. Ils vont plutôt, d'un côté, les influencer et, d'un autre côté, les forcer à trouver leur « niche » spécifique dans la nouvelle écologie cognitive[1]. Le résultat global sera (est déjà !) une complexification et une réorganisation de l'économie des informations, des connaissances et des œuvres.

Certes, la cyberculture deviendra probablement le centre de gravité de la galaxie culturelle du XXIe siècle, mais la proposition selon laquelle le virtuel va se substituer au réel, ou que l'on ne pourra plus distinguer l'un de l'autre, n'est qu'un mauvais jeu de mots, qui méconnaît à peu près toutes les significations du concept de virtualité. Si le virtuel recouvre l'information et la communication à support numérique, la proposition est absurde : on continuera à manger, à faire l'amour peau à peau, à se déplacer dans le monde, à produire et à consommer des biens matériels, etc. Si le virtuel est pris au sens philosophique, il fait couple avec l'actuel ou l'actualisation et se trouve être lui-même un mode particulièrement fécond de la réalité. S'agit-il du virtuel anthropologique ? Le langage, première réalité virtuelle nous transportant hors de l'ici et du maintenant, à l'écart des sensations immédiates, puissance de mensonge et de vérité, nous a-t-il fait *perdre* la réalité ou nous a-t-il ouvert de nouveaux plans d'existence ?

---

1. Sur la notion d'écologie cognitive, voir P. Lévy, *Les Technologies de l'intelligence, op. cit.*

CHAPITRE XVI

CRITIQUE DE LA DOMINATION

S'il est vrai que le réseau a tendance à renforcer encore les centres actuels de la puissance scientifique, militaire et financière, s'il est exact que le *cyberbusiness* est appelé à une expansion vertigineuse dans les années à venir, on ne peut pour autant, comme le fait trop souvent la critique, réduire l'avènement du nouvel espace de communication à l'accélération de la mondialisation économique, à l'accentuation des dominations traditionnelles, ni même à l'apparition de formes inédites de pouvoir et d'exploitation. Car le cyberespace peut aussi être mis au service du développement individuel ou régional, utilisé pour la participation à des processus émancipateurs et ouverts d'intelligence collective. De plus, les deux perspectives ne s'excluent pas nécessairement. Elles peuvent même, dans un univers de plus en plus interconnecté et interdépendant, s'appuyer l'une sur l'autre. Comme je le montrerai, tout le dynamisme de la cyberculture tient à l'enclenchement et au maintien d'une véritable dialectique de l'utopie et du business.

Impuissance des acteurs « médiatiques »

Dans les saynètes à la mode sur l'apocalypse virtuelle, certains professionnels de la « critique » s'évertuent à faire jouer les marionnettes qui tenaient habituellement les premiers rôles dans les spectacles moralisants de jadis : face aux exclus et aux peuples du tiers monde (culpabilisants à souhait!), voici les méchants de toujours : la technique, le capital, la finance, les grandes multinationales, les États.

Certes, les plus puissants États peuvent agir marginalement sur les conditions, favorables ou défavorables, de l'épanouissement du cyberespace. Mais ils sont notoirement impuissants à orienter précisément le développement d'un dispositif de communication désormais inextricablement lié au fonctionnement de l'économie et de la technoscience planétaires.

Comme je le signalais dans le chapitre sur l'« impact », la plupart des grandes transformations techniques de ces dernières années n'ont pas été décidées par les grandes compagnies qui sont généralement les cibles préférées des pleureuses critiques. En la matière, l'inventivité est parfaitement imprévisible et distribuée. Le meilleur exemple à cet égard est le succès historique du World Wide Web. Lorsque, au début des années quatre-vingt-dix, la grande presse et la télévision parlaient de l'industrie du « multimédia » et des « autoroutes de l'information », elles mettaient en scène de gros acteurs tels que le gouvernement des États-Unis, les patrons de grandes sociétés de logiciel ou de matériel informatique, les opérateurs du câble ou des télécommunications... Or, quelques années plus tard, force est de constater que les acteurs « médiatiques » ont bien réalisé quelques fusions, quelques investissements industriels mais qu'ils n'ont pas infléchi de manière significative le cours de l'édification du cyberespace. Entre 1990 et 1997, la principale révolution dans la communication numérique planétaire est venue d'une petite équipe de chercheurs du CERN, à Genève, qui a mis au point le World Wide Web. C'est le mouvement social de la cyberculture qui a fait du Web le succès que l'on sait, en propageant un dispositif de communication et de représentation qui correspondait à ses manières de faire et à ses idéaux. Les critiques regardent la télévision, qui ne sait montrer que des têtes d'affiche spectaculaires, alors que les événements importants se passent dans des processus d'intelligence collective largement distribués, invisibles, qui échappent nécessairement aux médias classiques. Le World Wide Web n'a été ni inventé, ni diffusé, ni alimenté par des macro-acteurs médiatiques comme Microsoft, IBM, ATT ou l'armée américaine, mais par les cybernautes eux-mêmes.

Quand la critique ne sait que mettre en scène les épouvantails démoralisants de toujours et passe sous silence le mouvement social, l'ignore ou le calomnie, il est permis de mettre en doute son caractère progressiste.

Faut-il craindre la domination d'une nouvelle « classe virtuelle » ?

« On vous promet l'utopie de la démocratie électronique, du savoir partagé et de l'intelligence collective. Vous n'obtiendrez en réalité que la domination d'une nouvelle *classe virtuelle* [1], composée des magnats des industries du rêve (cinéma, télévision, jeux vidéo), du logiciel, de l'électronique et des télécommunications, flanqués des concepteurs, scientifiques et ingénieurs qui dirigent le chantier du cyberespace, sans oublier les idéologues ultralibéraux ou anarchisants et les grands prêtres du virtuel qui justifient le pouvoir des précédents. » Une autre version – tiers-mondiste ou européenne – de ce récit paranoïde présente le développement du cyberespace comme une extension de l'empire militaire, économique et culturel américain. Dès lors, toute mise en lumière des aspects positifs de la cyberculture ou des occasions qu'elle peut ouvrir au développement humain

---

1. *Arthur Kroker et Michael A. Weinstein, Data Trash. The Theory of the Virtual Class*, Montréal, New World Perspectives, 1994.

est soupçonnée de servir les intérêts du capitalisme virtuel en émergence ou du nouveau système de domination mondial techno-fasciste, cyber-financier ou américano-libéral (« rayer les mentions inutiles »).

Ce genre d'analyse contient évidemment une part de vérité, mais une part seulement. La gigantesque mutation de civilisation contemporaine entraîne une redéfinition de la nature de la puissance militaire, économique, politique et culturelle[1]. Certaines des forces en présence vont gagner du pouvoir, d'autres vont en perdre, tandis que des nouveaux venus commencent à occuper des positions qui n'existaient même pas avant l'émergence du cyberespace. Sur l'échiquier du virtuel, les règles ne sont pas encore complètement fixées. Ceux qui réussiront à les définir à leur profit gagneront gros. D'ores et déjà, et malgré la grande instabilité de la situation, les centres aujourd'hui dominants du pouvoir militaire et financier sont bien placés pour accroître encore leur influence. Cependant, nous devons aussi être attentifs à l'ouverture, à l'indétermination du processus de changement technosocial en cours.

Malgré tous les soupçons que l'on peut légitimement nourrir, un fait demeure : un groupe, ou un individu quelconque, quelles que soient ses origines géographique et sociale, même s'il n'a presque aucun moyen économique, pourvu qu'il mette en œuvre un minimum de compétences techniques peut investir le cyberespace pour son propre compte, et acquérir des données, entrer en contact avec d'autres groupes ou personnes, participer à des communautés virtuelles ou diffuser à destination d'un vaste public les informations de toute nature qu'il jugera dignes d'intérêt. Ces nouvelles pratiques de communication perdurent – et s'approfondissent même – au fur et à mesure de l'extension

---

1. Une assez bonne description de ces redistributions de pouvoir sont données dans les ouvrages de Alvin Toffler, par exemple, *Les Nouveaux Pouvoirs*, Paris, Fayard, 1991 et *Guerre et contre-guerre*, Paris, Fayard, 1994.

du cyberespace. On peut prévoir sans grand risque de se tromper qu'elles continueront de se développer à l'avenir.

Ce simple fait réduit à néant les sombres analyses développées par Arthur Kroker et autres, qui prennent la science-fiction pour argent comptant et n'offrent au public que de maladroites imitations de Baudrillard. Or, malheureusement, Baudrillard lui-même imite le radicalisme situationniste, sans posséder l'intelligence froide, claire et objective de Guy Debord, ni le souffle quasi mystique de Vanheigem. Les situationnistes dénonçaient *le spectacle*, c'est-à-dire le type de relation entre les hommes cristallisé par les médias : des centres diffusent des messages à des récepteurs isolés les uns des autres et maintenus dans l'incapacité de répondre. Dans le spectacle, la seule participation possible est imaginaire. Or le cyberespace propose *un style de communication non médiatique par construction*, puisqu'il est communautaire, transversal et réciproque.

C'est la télévision, et non le virtuel, qui organise l'impossibilité d'agir et le sentiment d'irréalité qui s'ensuit. En effet, la télévision me fait partager le même œil, la même oreille que des millions de gens. Or la perception partagée est généralement un fort indice de réalité. Mais, en même temps qu'ils organisent une perception commune, les médias n'autorisent pas la communication entre ceux qui perçoivent la même « réalité ». Nous avons le même tympan sans pouvoir nous entendre. Nous voyons le même spectacle sans être capables de nous reconnaître. Plus grave, la rétine et le tympan télévisuels sont coupés de notre cerveau, isolés de la boucle sensori-motrice. Nous voyons avec l'œil de quelqu'un d'autre, sans pouvoir porter le regard où nous le désirons. Peut-être est-ce seulement à partir des systèmes de téléprésence qui nous permettent de commander effectivement à distance des prolongements de nos organes que nous pouvons porter ce jugement négatif sur la télé. La télévision est une source majeure de réalité puisqu'elle organise une perception commune, mais elle est aussi un inducteur puissant d'irréalité puisque la perception y est déconnectée des systèmes d'action et que l'entrée dans la boucle sensori-motrice est un des plus sûrs signes du réel : double contrainte. D'où l'effet de *sidération* qu'elle provoque. Avec la télé, nous participons ensemble, mais sans pouvoir nous concerter, au rêve, ou au cauchemar, de quelqu'un d'autre.

En revanche, dans le cyberespace, il ne s'agit plus d'une diffusion à partir de centres mais d'une interaction au sein d'une situation, d'un univers d'informations, que chacun contribue à explorer à sa guise, à modifier ou à stabiliser (rétablissement de la boucle sensori-motrice). Le cyberes-pace abrite des négociations sur des significations, des processus de reconnaissance mutuelle des individus et des groupes *via* l'activité de communication (concertation et débat entre les participants). Ces processus n'excluent pas les conflits. Ils impliquent certes des personnes ou des groupes qui ne sont pas toujours animés de bonnes inten-tions. Mais, précisément, on retrouve ici la diversité, la complexité et parfois la dureté du réel, à mille lieues du monde arrangé, convenu ou scénarisé que sécrètent les médias. Ajoutons qu'il est beaucoup plus difficile de se livrer à des manipulations dans un espace où tout le monde peut émettre et où des informations contradictoires peuvent s'affronter que dans un système où les centres émetteurs sont contrôlés par une minorité.

Il est exact que la réalité virtuelle promet un progrès dans l'illusion par rapport à l'image du cinéma ou de la télé-vision. On n'a cependant aucun témoignage que qui que ce soit ait jamais confondu un monde virtuel interactif avec la « vraie » réalité. On peut y prendre goût, vouloir y retourner, impossible pourtant d'oublier un caractère fictif qui ne cesse de se rappeler à l'explorateur (poids du casque, pau-vreté de l'image, temps de réaction dû au calcul des images en temps réel, etc.). On ne pourrait pas en dire autant des actualités télévisées ni des vidéos diffusées par tel service de communication des armées, qui se présentent bel et bien comme des images de la réalité et sont souvent prises comme telles.

Au regard d'une morale situationniste, le véritable danger guettant la cyberculture serait la reconduction à grande échelle sur les « autoroutes de l'information » d'un mode de communication médiatique. Le cyberespace ne semble pas prendre ce chemin, mais l'option reste ouverte, et des forces puissantes poussent dans cette direction. Perspective d'horreur : Internet remplacé par un gigantesque système de « télévision interactive » !

Malheureusement, nombre d'intellectuels critiques soidisant radicaux, obnubilés par leur longue sidération devant les médias, confondent le virtuel avec leur sentiment personnel d'irréalité et ne parviennent donc pas à distinguer entre différents types de communication. Ce faisant, ils entretiennent la crainte diffuse du public, l'empêchent de saisir les alternatives stratégiques de la situation en cours et font, probablement sans le vouloir, le jeu de tous les conservatismes.

Dialectique de l'utopie et du business

Mais, symétriquement, les utopistes du réseau ne font-ils pas aussi, de leur côté, le jeu de certaines puissances économiques ou militaires ? Oui et non.

Il est exact qu'Internet est né d'une décision de l'armée américaine. Ce système était initialement conçu pour permettre à des laboratoires dispersés sur le territoire américain l'accès à des super-calculateurs concentrés sur quelques sites. Ce projet fut immédiatement détourné puisque, dès ses débuts, la principale utilisation d'Internet fut la correspondance entre les chercheurs. De la machine de puissance accordée par l'autorité militaire les premiers concepteurs et utilisateurs ont fait un espace de communication transversal.

On sait aussi que la structure a-centrée du réseau fut imaginée pour résister optimalement aux attaques nucléaires de l'ennemi. Or cette structure a-centrée sert aujourd'hui un fonctionnement coopératif et décentralisé. Ainsi donc, paradoxalement, peut-être Internet est-il « anarchiste » non pas *malgré* son origine militaire, mais *à cause* de cette origine.

Après sa phase militaire initiale, la croissance du réseau résulta d'un mouvement d'étudiants et de chercheurs engagés dans des pratiques « utopiques » d'échange communautaire et de démocratie dans le rapport au savoir. Son extension ne fut décidée par aucune grande entreprise, aucun État, même si le gouvernement américain et certaines grandes entreprises ont accompagné le mouvement. Cette construction coopérative et spontanée d'un gigantesque système international de poste électronique parallèle n'est apparue aux yeux du public qu'à la fin des années quatre-vingt. Dès lors, elle commença à être investie par des marchands qui se sont battus pour en vendre l'accès, en organiser la visite, en piller le contenu, le transformer en un nouveau lieu de publicité et de transactions économiques. En somme, il y a du *business,* et du gros, à faire avec le cyberespace.

On voit donc comment le mouvement utopique et généreux a fait le lit du *business.* Mais, inversement, les enjeux économiques de la cyberculture et l'intrication du *cyberbusiness* avec les autres activités de production et d'échange sont désormais tels que l'existence et le développement d'Internet (avec les caractéristiques propres de son dispositif de communication) sont maintenant presque certainement garantis. Le *business* a solidifié et rendu irréversible ce que l'utopie en acte avait commencé à construire. Ajoutons que beaucoup d'entrepreneurs innovants de la cyber-économie sont *aussi* des visionnaires du réseau. Dans les grands rendez-vous mondiaux de la technologie et des marchés du virtuel, les chevelures hirsutes des cyberpunks et les tenues excentriques des *designers* fous se mêlent allégrement aux coupes strictes et aux complets-cravates des hommes d'affaires, les uns prenant parfois l'apparence des autres.

La croissance de la cyberculture est alimentée par une dialectique de l'utopie et du business, dans laquelle chacun joue de l'autre sans qu'il y ait, pour l'instant, de perdant. Le commerce n'est pas un mal en soi. *Les projets culturels et sociaux ne peuvent être séparés à la hache des contraintes et du dynamisme économiques qui rendent leur incarnation possible.*

Le mouvement de la cyberculture est un des moteurs de la société contemporaine. Les États et les industriels du multimédia suivent comme ils peuvent, tout en freinant des quatre fers devant ce qu'ils perçoivent comme l'« anarchie » du Net. Suivant la dialectique bien rodée de l'utopie et des affaires, les marchands exploitent les champs d'existence (et donc de consommation) ouverts par le mouvement social et apprennent des activistes de nouveaux arguments de vente. Symétriquement, le mouvement social bénéficie de sa « récupération » puisque le *business* solidifie, crédibilise, banalise, institue des idées et des manières de faire qui paraissaient, il y a peu, relever de la science-fiction ou de l'inoffensive rêverie.

Après l'effondrement des totalitarismes de l'Est, certains intellectuels d'Europe centrale ont pu dire : « Nous nous sommes battus pour la démocratie... et nous avons eu le capitalisme. » Les activistes de la cyberculture pourraient reprendre cette phrase à leur compte. Fort heureusement, le capitalisme n'est pas complètement incompatible avec la démocratie, ni l'intelligence collective avec le supermarché planétaire. Nous ne sommes pas forcés de choisir l'un contre l'autre : dialectique de l'utopie et du *business*, jeux de l'industrie et du désir.

CHAPITRE XVII

CRITIQUE DE LA CRITIQUE

Fonctions de la pensée critique

La cyberculture est portée par un mouvement social de grande ampleur qui annonce et entraîne une évolution en profondeur de la civilisation. Le rôle de la pensée critique est d'intervenir sur son orientation et ses modalités de mise en œuvre. En particulier, la critique progressiste peut s'efforcer de dégager les aspects les plus positifs et les plus originaux des évolutions en cours. Ainsi, elle aiderait à ce que la montagne du cyberespace n'accouche pas des souris que seraient la reconduction du « médiatique » à plus grande échelle ou le pur et simple avènement du supermarché planétaire en ligne.

Mais beaucoup de discours qui se présentent comme critiques sont tout simplement aveugles et conservateurs. Parce qu'ils méconnaissent les transformations en cours, ils ne produisent pas de concepts originaux, adaptés à la spécificité de la cyberculture. On critique « l'idéologie (ou l'utopie) de la communication » sans distinguer entre la télévision et Internet. On excite la crainte de la technique déshumanisante alors que tout se joue dans les choix entre les techniques et parmi différents usages des mêmes techniques. On déplore la confusion croissante entre réel et virtuel sans avoir rien compris à la virtualisation qui est tout sauf une déréalisation du monde, mais bien plutôt une extension des puissances de l'humain [1]. L'absence de vision d'avenir, l'abandon des fonctions d'imagination et d'anticipation de la pensée ont pour effet de décourager les citoyens d'intervenir, ils laissent finalement le champ libre aux propagandes commerciales. Il est urgent, y compris pour la critique elle-même, d'entreprendre la critique d'un « genre critique » déstabilisé par la nouvelle écologie de la communication. Il faut interroger des habitudes et des réflexes mentaux de moins en moins adéquats aux enjeux contemporains.

Critique du totalitarisme ou crainte de la détotalisation ?

L'idée selon laquelle le développement du cyberespace menace la civilisation et les valeurs humanistes repose largement sur la confusion entre universalité et totalité. Nous sommes devenus méfiants envers ce qui se présente comme universel parce que, presque toujours, l'universalisme fut porté par des empires conquérants, des prétendants à la domination, que cette domination fût temporelle ou spirituelle. Or le cyberespace, du moins jusqu'à ce jour, est plus accueillant que dominant. Ce n'est pas un instrument de diffusion à partir de centres (comme la presse, la radio et la télévision), mais un dispositif de communication interactive de collectifs humains avec eux-mêmes et de mise en contact de communautés hétérogènes. Ceux qui voient dans le cyberespace un danger de « totalitarisme » font tout simplement une erreur de diagnostic.

Il est exact que des États et des puissances écono-

---

1. Voir Pierre Lévy, *Qu'est-ce que le virtuel ?*, *op. cit.*, où cette question est traitée d'un point de vue anthropologique.

miques se livrent à des viols de correspondance, à des vols
de données, à des manipulations ou à des opérations de
désinformation dans le cyberespace. Rien de radicalement
nouveau. Cela se pratiquait auparavant et se pratique
encore avec d'autres moyens : par effraction physique, par
la poste, par le téléphone ou par les médias classiques. Les
outils de la communication numérique étant plus puissants, ils permettent de faire le mal à plus grande échelle.
Mais il faut aussi noter que les instruments de cryptage et
de décryptage très puissants, désormais accessibles aux
particuliers [1], permettent de fournir une réponse partielle à
ces menaces. D'autre part, je répète que la télévision et la
presse sont des instruments de manipulation et de désinformation bien plus efficaces qu'Internet puisque qu'elles
peuvent imposer « une » vision de la réalité et interdire la
réponse, la critique et la confrontation entre positions
divergentes. On l'a bien vu pendant la guerre du Golfe. En
revanche, la diversité des sources et la discussion ouverte
sont inhérentes au fonctionnement d'un cyberespace
« incontrôlable » par essence.

Encore une fois, associer à la cyberculture une menace
« totalitaire » relève d'une mécompréhension profonde de
sa nature et du processus qui gouverne son extension. Il est
vrai que le cyberespace construit un espace universel, mais,
comme j'ai tenté de le montrer, il s'agit d'un universel sans
totalité. On aborde ici le fond du problème. Ce qui fait vraiment peur aux critiques professionnels, n'est-ce pas précisément la détotalisation en cours ? La condamnation des
nouveaux moyens de communication interactifs et transversaux ne fait-elle pas écho à un bon vieux désir d'ordre et
d'autorité ? Ne diabolise-t-on pas le virtuel pour conserver
inchangée une réalité lourdement instituée, légitimée par
le meilleur « bon sens » étatique et médiatique ?

---

1. Voir, dans le chapitre sur les conflits d'intérêts et la diversité des
points de vue, la section sur le point de vue des États. Voir aussi Jean
Guisnel, *Guerres dans le cyberespace*, op. cit.

Ceux dont le rôle consistait à gérer des limites et des territoires sont menacés par une communication décloisonnante, transversale, multipolaire. Les gardiens du bon goût, les garants de la qualité, les intermédiaires obligés, les porte-parole voient leurs positions menacées par l'établissement de relations de plus en plus directes entre producteurs et utilisateurs d'information.

Des textes circulent à grande échelle dans le monde entier *via* le cyberespace sans être jamais passés par les mains d'un quelconque éditeur ou rédacteur en chef. Bientôt, il en sera de même pour la musique, les films, les hyperdocuments, les jeux interactifs ou les mondes virtuels.

Comme il est possible de faire connaître de nouvelles idées et de nouvelles expériences sans passer par les comités de lecture des revues spécialisées, tout le système de régulation de la science est d'ores et déjà remis en question.

L'appropriation des connaissances s'affranchira de plus en plus des contraintes posées par les institutions d'enseignement parce que les sources vives du savoir seront directement accessibles et que les individus auront la possibilité de s'intégrer à des communautés virtuelles consacrées à l'apprentissage coopératif.

Les médecins devront faire face à la concurrence de bases de données médicales, de forums de discussion, de groupes virtuels d'entraide entre patients atteints de la même maladie.

Nombre de positions de pouvoir et de « métiers » sont menacées. Mais s'ils savent réinventer leur fonction et se transformer en animateurs de processus d'intelligence collective, les individus et les groupes qui jouaient les intermédiaires peuvent voir leur rôle dans la nouvelle civilisation devenir encore plus important que par le passé. En revanche, s'ils se crispent sur leurs anciennes identités, il y a fort à parier que leur situation se fragilisera.

Le cyberespace ne change rien au fait qu'il y a des relations de pouvoir et des inégalités économiques entre les humains. Mais, pour prendre un exemple facilement compréhensible, le pouvoir et la richesse ne se distribuent et ne s'exercent pas de la même manière dans une société de caste, à privilèges héréditaires, économiquement bloquée par les monopoles de corporations et dans une société dont les citoyens sont égaux en droit, dont les lois favorisent la libre entreprise et luttent contre les monopoles. En augmentant la transparence du marché, en facilitant les transactions directes entre offreurs et demandeurs, le cyberespace accompagne et favorise certainement une évolution « libérale » dans l'économie de l'information et de la connaissance et même probablement dans le fonctionnement général de l'économie [1].

Ce libéralisme doit-il être entendu au sens le plus noble : l'absence de contraintes légales arbitraires, la chance laissée aux talents, la libre concurrence entre un grand nombre de petits producteurs sur le marché le plus transparent possible ? Ou bien sera-t-il le masque, le prétexte idéologique à la domination de grands groupes de communication qui feront la vie dure aux petits producteurs et au foisonnement de la diversité ? Les deux voies de cette alternative ne sont pas mutuellement exclusives. L'avenir nous offrira probablement un mélange des deux, mélange dont les proportions dépendent en définitive de la force et de l'orientation du mouvement social.

La critique se croit fondée à dénoncer un « totalitarisme » menaçant et à se faire le porte-parole d'« exclus » à qui elle ne demande d'ailleurs jamais leur avis. En fait, la pseudo-élite critique a la nostalgie d'une totalité qu'elle maîtrisait ; mais ce sentiment inavouable est dénié, inversé

---

1. Selon Bill Gates, la signification essentielle du cyberespace est l'avènement du « marché ultime ». Voir *La Route du futur,* Paris, Robert Laffont, 1995 (édition originale en anglais, *The Road Ahead,* Londres, New York, Penguin Books, 1995).

et projeté sur un autre terrifiant : l'homme de la cyberculture. Les lamentations sur le déclin des clôtures séman-
tiques et la dissolution des totalités maîtrisables (vécues
comme délitement de la culture) cachent la défense de
pouvoirs. Tout cela nous retarde dans l'invention de la nouvelle civilisation de l'universel par contact et ne nous aide
en rien à l'orienter dans la direction la plus humaine. Tentons plutôt de saisir la cyberculture de l'intérieur, à partir
du mouvement social multiforme qui l'entraîne, selon l'originalité de ses dispositifs de communication, en repérant
les formes nouvelles de lien social qu'elle noue dans le
silence richement peuplé du cyberespace, loin de la cla-
meur monotone des médias.

La critique était progressiste.
Deviendrait-elle conservatrice ?

Le scepticisme et l'esprit de critique systématique ont
joué un rôle progressiste au XVIIIe siècle, à une époque
d'absolutisme politique où la liberté d'expression était
encore à conquérir. Or, aujourd'hui, le scepticisme et la critique ont peut-être changé de camp. Ces attitudes
deviennent de plus en plus souvent l'alibi d'un conserva-
tisme blasé, voire des positions les plus réactionnaires. À la
poursuite du spectaculaire et de la sensation, les médias
contemporains ne cessent de présenter les aspects les plus
sombres de l'actualité, mettent constamment les hommes
politiques sur la sellette, se font un devoir de dénoncer les
« dangers » ou les effets négatifs de la mondialisation
économique et du développement technologique : ils
jouent sur la peur, un des sentiments les plus faciles à exci-
ter. Dès lors, le rôle des penseurs n'est probablement pas de
contribuer à répandre la panique en s'alignant sur les lieux

communs de la grande presse et de la télévision, mais d'analyser le monde à nouveaux frais, de proposer une compréhension plus profonde, de nouveaux horizons mentaux à des contemporains qui baignent dans le discours médiatique. Les intellectuels et ceux qui font profession de penser devraient-ils donc abandonner toute perspective critique? Nullement. Mais il faut comprendre que l'attitude critique en soi, simple réminiscence ou parodie de la grande critique des XVIIIᵉ et XIXᵉ siècles, n'est plus une garantie d'ouverture cognitive ni de progrès humain. Il faut maintenant distinguer soigneusement entre, d'une part, la critique réflexe, médiatique, convenue, conservatrice, alibi des pouvoirs en place et de la paresse intellectuelle, et, d'autre part, une critique en acte, imaginative, tournée vers l'avenir, accompagnant le mouvement social. Toute critique n'est pas pensante.

Ambivalence de la puissance

L'accélération contemporaine de la course au virtuel et à l'universel ne peut se réduire ni à « l'impact social des nouvelles technologies » ni à l'avènement d'une domination particulière, qu'elle soit économique, politique ou sociale. On sent ce que ces propositions auraient d'étroit, de limité, voire d'absurde. Il s'agit plutôt d'un mouvement d'ensemble de la civilisation, d'une sorte de mutation anthropologique où se conjuguent, aux côtés de l'extension du cyberespace, la croissance démographique, l'urbanisation, la densification des réseaux de transports (et l'augmentation corrélative de la circulation des personnes), le développement technoscientifique, l'élévation (inégale) du niveau d'éducation de la population, l'omniprésence médiatique, la mondialisation de la production et des échanges, l'intégration financière internationale, la montée de grands ensembles politiques transnationaux, sans oublier l'évolution des idées tendant à une prise de conscience globale de l'humanité et de la planète.

Notre espèce accroît du même pas son étrangeté à elle-même et sa puissance. En complexifiant et en intensifiant ses relations, en trouvant de nouvelles formes de langage et de communication, en multipliant ses moyens techniques, elle devient *encore plus humaine*. Cette invention progressive de l'essence de l'homme, en cours aujourd'hui même, ne promet nullement, de manière unilatérale, un avenir radieux, ni un surcroît de bonheur. Les tendances universalisantes et virtualisantes s'accompagnent d'un creusement des inégalités entre les pauvres et les nantis, entre régions centrales et zones déshéritées, entre les participants de l'universel et ses exclus. Elles interrompent ou marginalisent des transmissions séculaires, elles fragilisent les arts de vivre locaux qui appartiennent au plus précieux patrimoine de notre espèce, elles déstabilisent violemment les imaginaires qui organisaient les subjectivités. Elles suscitent des réactions de reterritorialisation, de replis sur des particularismes, de crispations identitaires. En un sens, la *guerre civile mondiale* qui court des révoltes de ghettos aux insurrections fondamentalistes en passant par la montée des mafias exprime le déchirement d'une humanité qui ne parvient à se rejoindre qu'à ses propres dépens.

Pourtant, le passage par le virtuel est un détour, une accumulation en vue d'actualisations plus nombreuses et plus fortes. La crainte d'une « déréalisation du monde » est infondée.

L'universel ouvert, sans totalité, de la cyberculture accueille et valorise les singularités, il offre au plus grand nombre l'accès à l'expression. En retard d'une guerre, la peur du contrôle, du totalitarisme ou de l'uniformité choisit bien mal une cible qu'elle devrait chercher du côté des médias classiques et des formes sociales autoritaires et hiérarchiques.

Mais les potentialités positives de la cyberculture, si elles conduisent vers de nouvelles *puissances* de l'humain, ne garantissent en rien la paix ou le bonheur. Que nous devenions plus humains doit à bon droit susciter la vigilance, car l'homme seul est inhumain, et cela justement à proportion de son humanité.

CHAPITRE XVIII

RÉPONSES À QUELQUES QUESTIONS SOUVENT POSÉES

Pour terminer ce rapport, je voudrais contribuer à *élaborer* quelques-uns des principaux problèmes qui se posent au sujet du développement de la cyberculture, sans avoir cependant la prétention de les « résoudre ». En effet, si les processus socio-historiques sont fondamentalement ouverts, indéterminés, s'ils ne cessent de se reposer et de se réinventer constamment, aucune solution verbale, aucune réponse théorique ne pourra jamais les clore. Les réponses, toujours provisoires, appartiennent au processus socio-technique dans son ensemble, c'est-à-dire à chacun d'entre nous, selon l'échelle et l'orientation de ses possibilités d'action, sans pourtant que quiconque ait une capacité de maîtrise globale ou définitive. J'ai choisi quatre « questions sans réponses ». Elles interrogent toutes le contenu et la signification de la cyberculture. La première, « La cyberculture produit-elle de l'exclusion ? », est évidemment une question centrale dans une société mondiale dont l'exclusion (c'est-à-dire la forme contemporaine de l'oppression, de l'injustice sociale et de la misère) est une des principales maladies. La deuxième, « La diversité des langues et des cultures est-elle menacée ? », met en cause le diagnostic de ce rapport concernant *l'absence de totalisation* propre à la cyberculture. En revanche, la troisième question « La cyberculture n'est-elle pas synonyme de chaos et de confusion ? », prend pour acquise l'absence de totalisation, mais interroge son éventuel contenu négatif. La quatrième question, « La cyberculture est-elle en rupture avec les valeurs de la modernité européenne ? », me permettra de montrer une dernière fois comment la cyberculture prolonge et réalise les idéaux de la philosophie des lumières et du grand courant européen visant l'émancipation de l'homme. Je suggérerai cependant, par-delà les continuités, qu'elle appelle à un renouvellement radical de la pensée politique et sociale et qu'elle provoque une métamorphose de la notion même de culture.

La cyberculture sera-t-elle source d'exclusion ?

On estime souvent que le développement de la cyberculture pourrait être un facteur supplémentaire d'inégalité et d'exclusion, aussi bien entre les classes d'une même société qu'entre nations nanties et pays pauvres. Ce risque est réel. L'accès au cyberespace exige des infrastructures de communication et de calcul (ordinateurs) coûteuses pour les régions en développement. De plus, l'appropriation des compétences nécessaires au montage et à la maintenance des centres serveurs représente un investissement non négligeable. Supposons, cependant, que les points d'entrée sur le réseau et les équipements indispensables à la consultation, à la production et au stockage de l'information numérique soient disponibles. Il reste encore à surmonter les obstacles « humains ». Ce sont d'abord les freins institutionnels, politiques et culturels à des formes de communication communautaires, transversales et interactives. Ce sont, ensuite, les sentiments d'incompétence et de disqualification face aux nouvelles technologies.

À cette question de l'exclusion, trois types de réponses peuvent être apportées, qui ne règlent évidemment pas définitivement le problème, mais permettent de le relativiser et de le mettre en perspective.

Première réponse : il faut regarder la tendance plutôt que les chiffres absolus de connexion

En 1996, il y avait mille cinq cents personnes connectées à Internet au Vietnam. Cela paraît fort peu eu égard à la population de ce pays. Mais il y en aura certainement plus de dix fois autant en l'an 2000. En général, le taux de croissance des connexions au cyberespace manifeste une vitesse d'appropriation sociale supérieure à celle de tous les précédents systèmes de communication. La poste existait depuis des siècles avant que la plupart des gens puissent recevoir et envoyer des lettres régulièrement. Le téléphone, inventé à la fin du XIXᵉ siècle, n'équipe encore aujourd'hui qu'un peu plus de 20 % des êtres humains.

Le nombre de personnes participant à la cyberculture augmente à un rythme *exponentiel* depuis la fin des années quatre-vingt, notamment chez les jeunes. Des régions et des pays entiers planifient leur entrée dans la cyberculture, et particulièrement les plus dynamiques (on pense par exemple à l'Asie et à la zone Pacifique). Les exclus seront donc numériquement de moins en moins nombreux.

Deuxième réponse : il sera de plus en plus facile et de moins en moins cher de se connecter

Quoique fort répandus, les sentiments d'incompétence sont de moins en moins justifiés. La mise en place et l'entretien des infrastructures du cyberespace demandent effectivement des savoir-faire perfectionnés. En revanche, une fois acquis l'usage de la lecture et de l'écriture, *l'utilisation* du cyberespace par les individus et les organisations ne demande que fort peu de connaissances techniques. Les procédures d'accès et de navigation sont de plus en plus conviviales, spécialement depuis le développement du World Wide Web au début des années quatre-vingt-dix.

Par ailleurs, les matériels et logiciels nécessaires à la connexion deviendront de moins en moins coûteux. Afin de faire baisser les tarifs des abonnements et des télécommunications, les gouvernements peuvent agir dans le sens d'un encouragement à la concurrence entre fournisseurs d'accès et entre opérateurs de télécommunications. Le point capital est sans doute ici *le coût de la communication locale*. En Amérique du Nord, elle est comprise dans l'abonnement standard. On paie donc la même facture si l'on est resté connecté cinq minutes ou cinq heures. En revanche, *les tarifications européennes taxent la communication locale à l'heure,* ce qui décourage la connexion à Internet [1], à des BBS ou à toute autre forme de communication interactive en réseau.

Troisième réponse : toute avancée dans les systèmes de communication engendre nécessairement de l'exclusion

Chaque nouveau système de communication fabrique ses exclus. Il n'y avait pas d'illettrés avant l'invention de l'écriture. L'imprimerie et la télévision ont introduit la division entre ceux qui publient ou passent dans les médias et les autres. Comme je l'ai déjà signalé, on estime que seulement un peu plus de 20 % des êtres humains ont le téléphone. Aucun de ces faits ne constitue un argument sérieux contre l'écriture, l'imprimerie, la télévision ou le téléphone. Le fait qu'il y ait des analphabètes ou des gens privés de téléphone ne nous conduit pas à condamner l'écriture ou les télécommunications, mais nous incite au contraire à développer l'éducation primaire et à étendre les réseaux téléphoniques. Il devrait en être de même pour le cyberespace.

---

1. La connexion à Internet se paie généralement par abonnement forfaitaire, indépendamment du nombre d'heures de connexion. Mais la connexion *locale* entre la prise de téléphone de l'utilisateur et le fournisseur d'accès Internet (le *provider*) est facturée par un opérateur de télécommunication traditionnel.

Plus généralement, chaque universel produit ses exclus. L'universel, même s'il « totalise » dans ses formes classiques, *n'englobe jamais le tout*. Une religion universelle a ses incroyants ou ses hérétiques. La science a tendance à disqualifier les autres formes de savoir ou ce qu'elle nomme l'irrationnel. Les droits de l'homme ont leurs infractions et leur zones de non-droit. Les formes anciennes de l'universel excluent en séparant ceux qui participent à la vérité, au sens ou à une forme quelconque de l'empire et ceux qui se trouvent rejetés dans l'ombre : barbares, infidèles, ignorants, etc. L'universel sans totalité n'échappe pas à la règle de l'exclusion. Seulement, il ne s'agit plus d'adhésion au sens mais de connexion. L'exclu est déconnecté. Il ne participe pas à la densité relationnelle et cognitive des communautés virtuelles et de l'intelligence collective.

La cyberculture rassemble en vrac toutes les hérésies. Elle mélange les citoyens avec les barbares, les prétendus ignorants et les savants. Contrairement aux séparations de l'universel classique, ses frontières sont floues, mouvantes et provisoires. Mais la disqualification des exclus n'est pas moins terrible.

Gardons en tête cependant que les anciens universels produisaient des exclus par *construction*. La religion universelle ou la science supposent nécessairement des erreurs antérieures ou parallèles. En revanche, le mouvement propre de l'universel par contact est incluant : il s'approche asymptotiquement de l'interconnexion générale.

Que faire ? Certes, il faut favoriser par tous les moyens appropriés la facilité et la baisse des coûts de connexion. Mais le problème de « l'accès pour tous » ne peut se réduire aux dimensions technologiques et financières habituellement mises en avant. Il ne suffit pas de se retrouver devant un écran muni de toutes les interfaces conviviales que l'on voudra pour surmonter une situation d'infériorité. Il faut surtout être en condition de participer activement aux processus d'intelligence collective qui représentent le principal intérêt du cyberespace. Les nouveaux instruments devraient servir en priorité à valoriser la culture, les compétences, les ressources et les projets locaux, à aider les personnes à participer à des collectifs d'entraide, à des groupes d'apprentissage coopératif, etc. Autrement dit, dans la perspective de la cyberculture aussi bien que dans les approches plus classiques, les politiques volontaristes de lutte contre les inégalités et l'exclusion doivent viser le *gain en autonomie* des personnes ou des groupes concernés. Elles doivent en revanche éviter l'apparition de nouvelles dépendances provoquées par la consommation d'informations ou de services de communication conçus et produits dans une optique purement commerciale ou impériale et qui ont trop souvent pour effet de disqualifier les savoirs et les compétences traditionnels des groupes sociaux et des régions défavorisés.

La diversité des langues et des cultures est-elle menacée dans le cyberespace ?

L'anglais est aujourd'hui, de fait, la langue standard du réseau. En outre, les institutions et les entreprises américaines forment la majorité des producteurs d'informations sur Internet. La crainte d'une domination culturelle des États-Unis n'est donc pas sans fondements. Pourtant, la menace d'uniformisation n'est pas aussi grave qu'il pourrait sembler au premier abord. En effet, la structure technologique et économique de la communication dans le cyberespace est fort différente de celle du cinéma ou de la télévision. En particulier, la production et la diffusion d'informations sont beaucoup plus facilement accessibles à des individus ou à des groupes disposant de faibles moyens. On ne peut valablement poser la question de la diversité culturelle qu'à partir d'une analyse de la structure spécifique des dispositifs de communication de la cyberculture.

Une des principales significations de l'émergence du cyberespace est le développement d'une alternative aux médias de masse. J'appelle médias de masse les dispositifs de communication qui diffusent une information organisée et programmée à partir d'un centre, en direction d'un grand nombre de récepteurs anonymes, passifs et isolés les uns des autres. Presse, cinéma, radio et télévision classiques sont les représentants typiques de tels médias. Or le cyberespace ne met pas en jeu des centres diffusant vers des récepteurs, mais des espaces communs où chacun peut apporter son lot et puiser ce qui l'intéresse, des sortes de marchés de l'information où les gens se rencontrent et où *l'initiative appartient au demandeur*. Les lieux qui pourraient le plus aisément faire office de « centres » dans le cyberespace sont des serveurs d'informations ou de services. Or un serveur s'apparente plus à un magasin, un endroit où l'on répond au mieux à la demande en offrant un choix varié, qu'à un lieu de diffusion unilatérale.

Certes, il serait techniquement et politiquement possible de reconduire dans le cyberespace le dispositif de communication des médias de masse. Mais il me semble plus important de prendre acte des nouvelles potentialités ouvertes par l'interconnexion générale et la numérisation de l'information. Je les résume ci-dessous en quatre points :

La fin des monopoles de l'expression publique

Chaque groupe ou individu, quel qu'il soit, pourrait avoir désormais les moyens techniques de s'adresser à peu de frais à un immense public international. Tout un chacun (groupe ou individu) pourrait mettre en circulation des fictions, produire des reportages, proposer ses synthèses et sa sélection de l'actualité dans tel ou tel domaine.

La variété croissante des modes d'expression

Les modes d'expression disponibles pour communiquer dans le cyberespace sont déjà très variés et le seront de plus en plus à l'avenir. Du simple hypertexte en passant par l'hyperdocument multimodal ou le film vidéo numérique, jusqu'aux modèles pour la simulation graphique interactive et les performances dans des mondes virtuels... De nouvelles écritures d'image, de nouvelles rhétoriques de l'interactivité s'inventent.

La disponibilité progressive d'instruments de filtrage et de navigation dans le déluge informationnel

Des instruments automatiques ou semi-automatiques de filtrage, de navigation et d'orientation dans le contenu des réseaux et des mémoires permettront à chacun d'obtenir rapidement l'information la plus pertinente pour lui. Cela n'implique pas forcément l'apparition d'œillères électroniques, car « le plus pertinent » peut être, si je le désire, ce qui m'éloigne de mes thèmes habituels. Ces nouvelles capacités de filtrage fin et de recherche automatique dans de très grandes masses d'informations rendront probablement de moins en moins utiles les « résumés » destinés au plus petit commun dénominateur de masses anonymes. Elles déplacent « le centre de gravité informationnelle » vers l'individu ou le groupe en quête de renseignements.

Le développement des communautés virtuelles et des contacts interpersonnels à distance par affinité

Les personnes qui peuplent et nourrissent le cyberespace constituent sa principale richesse. L'accès à l'information importe sans doute moins que la communication avec les experts, les acteurs, les témoins directs des sujets qui nous intéressent. Or le cyberespace permet, chaque jour plus facilement, de rencontrer les individus à partir de leur adresse sur l'espace des compétences et des thèmes d'intérêt. Par ailleurs, l'immersion dans des communautés ouvertes de recherche, de pratique et de débat prémunit plus sûrement que tout autre antidote contre le dogmatisme et la manipulation unilatérale de l'information. Or le cyberespace favorise justement l'intégration à des « communautés virtuelles » indépendamment des barrières physiques et géographiques.

La diversité culturelle dans le cyberespace sera directement proportionnelle à l'engagement actif et à la qualité des contributions des représentants de cultures variées. Il est vrai que certaines infrastructures matérielles (réseaux de télécommunication, ordinateurs) et un minimum de compétences sont requis. Néanmoins, *le fait majeur à retenir est que les freins politiques, économiques ou technologiques à l'expression mondiale de la diversité culturelle n'ont jamais été aussi faibles que dans le cyberespace.* Cela ne signifie pas que ces barrières sont inexistantes, mais qu'elles sont beaucoup moins élevées que dans les autres dispositifs de communication.

La moindre expérience de navigation sur le World Wide Web montre un irrépressible foisonnement d'informations et de formes d'expression en provenance de toutes les régions du monde (même si beaucoup viennent d'Amérique) et d'horizons intellectuels on ne peut plus variés. Non seulement les lamentations sur l'uniformisation ne correspondent pas à la réalité que chacun peut constater sans difficulté, mais, surtout, *il n'y a personne à qui se plaindre.* Le cyberespace contient, en effet, ce que les individus y mettent. Le maintien de la diversité culturelle dépend principalement de la capacité d'initiative de chacun de nous, et peut-être du soutien que les pouvoirs publics, les fondations, les organisations internationales ou les ONG peuvent accorder aux projets à orientation artistique ou culturelle.

Venons-en maintenant à la question particulière de la langue. Le fait que l'anglais soit la langue véhiculaire sur le réseau (comme d'ailleurs dans la communauté scientifique, dans le monde des affaires, dans le tourisme, etc.) est incontestablement un handicap pour ceux dont ce n'est pas la langue maternelle. Remarquons cependant que l'existence d'une langue véhiculaire est en soi un atout pour la communication internationale. Il semble difficile de s'en passer. Mais pourquoi l'anglais ? Indépendamment de la prépondérance économique, militaire et culturelle américaine, on est obligé de constater que l'anglais (parlé en Angleterre, aux États-Unis, au Canada, en Australie, en Afrique du Sud) est aujourd'hui la langue *majoritaire parmi les internautes*. Par ordre d'importance démographique, l'anglais est la troisième langue dans le monde après le chinois et l'hindi, mais le taux de connexion en Chine et en Inde est encore assez faible. (Notons incidemment qu'après l'anglais viennent l'espagnol, le russe et l'arabe).

Mais que l'anglais soit majoritaire sur le réseau ne signifie évidemment pas qu'il y soit la seule langue. D'ores et déjà, on trouve sur Internet des informations dans des *centaines* de langues différentes. De grandes quantités de textes sont notamment disponibles en français, en espagnol, en portugais, en allemand, en italien, etc. Des communautés virtuelles se sont aussi créées par affinités linguistiques, qui recoupent et compliquent les affinités thématiques.

Les freins au maintien et à l'extension de la diversité linguistique sont essentiellement techniques. Vu les normes en vigueur, les écritures accentuées utilisant l'alphabet romain (comme le français ou l'espagnol) sont légèrement défavorisées par rapport à celles qui n'ont pas d'accent (comme l'anglais). Sont encore plus défavorisés les alphabets non romains (comme les écritures cyrillique, grecque, arabe, hébraïque, coréenne). Les plus brimées par les normes techniques sont finalement les écritures non alphabétiques, utilisant des caractères idéographiques, comme celles des Chinois ou des Japonais. Ces freins, réels, *ne sont en aucun cas des impossibilités.* De plus, les progrès des recherches (notamment celles qui concernent les écritures non alphabétiques) et la prochaine évolution des normes rendront dans quelques années la communication écrite en russe ou en chinois dans le cyberespace aussi facile et « transparente » qu'en anglais.

Excepté les difficultés techniques mineures que je viens d'évoquer, *il n'existe aucun obstacle à la diversité linguistique sur Internet, sinon le manque d'initiative ou l'absence d'activité dans le réseau des locuteurs de telle ou telle langue minoritaire.*

Pour s'exercer à une saine humilité comme au respect de l'autre, la bonne attitude me semble être de considérer *toutes les langues comme des langues minoritaires,* et surtout sa propre langue. Même l'anglais est minoritaire dans le monde par rapport au chinois ou minoritaire parmi les locuteurs francophones. Quoique leur langue ait été une langue impériale, les francophones doivent s'habituer à penser au français comme à une langue minoritaire. Les parlers régionaux, les dialectes, les patois, les idiomes opprimés ou en voie d'extinction sont aussi des langues minoritaires à défendre et à protéger, sur le réseau comme ailleurs. Remarquons enfin que la vitalité de l'expression dans le cyberespace n'est pas « anglo-saxonne » mais américaine. Les Québécois, par exemple, sont des Américains francophones. Or, précisément, « bien que les Canadiens francophones ne représentent que cinq pour cent de la population francophone [du monde], trente pour cent de toutes les pages publiées en français sur le réseau proviennent du Québec [1] ».

Que faire ? Le simple bon sens recommande de ne jamais publier sur Internet exclusivement en anglais

---

1. Brunot Oudet, « Le multilinguisme sur Internet », *in Pour la science*, n° 235, mai 1997, p. 55.

lorsque ce n'est pas la langue d'origine des contributeurs, mais de *faire toujours figurer la version originale* des textes ou des discours et même, éventuellement, des traductions en d'autres langues que l'anglais. Symétriquement, *lorsque l'on vise un public international*, il est préférable de proposer une version anglaise aux côtés de la version originale, de manière à assurer une plus large diffusion.

La cyberculture n'est-elle pas synonyme de chaos et de confusion ?

Puisque chacun peut alimenter le réseau sans aucun intermédiaire ni censure, puisque aucun gouvernement, aucune institution ni aucune autorité morale ne garantit la valeur des données disponibles, quelle confiance peut-on accorder aux informations trouvées dans le cyberespace ? Comme aucune sélection ou hiérarchie officielle ne permet de se retrouver dans le déluge informationnel du cyberespace, n'assiste-t-on pas tout simplement à une dissolution culturelle plutôt qu'à un progrès, dissolution qui ne peut servir ultimement que ceux qui ont *déjà* des repères c'est-à-dire les personnes privilégiées par leur éducation, leur milieu, leurs réseaux intellectuels privés ?

Ces interrogations semblent légitimes au premier abord. Elles reposent pourtant sur des prémisses fausses.

Il est exact qu'aucune autorité *centrale* ne garantit la valeur des informations disponibles dans *l'ensemble* du réseau. Néanmoins, les sites Web sont produits et entretenus par des personnes ou des institutions qui signent leurs contributions et en défendent la validité devant la communauté des internautes. Pour prendre un exemple évident, le contenu d'un site universitaire est garanti par l'université qui l'accueille. Comme pour les revues imprimées, les

revues ou journaux en ligne se trouvent sous la responsabilité de leur comité éditorial. Les informations en provenance d'une entreprise sont garanties par celle-ci, qui joue
tout autant (sinon plus) sa réputation sur le Web que par
d'autres formes de communication. Les informations gouvernementales sont évidemment contrôlées par les gouvernements, etc.

Les communautés virtuelles, forums électroniques ou
newsgroups sont bien souvent *modérés* par des responsables qui filtrent les contributions en fonction de leur qualité ou de leur pertinence.

Il n'est pas rare que les *opérateurs systèmes* qui administrent les serveurs informatiques soient employés par des
organismes publics (universités, musées, ministères) ou
par des institutions ayant intérêt à soutenir leur réputation
(grandes entreprises, associations, etc.). Ces opérateurs
systèmes, qui disposent d'un grand pouvoir « régional »
dans le cyberespace, peuvent éliminer des serveurs dont ils
sont responsables les informations ou les groupes de discussion contraires à l'éthique du réseau (la fameuse *netiquette*) : calomnies, racisme, incitation directe à la violence, proxénétisme, déversement systématique d'informations non pertinentes, etc. Cela explique d'ailleurs qu'il y
ait *si peu* d'informations ou de pratiques de ce genre dans
le réseau.

Par ailleurs, une sorte d'*opinion publique* fonctionne
sur Internet. Les meilleurs sites sont souvent cités ou montrés en exemple dans des revues, catalogues ou index (en
ligne ou imprimés). De nombreux liens hypertextes mènent
vers ces « bons » services. En revanche, plus rares sont les
liens qui drainent les internautes vers les sites dont la
valeur informationnelle est faible ou déclinante.

Le fonctionnement du réseau fait donc essentiellement
appel à la responsabilité des fournisseurs et des demandeurs d'information dans un espace public. Il récuse un
contrôle *hiérarchique* – donc opaque –, *global* et *a priori*, ce

qui serait une définition possible du système de la censure ou d'une gestion totalitaire de l'information et de la communication.

On ne peut avoir en même temps la liberté d'expression et la sélection *a priori* des informations par une instance supposée savoir ce qui est vrai et bien pour tous, que cette instance soit journalistique, scientifique, politique ou religieuse.

Mais le chaos, la confusion, le caractère diluvien de l'information et de la communication dans le cyberespace ? Ne désavantagent-ils pas ceux qui sont dépourvus de forts repères personnels ou sociaux ? Cette crainte n'est qu'en partie fondée. En effet, la profusion du flux informationnel, son absence d'ordre global *a priori* n'interdisent pas que les personnes ou les collectifs s'y orientent et aménagent pour leur propre compte des hiérarchies, des sélections, une structure. Ont définitivement disparu les sélections, les hiérarchies ou les structures de connaissances *prétendument valables pour tous et en tous temps, à savoir l'universel totalisant.* Comme je l'ai déjà signalé, pour l'aménagement d'un ordre local et provisoire dans le désordre global, des « moteurs de recherche », des index en ligne, des instruments de navigation de plus en plus perfectionnés s'offrent au service de l'internaute. De plus, il ne faut pas se représenter le cyberespace peuplé d'individus isolés et perdus parmi des masses d'informations. Le réseau est d'abord un instrument de communication entre des individus, un lieu virtuel où *des communautés aident leurs membres à apprendre ce qu'ils veulent savoir.* Les données ne représentent que la matière première d'un processus intellectuel et social vivant et hautement élaboré. Finalement, *toute l'intelligence collective du monde ne dispensera jamais d'intelligence personnelle,* de l'effort individuel et du temps nécessaire à apprendre, à chercher, à évaluer, à s'intégrer dans diverses communautés, fussent-elles virtuelles. Le réseau ne pensera jamais à votre place, et c'est tant mieux.

La cyberculture est-elle en rupture avec les valeurs fondatrices de la modernité européenne ?

Par contraste avec l'idée postmoderne du déclin des idées des lumières, je prétends que la cyberculture peut être considérée comme un héritier légitime (quoique lointain) du projet progressiste des philosophes du xviiiᵉ siècle. En effet, elle valorise la participation à des communautés de débat et d'argumentation. Dans la droite ligne des morales de l'égalité, elle encourage une manière de réciprocité essentielle dans les relations humaines. Elle s'est développée à partir d'une pratique assidue des échanges d'informations et de connaissances, que les philosophes des lumières considéraient comme le principal moteur du progrès. Et donc, si jamais nous avions été modernes [1], la cyberculture ne serait pas postmoderne mais bel et bien dans la continuité des idéaux révolutionnaires et républicains de liberté, d'égalité et de fraternité. Seulement, dans la cyberculture, ces « valeurs » s'incarnent dans des dispositifs techniques concrets. À l'ère des médias électroniques, l'*égalité* se réalise en possibilité pour chacun d'émettre pour tous ; la *liberté* s'objective en logiciels de cryptage et en accès transfrontières à de multiples communautés virtuelles ; la *fraternité*, enfin, transparaît dans l'interconnexion mondiale.

Ainsi, loin d'être résolument postmoderne, le cyberespace peut apparaître comme une sorte de *matérialisation technique des idéaux modernes*. En particulier, l'évolution contemporaine de l'informatique constitue une étonnante réalisation de l'objectif marxien d'appropriation des

---

1. Voir Bruno Latour, *Nous n'avons jamais été modernes*, Paris, La Découverte, 1991.

moyens de production par les producteurs eux-mêmes. Aujourd'hui, la « production » consiste essentiellement à simuler, à traiter de l'information, à créer et à diffuser des messages, à acquérir et à transmettre des connaissances, à se coordonner en temps réel. Dès lors, les ordinateurs personnels et les réseaux numériques remettent effectivement entre les mains des individus les principaux outils de l'activité économique. Bien plus, si le spectacle (le système médiatique), selon les situationnistes, est le comble de la domination capitaliste [1], alors le cyberespace réalise une véritable révolution, puisqu'il permet – ou permettra bientôt – à tout un chacun de se passer de l'éditeur, du producteur, du diffuseur, des intermédiaires en général pour faire connaître ses textes, sa musique, son monde virtuel ou tout autre produit de son esprit. Par contraste avec l'impossibilité de répondre et l'isolement des consommateurs de télévision, le cyberespace offre les conditions d'une communication directe, interactive et collective.

La réalisation quasi technique des idéaux de la modernité met immédiatement en évidence leur caractère, non pas dérisoire, mais partiel, insuffisant. Car il est clair que ni l'informatique personnelle ni le cyberespace, si généralisés soient-ils à l'ensemble des êtres humains, ne résolvent par leur seule existence les principaux problèmes de la vie en société. Certes, ils réalisent pratiquement des formes nouvelles d'universalité, de fraternité, d'être ensemble, de réappropriation par la base des instruments de production et de communication. Mais, du même mouvement, ils déstabilisent à grande vitesse, et souvent de manière violente, les économies et les sociétés. Tout en ruinant les anciens, ils participent à la création de nouveaux pouvoirs, moins visibles et plus instables, mais non moins virulents.

La cyberculture apparaît comme la solution partielle des problèmes de l'époque précédente, mais elle constitue

---

1. Voir Guy Debord, *La Société du spectacle*, première édition, Paris, Buchet-Chastel, 1967.

elle-même un immense champ de problèmes et de conflits pour lesquels aucune perspective de résolution globale ne se dessine encore nettement. Le rapport au savoir, le travail, l'emploi, la monnaie, la démocratie, l'État sont à réinventer, pour ne citer que quelques-unes des formes sociales les plus brutalement remises en cause.

En un sens, la cyberculture continue la grande tradition de la culture européenne. En un autre sens, elle transmute le concept de culture. C'est ce que je vais évoquer dans la conclusion de ce rapport.

LA CYBERCULTURE
OU LA TRADITION SIMULTANÉE

Loin d'être une sous-culture des fanatiques du réseau, la cyberculture exprime une mutation majeure de l'essence même de la culture. Selon la thèse que j'ai développée dans ce rapport, la clé de la culture de l'avenir est le concept d'universel sans totalité. Dans cette proposition, « l'universel » signifie *la présence virtuelle de l'humanité à soi-même*. L'universel abrite l'ici et maintenant de l'espèce, son point de rencontre, un ici et maintenant paradoxal, sans lieu ni temps clairement assignables. Par exemple, une religion universelle est censée s'adresser à tous les hommes et les réunit virtuellement dans sa révélation, son eschatologie, ses valeurs. De même, la science est censée exprimer (et valoir pour) le progrès intellectuel de l'ensemble des humains, sans exclusive. Les savants sont les délégués de l'espèce, et les triomphes de la connaissance exacte sont ceux de l'humanité dans son ensemble. De même, l'horizon d'un cyberespace que nous réputons universaliste est d'interconnecter tous les bipèdes parlants et de les faire participer à l'intelligence collective de l'espèce au sein d'un milieu ubiquitaire. De manière complètement différente, la science, les religions universelles ouvrent des lieux virtuels où l'humanité se rencontre elle-même. Quoique remplissant une fonction analogue, le cyberespace réunit les gens de manière beaucoup moins « virtuelle » que la science ou les grandes religions. L'activité scientifique implique chacun et s'adresse à tous par l'intermédiaire d'un sujet transcendantal de la connaissance, auquel participe chaque membre de l'espèce. La religion rassemble par la transcendance. En revanche, pour son opération de mise en présence de l'humain à lui-même, le cyberespace met en œuvre une technologie réelle, immanente, à portée de main.

Qu'est-ce, maintenant, que la *totalité* ? Il s'agit, dans mon langage, de *l'unité stabilisée du sens d'une diversité*. Que cette unité ou cette identité soient organiques, dialectiques ou complexes plutôt que simples ou mécaniques ne change rien : il s'agit toujours de totalité, c'est-à-dire d'une clôture sémantique englobante.

Or *la cyberculture invente une autre manière de faire advenir la présence virtuelle à soi-même de l'humain qu'en imposant une unité du sens*. Telle est la principale thèse ici défendue.

Eu égard aux catégories que je viens d'exposer, on peut distinguer trois grandes étapes de l'histoire :

– celle des petites sociétés closes, de culture orale, qui vivent une totalité sans universel,

– celle des sociétés « civilisées », impériales, utilisant l'écriture, qui ont fait surgir un universel totalisant,

– celle enfin de la cyberculture, correspondant à la mondialisation concrète des sociétés, qui invente un universel sans totalité.

Soulignons que la deuxième et la troisième étape ne font pas disparaître celles qui les précèdent : elles les relativisent en y ajoutant des dimensions supplémentaires.

Dans un premier temps, l'humanité se compose d'une multitude de totalités culturelles dynamiques ou de traditions, mentalement fermées sur elles-mêmes, ce qui n'empêche évidemment ni les rencontres ni les influences. Les hommes par excellence sont les membres de la tribu. Rares sont les propositions des cultures archaïques censées concerner tous les êtres humains sans exception. Ni les lois (pas de « droits de l'homme »), ni les dieux (pas de religions universelles), ni les connaissances (pas de procédures d'expérimentation ou de raisonnements reproductibles partout), ni les techniques (pas de réseaux ni de standards mondiaux) ne sont universels.

Certes, au plan des œuvres, comme nous l'avons vu, les auteurs étaient rares. Mais la clôture du sens était assurée par une transcendance, par l'exemple et la décision des ancêtres, par une tradition. Certes, l'enregistrement faisait défaut. Mais la transmission cyclique de génération en génération garantissait la pérennité dans le temps. Les capacités de la mémoire humaine limitaient cependant la taille du trésor culturel aux souvenirs et savoirs d'un groupe de vieillards. Totalités vivantes, mais totalités, sans universel.

Dans un deuxième temps, « civilisé », les conditions de communication instaurées par l'écriture amènent à la découverte pratique de l'universalité. L'écrit, puis l'imprimé portent une possibilité d'extension indéfinie de la mémoire sociale. L'ouverture universaliste s'effectue à la fois dans le temps et dans l'espace. L'universel totalisant traduit l'inflation des signes et la fixation du sens, la conquête des territoires et la sujétion des hommes. Le premier universel est impérial, étatique. Il s'impose par-dessus la diversité des cultures. Il tend à creuser une couche de l'être partout et toujours identique, prétendument indépendante de nous (l'univers construit par la science) ou attachée à telle définition abstraite (les droits de l'homme). Oui, notre espèce existe désormais en tant que telle. Elle se rencontre et communie au sein d'étranges espaces virtuels : la révélation, la fin des temps, la raison, la science, le droit... De l'État aux religions du livre, des religions aux réseaux de la technoscience, l'universalité s'affirme et prend corps, mais presque toujours par la totalisation, l'extension et le maintien d'un sens unique.

Or la cyberculture, troisième étape de l'évolution, maintient l'universalité tout en dissolvant la totalité. Elle correspond au moment où notre espèce, par la planétarisation économique, par la densification des réseaux de communication et de transport, tend à ne plus former qu'une seule communauté mondiale, même si cette communauté est – ô combien ! – inégalitaire et conflictuelle. Seule de son genre dans le règne animal, l'humanité réunit toute son espèce en une seule société. Mais, du même coup, et paradoxalement, l'unité du sens éclate, peut-être parce qu'elle commence à se réaliser pratiquement, par le contact et l'interaction effective. Connectées à l'univers, les communautés virtuelles construisent et dissolvent constamment leurs micrototalités dynamiques, émergentes, immergées, dérivant parmi les courants tourbillonnaires du nouveau déluge.

Les traditions se déployaient dans la diachronie de l'histoire. Les interprètes, opérateurs du temps, passeurs des lignées d'évolution, ponts entre l'avenir et le passé, réactualisaient la mémoire, transmettaient et inventaient du même mouvement les idées et les formes. Les grandes traditions intellectuelles ou religieuses ont patiemment construit des bibliothèques hypertextes auxquelles chaque nouvelle génération ajoutait ses nœuds et ses liens. Intelligences collectives sédimentées, l'Église ou l'université cousaient les siècles les uns aux autres. Le Talmud fait foisonner les commentaires de commentaires où les sages d'hier dialoguent avec ceux d'avant-hier.

Loin de disloquer le motif de la « tradition », la cyberculture l'incline d'un angle de quarante-cinq degrés pour la disposer dans l'idéale synchronie du cyberespace. La cyberculture incarne la forme horizontale, simultanée, purement spatiale, de la transmission. Elle ne relie dans le temps que par surcroît. Sa principale opération est de connecter dans l'espace, de construire et d'étendre les rhizomes du sens.

Voici le cyberespace, le pullulement de ses communautés, le buissonnement entrelacé de ses œuvres, comme si toute la mémoire des hommes se déployait dans l'instant : un immense acte d'intelligence collective synchrone, convergent au présent, éclair silencieux, divergent, explosant comme une chevelure de neurones.

TABLE

TABLE   311

TROISIÈME PARTIE

PROBLÈMES

TABLE 313

DU MÊME AUTEUR

Qu'est-ce que le virtuel ?, Paris, La Découverte, 1995.

L'Intelligence collective. Pour une anthropologie du cyberespace, Paris, La Découverte, 1994.

Les Arbres de connaissances (en collaboration avec Michel Authier), Paris, La Découverte, 1992.

De la programmation considérée comme un des beaux-arts, Paris, La Découverte, 1992.

L'Idéographie dynamique. Vers une imagination artificielle ?, Paris, La Découverte, 1991.

Les Technologies de l'intelligence. L'avenir de la pensée à l'ère informatique, Paris, La Découverte, 1990, « Points », Seuil, 1993.

La Machine Univers. Création, cognition et culture informatique, Paris, La Découverte, 1987, « Points-Sciences », Seuil, 1992.

Imprimé par Lightning Source France
1 avenue Gutenberg
78310 Maurepas

N° d'édition : 7381-0512-Y

Imprimé en France
FROC021556010920
25014FR00011B/56